안중근 자료집 제7권

재하얼빈 한인 신문기록

편역자 신운용(申雲龍)
한국외국어대학교 사학과 졸업
한국외국어대학교 대학원 사학과 졸업(문학박사)
한국외국어대학교 사학과 강사
(사)안중근평화연구원 책임연구원

안중근 자료집 제7권
재하얼빈 한인 신문기록

1판 1쇄 펴낸날 | 2016년 03월 26일

기 획 | (사)안중근평화연구원
엮은이 | 안중근 자료집 편찬위원회

총 괄 | 윤원일
편역자 | 신운용

펴낸이 | 서채윤
펴낸곳 | 채륜
책만듦이 | 김미정·김승민·오세진
책꾸밈이 | 이현진·이한희

등 록 | 2007년 6월 25일(제2009-11호)
주 소 | 서울시 광진구 자양로 214, 2층(구의동)
대표전화 | 02-465-4650 | 팩스 02-6080-0707
E-mail | book@chaeryun.com
Homepage | www.chaeryun.com

책값은 뒤표지에 있습니다.
ISBN 979-11-86096-27-7 94910
ISBN 978-89-93799-84-2 (세트)

이 책은 '안중근 의사 전집 발간 연구사업'으로 서울특별시의 인쇄비 지원을 받아 만들었습니다.

안중근 자료집 제7권

재하얼빈 한인 신문기록

(사)안중근평화연구원

채륜
CHAE RYUN

발간사 _ 하나

안중근 의사의 삶과 교훈

'안중근의사기념사업회'에서는 2004년부터 역사, 정치, 경제학자들과 일본어, 한문 번역 전문가들을 모시고 안중근전집발간위원회(위원장: 조광 교수, 고려대학교 명예교수)를 구성하여 안중근 의사와 관련된 자료를 모아 약 40여 권의 책으로 자료집을 발간하기로 하였습니다. 안중근 자료집 발간의 참뜻은 100년 후 안중근 의사가 오늘 우리에게 요구하는 시대정신을 확인하고 실천하는 계기를 만들자는 것입니다. 이를 위해 자료집 발간에 앞서 역사적 안중근과 오늘의 안중근정신을 확인하고 연구할 필요가 있다는 것을 자료집 발간위원들과 정치, 경제, 역사, 인권 등 여러 분야의 전문가들이 제언하고 동의하였습니다. 이에 따라 우리 사업회에서는 안중근 의사 의거와 순국 100주년을 준비하면서 10여 차례의 학술대회를 개최하였습니다. 특히 2008년 10월 24일에는 한국정치학회와 공동으로 한국외국어대학교에서 "안중근 의사의 동양평화론"을 주제로 학술대회를 하였고, 의거와 순국 100주년에 안중근 의사의 정신을 실천하기 위한 방안을 모색하는 국제학술대회를 개최하고 지속적으로 안중근 의사의 뜻을 실현하기 위한 연구 사업을 위해 노력하고 있습니다. 2004년 이후 학술대회 성과를 묶어 안중근 연구 총서 5권으로 이미 출판하였습니다. 특히 안중근 의사의 의거와 순국 100주년을 맞아 남북의 동포가 함께 개성과 여순감옥에서 안중근 의사를 기억하며 남북의 화해와 일치를 위해 노력하기로 다짐한 행사는 참으로 뜻깊은 사건이었습니다.

역사를 기억하는 것은 역사적 사실로부터 미래를 지향하는 가치를 확인하는 것입니다. 일본 제국주의의 잔혹한 식민지 통치와 2차 세계대전의 잔혹한 역사적 잘못에 대해 이미 일본 국민과 학자들도 비판과 반성을 통해 동아시아 국가들과 화해를 시대적 가치로 제시하고 있습니다.

그럼에도 불구하고 한국현대사학회가 중심이 된 교과서포럼과 교학사 역사교과서 논쟁에서 보여준 식민지근대화론을 주장하거나 이에 동조하는 학자들, 특히 국사편찬위원장을 역임한 이태진 교수, 공주대학교 이명희 교수, 권희영 한국학중앙연구원 교수, 안병직, 박효종, 이인호, 유영익, 차상철, 김종석 교수 등이 보여준 언행은 비판받아 마땅하다고 생각합니다.

특히 "정신대는 일제가 강제동원한 것이 아니라 당사자들이 자발적으로 참여한 상업적 매춘이자 공창제였다."(교과서포럼 이영훈 교수), "그 시기(일제강점기)는 억압과 투쟁의 역사만은 아니었다. 근대 문명을 학습하고 실천함으로써 근대국민국가를 세울 수 있는 '사회적 능력'이 두텁게 축적되는 시기이기도 하였다."(박효종 교수)고 주장하며 분명한 사실조차 왜곡하려는 현대사학회와 교과서포럼의 구성원들에게 진심으로 안타까움을 넘어 인간적 연민을 갖게 됩니다.

안중근 연구 사업은 안중근 자료집이 역사적 사실에 한정되지 않고 우리 역사와 함께 진화하고 발전하기를 바라는 자료집 발간에 참가하는 위원들과 우리 사업회의 소망이 함께하고 있습니다. 2009년 안중근 의사 의거 100주년을 맞아 자료집 5권을 출판한 이후 많은 어려움으로 자료집 발간이 지체되는 것을 안타까워한 서울시와 서울시의회 의원들의 지원으로 자료집 완간을 위한 계획을 수립하게 되었습니다. 앞으로 순차적으로 40여 권의 자료집을 3년여에 걸쳐 완간할 것입니다.

저는 지난 85년부터 성심여자대학교(현재 가톨릭대학교와 통합)에서 〈종교의 사회적 책무〉라는 주제로 20여 년간 강의를 했습니다. 강의를 하면서 학생들로부터 새로운 시각과 신선함도 배우고 또한 학생들을 격려하며 자극하기도 했습니다. 새 학년마다 3월 26일 안중근 의사 순국일을 맞아 〈안중근 의사의 삶과 교훈〉을 학생들에게 강의하고 안중근 의사의 자서전, 공판기록 등 그와 관련된 책을 읽고 보고서를 제출토록 과제를 주고 이를 1학기 학점에 반영했습니다. 학생들은 누구나 숙제를 싫어하지만 학점 때문에 내 요구에 마지못해 응했습니다. 그런데 학생들의 보고서를 읽으면서 저는 큰 보람을 느끼곤 했습니다. 그중 큰 공통점은 거의 모든 학생들이 "안 의사에 대해서는 어린 시절 교과과정을 통해 일본의 침략자 이토 히로부미(伊藤博文)를 사살한 분 정도로만 알고 있었는데 그분의 자서전을 읽고는 그분의 투철한 신념, 정의심, 교육열, 사상, 체계적 이론 등을 깨달았고 무엇보다도 우리 민족의 선각자, 스승임을 새삼 알게 되었다"고 고백했습니다.

그렇습니다. 우리에게 귀감이 되고 길잡이가 되는 숱한 선현들이 계시지만 안중근 의사야말로 바로 지금 우리 시대에 우리가 되새기고 길잡이로 모셔야 할 스승이며 귀감입니다.

그러나 스스로 자신을 낮추며 나라와 겨레를 위해 목숨까지 바친 안 의사의 근본 정신은 간과한 채 거짓 언론과 몇몇 무리들은 안 의사를 형식적으로 기념하면서 안 의사의 삶을 장삿속으로 이용하기만 합니다. 참으로 부끄럽고 가슴 아픈 일입니다. 그뿐 아니라 나라를 빼앗긴 피눈물의 과정, 일제의 침략과 수탈을 근대화의 계기라는 어처구니없는 주장을 감히 펼치고 있는 이 현실, 짓밟히고 삭제되고 지워지고 조작된 역사를 바로 잡기 위한 역사학도들의 피눈물 나는 노력과 뜻있는 동지들의 진정성을 아직도 친일매국노의 시각으로 훼손하고 자유당 독재자 이승만, 그리고 유신체제의 군부독재자 박정희 등 이들의 졸개들이 으쓱거리고 있는 이 시대는 바로 100년 전 안중근 의사가 고민했던 바로 그때를 반영하기도 합니다.

역사와 국가공동체 그리고 교회공동체의 모든 구성원들은 조선 침탈의 원흉 이토 히로부미를 안 의사가 제거하였다는 업적과 동양 평화와 나라의 독립을 위하여 헌신하시고 제안한 방안들을 얼마나 지키려 하였는지, 일본의 한국병탄(倂呑)에 동조하거나 협력하였던 외국인 선교사들을 거부하고 직접 하느님의 뜻을 확인하려하신 그 신앙심에 대하여 진심으로 같이 고백하였는지 이제는 깊게 반성하여야 합니다. 확인되지도 않는 일본인들 다수가 안 의사를 존경하는 것처럼 호도하고 안 의사의 의거의 정당성을 일본과 그에 협력하였던 나라들에게 당당하게 주장하지도 않았으면서 그 뜻을 받들고 있는 것처럼 때가 되면 모여서 묵념하는 것이야말로 역사를 모독하고 안 의사를 훼손하고 있다는 것도 이 기회에 함께 진심으로 반성하여야 합니다. 심지어 안 의사 연구의 전문가인 양 온 나라에 광고하면서 진정한 안 의사의 의거의 정당성과 사상과 그 생각을 실현하려는 방안을 하나도 제시하지 않고 있는 사람들의 속내를 과연 무엇이라고 해석하여야 합니까?

안중근 자서전의 공개과정과 내용

안중근은 의거 후 중국 여순 감옥에 갇혀 죽음을 앞두고 자신의 삶을 되돌아보면서 〈안응칠 역사〉를 기술하였습니다. 아직 원본은 발견되지 않았지만, 1969년 4월 일본 동경에서 최서면 씨가 한 일본인으로부터 입수한 〈안중근 자서전〉이라는 필사본과 1979년 9월 재일동포 김정명(金正明) 교수가 일본 국회도서관 헌정연구실 '7조청미(七條淸美)' 문서 중에서 '안응칠 역사'와 '동양평화론'의 등사 합본을 발굴함으로써 더욱 명료해졌습니다(신성국, 의사 안중근(도마), 지평, 36~37, 1999).

우리 안중근의사기념사업회와 (사)안중근평화연구원에서는 안중근 자료집 발간과 함께 안중근 자서전을 새롭게 번역하여 출간할 계획입니다. 〈안중근 자서전〉은 한자로 기록된 문서로 한글번역 분량은 신국판 70여 쪽에 이르지만 해제를 덧붙여야하기에 그 두 배에 이를 것입니다. 안 의사는 감옥생활 5개월 동안 감옥에서 유언과 같은 자서전 〈안응칠 역사〉를 집필한 뒤 서문, 전감, 현상, 복선, 문답 등 5장으로 구성된 〈동양평화론〉의 서문과 전감은 서술하고 나머지 3개장은 완성하지 못한 채 순국하셨습니다.

안 의사는 자서전에서 출생과 성장과정(1879~1894) 등 15세 때까지의 회상을 서론과 같이 기술하고, 결혼, 동학당(東學党)과의 대결, 갑신정변(1894), 갑오농민전쟁(1895)에 대한 청년시절 체험을 얘기하고 있습니다. 이어 그는 19세 때인 1897년 아버지와 함께 온 가족이 세례 받게 된 경위와 빌렘(J. Wilhelm, 한국명: 홍석구)신부를 도와 황해도 일대에서 선교에 전념하던 일을 증언하면서 특히 하느님 존재 증명방법과 그리스도를 통한 구원론, 각혼, 생혼, 영혼에 대한 설명, 하느님의 심판, 부활영생 등의 기본적 교리를 천명하고 있습니다. 이 증언을 통해 우리는 그의 돈독한 신앙과 19세기 말엽의 교리체계를 이해하고 확인할 수 있습니다.

안 의사는 빌렘신부를 도와 선교에 힘쓰면서 교회공동체나 주변의 억울한 사람들을 만나면 그들의 권리나 재산을 보호하기 위하여 스스로 위험을 감수하고 앞장섰습니다. 우리는 신앙인으로서 청년 안중근의 열정과 정의심을 몇 가지 사례를 통해 확인할 수 있습니다. 당시 서울의 세도가였던 전 참판 김중환(金仲煥)이 옹진군민의 돈 5천 냥을 빼앗아간 일이 있었는데 이를 찾아주기 위해 서울까지 가서 항의하고 꼭 갚겠다는 약속을 얻어내기도 했습니다. 또 다른 일은 해주 병영의 위관 곧 오늘의 표현으로는 지방군부대 중대장 격인 한원교(韓元校)가 이경주라는 교우의 아내와 간 통하여 결국 아내와 재산까지 빼앗은 횡포에 대해 법정투쟁까지 벌이면서 사건을 해결하려 했으나 결국 한원교가 두 사람의 자객을 시켜 이경주를 살해한 일을 회상하면서 끝내 한원교가 처벌되지 않는 불의한 현실을 개탄하였습니다. 안중근 의사의 이와 같은 정의감과 불의한 현실적 모순에 대한 그의 고뇌와 갈등을 우리는 여러 대목에서 확인할 수 있습니다. 이 자서전을 읽을 때마다 우리는 19세기 말 당시의 상황과 안중근 의사의 인간미를 새롭게 깨닫고 그의 진면목을 대하게 됩니다.

선교과정에서 안 의사는 무엇보다도 교육의 필요성을 절감하고 빌렘신부와 함께 뮈텔(G.Mutel, 한국명: 민효덕)주교를 찾아가 대학설립을 건의하는데 두 번, 세 번의 간청에도 불구하고 뮈텔은 "한국인이 만일 학문을 하게 되면 신앙생활에 좋지 않을 것이니(不善於信敎) 다시는 이러한 얘기를 꺼내지 말라"라고 거절했습니다. 고향으로 돌아오는 길에 안 의사는 뮈텔의 이러한 자세에 의노를 느끼며 마음속으로 "천주교의 진리는 믿을지언정 외국인의 심정은 믿을 것이 못된다" 하고 그때까지 배우던 프랑스어를 내던졌다고 술회하고 있습니다. 특히 교회공동체와 사제에게 가장 성실했던 신앙인 안 의사는 1907년 안 의사의 독립운동을 못마땅하게 여기며 독립투쟁을 포기할 때에만 비로소 성사생활을 할 수 있다면서 성사까지 거부했던 원산성당의 브레 사제(Louis Bret, 한국명: 백류사) 앞에서 당당하게 신앙을 증거하고 끝까지 독립운동을 지속했습니다. 당시 대부분의 선교사들이 일제에 영합하는 정교분리의 원칙에 따라 독립운동을 방해하고 반대하였음에도 불구하고 해외에서 무장투쟁을 펼치며 마침내 이토 히로부미를 주살하였습니다. 여기서 우리는 선교사의 한계를 뼈저리게 느끼며 하느님과의 직접적인 관계를 생각하셨던 안 의사의 신앙적 직관과 통찰력을 엿볼 수 있습니다. 특히 프랑스 사제들의 폐쇄적 자세와 인간적 한계를 극복한 성숙한 신앙인의 결단과 자세는 우리 모두의 귀감이며 사제와 주교 때문에 신앙이 흔들리는 우리 시대의 많은 형제자매들에게 안 의사는 참으로 든든한 신앙의 길잡이입니다.

일본의 침략이 노골화되자 안 의사는 가족과 함께 이주할 계획으로 상해를 방문했고 어느 날 성당에서 기도하고 나오던 길에 우연히 르각(Le Gac, 한국명: 곽원량) 신부를 만나 깨우침을 얻게 됩니다. 안 의사의 계획을 듣고 르각 신부는 프랑스와 독일의 국경지대인 알자스 지방을 예로 들면서 많은 이들이 그 지역을 떠났기에 다시는 회복할 수 없게 되었다고 설명하면서 만일 조선인 2천만 명이 모두 이주계획을 가지고 있다면 나라가 어떻게 되겠느냐 하면서 무엇보다도 ①교육 ②사회단체돕기 ③공동협심 ④실력양성을 해야 한다고 강조했습니다. 이에 안 의사는 진남포로 돌아와 돈의학교를 인수하고 야학 삼흥학교를 설립하여 후학을 위해 교사로서 봉사했습니다. 삼흥(三興)이란 국사민(國士民), 곧 나라와 선비와 백성 모두가 흥해야 한다는 그의 교육이념이기도 합니다. 또한, 안 의사는 국채보상운동에도 안창호와 함께 참여하고 스스로 사업도 하였으나 일본인들의 방해로 실패하게 됩니다.

그 후 1907년 정미 7조약으로 군대가 해산되고 경찰, 사법권 등 국가 권력이 일본에게 넘어가고 고종이 강제 퇴위를 당하자 일본의 한국의 보호와 동양 평화에 대한 주장이 한국을 일본의 식민지로 병탄하려는 의도라고 확신하고 독립군에 투신합니다. 독립군 시절 일본군인과 상인 등을 포로로 잡아 무장해제한 후 돌려보낸 일화는 유명합니다. 엄인섭 등 독립군들은 일본인 포로 2명을 호송하기도 어렵고 번거로우니 제거하자고 주장했으나 안중근은 독립군은 스위스 만국공법(萬國公法)을 지켜야 한다고 주장하며 공법에 따라 포로들을 관리할 수 없다는 이유로 이 둘을 석방했습니다. 이 일로 인해 위치가 노출되어 독립군부대는 일본군의 급습을 받고 완전히 괴멸되었습니다. 안 의사는 1달 반 동안 쫓기면서 여러 차례 죽을 고비를 넘깁니다. 이러한 과정에서 동행했던 2명의 동지들에게 세례를 베풀었고 죽을 고비마다 안 의사는 하느님께 전적으로 의탁하며 기도와 신앙으로 살아날 수 있었다고 기록하고 있습니다.

미완의 원고 〈동양평화론〉

이후 안 의사는 독자적으로 독립운동을 전개하다가 1909년 연추의 김씨댁 여관에서 11명의 동지들과 함께 대한독립의 결의를 다지며 자신의 손가락을 잘랐습니다. 안 의사는 이를 정천동맹(正天同盟)이라 했습니다. 하늘을 바로 세우고, 하늘 앞에서 바르게 살겠다는 서약이며 봉헌이었습니다. 그리고 이토 히로부미의 러시아 방문 소식을 접하고 그를 응징하기로 동지들과 계획하고 마침내 1909년 10월 26일에 하얼빈에서 침략자 이토 히로부미를 주살(誅殺)하였습니다. 이토 히로부미의 주살에 대하여 안 의사는 15가지의 죄상을 주장하였습니다. 그러나 그 근본적인 죄과에 대해 대한국의 독립국으로서의 지위 보장에 대한 명백한 약속 위반과 동양평화를 해치는 주범으로서 온 세상을 기만 죄로 죽음이 마땅하다고 주장하였습니다. 동양의

평화를 이루는 구체적인 방안들을 안 의사는 자신의 미완성의 원고인 동양평화론에서 제시하였습니다. 동양 삼국의 제휴를 통하여 평화회의 체제를 구성하고 상공업의 발달을 촉진하여 삼국의 경제적인 발전을 도모하고 이의 지원을 위하여 공동은행의 설립과 삼국연합군대의 창설과 교육을 통하여 백인들의 침략을 견제 대비하여야 진정한 세계평화를 유지할 수 있다고 제안 주장하였습니다. 어느 한 나라의 군사 경제적인 발전만으로는 평화와 발전이 불가능하다는 것을 안 의사는 간파하고 있었던 것입니다. 한나라의 강성함은 필히 주변국들과의 불화의 원인이 되므로 연합과 연대를 통하여 공동의 발전과 평화를 유지하기 위한 다자간 협력 체제와 이를 위한 국제기구의 필요성에 대해 안 의사는 강력한 소신을 가지고 있었던 세계 평화주의자였습니다. 국제적인 갈등의 해결 방법들을 제안한 안 의사의 생각을 읽으면 오늘 우리에게 부여되어있는 과제들을 돌아보게 됩니다. 분단의 해소를 통한 통일을 모두가 염원하고 있지만 그 구체적인 과정을 실천하기에는 아주 많은 난관을 우리 스스로 만들어 가고 있는 현실을 직면하게 됩니다. 남과 북의 대립, 그에 앞서 치유되지 않고 있는 지역, 계층 세대 간의 갈등과 반목이라는 부끄러운 현실 속에서 안 의사의 자서전을 대할 때마다 죄송스러움과 한계를 절감하게 됩니다.

신뢰를 지킨 빌렘사제

안 의사는 대한독립군 참모중장으로서 거사의 정당성과 이토 히로부미의 죄상을 밝히는 의연한 주장에도 불구하고 여순 감옥에서 일제의 부당한 재판을 통하여 사형을 선고받고 죽음을 앞두고 두 동생들을 통하여 뮈텔주교에게 성사를 집전할 사제의 파견을 요청하였습니다. 그러나 뮈텔주교는 '안 의사가 자신의 범죄를 시인하고 정치적인 입장을 바꾸도록' 요구합니다. 곧 독립운동에 대한 잘못을 스스로 시인해야만 사제를 파견할 수 있다고 이를 거절합니다. 더구나 여순의 관할 주교인 술래(Choulet)와 일본 정부의 사제 파견에 대한 동의가 있었음에도 불구하고 뮈텔주교의 입장은 완강하였습니다. 이에 빌렘신부는 스스로 뮈텔주교에게 여순으로 간다는 서신을 보내고 안 의사를 면회하여 성사를 집전하고 미사를 봉헌하였습니다. 이 일로 뮈텔주교는 빌렘신부에게 성무집행정지 조치를 내렸으나 빌렘신부는 뮈텔주교의 부당성을 바티칸에 제소하였고 뮈텔주교에게는 공식적 문서를 통하여 주교의 부당한 명령을 지적하고 죽음을 앞둔 신자에게 성사를 집행하는 것은 사제의 의무이며 권리임을 강조했습니다. 바티칸은 성사집행이 사제로서의 정당한 성무집행임을 확인하였습니다. 그러나 뮈텔과의 불화로 빌렘은 프랑스로 돌아가 안중근을 생각하며 여생을 마쳤습니다.

〈동양평화론〉의 저술을 마칠 때까지 사형 집행을 연기하기로 약속한 일본 법원의 약속 파기로 순국을 예견한 안 의사는 동생들에게 전한 유언에서 나라의 독립을 위하여 국민들이 서로 마음을 합하고 위로하며 상공업의 발전을 위하여 힘써 나라를 부강하게 하는 것이 독립의 초석임을 당부하시고 나라가 독립되면 기뻐하며 천국에서 춤을 출 것이라고 하였습니다. 사실 현재 우리나라는 부강해졌고 국민들의 소득수준은 높아졌습니다. 그러나 부의 편중으로 가난한 사람들은 점점 늘어가고 일자리가 없는 사람들의 수는 정부 통계로도 그 수를 짐작하기가 어려운 실정입니다. 그런데 국론은 분열되어 있고 정책은 일관되게 부자들과 재벌들을 위해 한 쪽을 향해서만 달려가고 있습니다. 상식이 거부되고 있는 현실입니다. 안 의사가 다시 살아나 설득을 하신다면 과연 이들이 안 의사의 말씀에 귀를 기울이겠습니까?

역사는 반복이며 미래를 위한 창조적 길잡이라고 했습니다. 오늘도 안중근과 같은 의인(義人)을 박해하고 괴롭히는 또 다른 뮈텔, 브레와 같은 숱한 주교와 사제들이 엄존하고 있는 이 현실에 대해 후대에 역사는 과연 어떻게 평가하겠습니까?

십인십색이라는 말과 같이 사람의 생각은 늘 같을 수만은 없습니다.

그러나 함께 생각하고, 역사의 삶을 공유하는 것이 우리의 도리이기에 이 자료집을 만들어 우리시대 미완으로 남아있는 안중근 의사의 참뜻을 실현할 것을 다짐하고 후대 역사의 지침으로 남기려 합니다.

자료집 발간을 위해 도와주신 박원순 시장님과 서울시 관계자분들 그리고 서울시의회 새정치민주연합 전 대표 양준욱 의원님, 임형균 의원님에게 진심으로 감사드립니다. 10년을 넘게 자료집 발간을 위해 한결같은 마음으로 애쓰고 계시는 조광 교수님, 신운용 박사, 윤원일 사무총장과 자료집 발간에 참여하고 계시는 편찬위원들과 번역과 교정에 참여해 주신 모든 분들, 출판을 맡아준 채륜의 서채윤 사장님과 직원분들 모두에게 감사와 위로의 인사를 드립니다.

안 의사님, 저희는 부끄럽게도 아직 의사님의 유해를 찾지 못했습니다. 아니, 잔악한 일본인들이 안 의사의 묘소를 아예 없앤 것 같습니다. 그러나 이 책이 그리고 우리 모두의 마음이 안 의사를 모신 무덤임을 고백하며 안 의사의 열정을 간직하고 살기로 다짐합니다. 8천만 겨레 저희 마음속에 자리 잡으시어 민족의 일치와 화해를 위한 열정의 사도가 되도록 하느님께 전구해 주십시오.

안 의사님, 우리 겨레 모두를 돌보아주시고 지켜주소서.

아멘.

2016년 3월

안중근의사기념사업회, (사)안중근평화연구원 이사장

함 세 웅

발간사 _ 둘

"역사를 잊은 민족에게 미래는 없다."

역사는 현재를 살아가는 우리에게 거울과 같은 존재입니다. 우리는 지나온 역사를 통해 과거와 현재를 돌아보고 미래를 설계해야 합니다. 암울했던 일제강점기 우리 민족에게 빛을 안겨준 안중근 의사의 자료집 출간이 더욱 뜻 깊은 이유입니다.

107년 전(1909년 10월 26일), 만주 하얼빈 역에는 세 발의 총성이 울렸습니다.

전쟁에 몰입하던 일제 침략의 부당함을 전 세계에 알리고 나아가 동양의 평화를 위해 동양 침략의 선봉에 섰던 이토 히로부미를 안중근 의사가 저격한 사건입니다. 안중근 의사의 하얼빈 의거는 이후 수많은 독립운동가와 우리 민족에게 큰 울림을 주었고, 힘들고 암울했던 시기를 분연히 떨치고 일어나 마침내 조국의 광복을 맞이하게 했습니다.

그동안 독립 운동가들의 활동상을 정리한 문집들이 많이 출간되었지만, 안중근 의사는 뛰어난 업적에도 불구하고 관련 자료가 중국과 일본, 러시아 등으로 각각 흩어져 하나로 정리되지 못하고 있었습니다.

이번에 발간되는 『안중근 자료집』에는 안중근 의사의 행적과 사상, 그 모든 것이 집대성되어 있습니다. 이 자료집을 통하여 조국의 독립과 세계평화를 위해 일평생을 바친 안중근 의사의 숭고한 희생정신과 평화정신이 대한민국 전 국민의 가슴에 깊이 아로새겨져 우리 민족의 미래를 바로 세울 수 있는 밑거름이 될 수 있기를 기원합니다.

2016. 3

서울특별시장 박 원 순

발간사 _ 셋

역사 안에 실재하는 위인을 기억하는 것은 그 삶을 재현하고 실천하는 것입니다.

지금 우리 시대 가장 존경받는 분은 안중근 의사입니다.

특히 항일투쟁기 생존했던 위인 중 남북이 함께 기억하고 있는 유일한 분이기도 합니다.

그것은 "평화"라는 시대적 소명을 실천하자는 우리 8천만 겨레의 간절한 소망이 담긴 징표라고 저는 생각합니다.

안중근 의사는 20세기 초 동양 삼국이 공존할 수 있는 평화체제를 지향했고 그 가치를 훼손하고 힘을 앞세워 제국주의 질서를 강요하는 일제를 질타하고 이토 히로부미를 주살했습니다.

안중근 의사 의거 100년이 지난 지금 중국대륙에서 새롭게 안중근을 조명하고 있습니다. 그것은 100여 년 전 동양을 위협했던 제국주의 세력이 다시 준동하고 있다는 증거이며 안중근을 통해 공존의 아름다운 가치를 회복하자는 다짐입니다.

안중근 의사는 동양평화론을 저술하기 전에 "인심단합론"이라는 글을 남기셨습니다.

지역차별과 권력 그리고 재력 등 개인과 집단의 상대적 우월을 통해 권력을 행사하거나 집단을 통제하려는 의지를 경계하신 글입니다. 그런 행위는 공동체를 분열하고 해체하는 공공 악재가 되기 때문에 이를 경계하라 하신 것입니다.

해방 이후 지난 70년 우리 사회는 끊임없는 갈등과 분열을 경험하고 있습니다. 이런 상황을 문제로 인식하고 해결하려는 의지를 공동체가 공유하기보다 당연한 결과로 받아들이며 갈등과 분열을 사회 유지 수단으로 이용하고 있습니다.

사회구성원으로 살아가는 한 개체로서 인간은 자신의 의지와 관계없이 역사와 정치 이념의 영향을 받게 됩니다. 안중근 의사는 차이를 극복하고 서로 존중하는 공동체 유지 방법을 "인심단합론"이라 했습니다. "동양평화"는 그를 통해 이루어지는 결과입니다.

우리 사회는 민주화와 경제화 과정에 있습니다.

미완의 제도들은 갈등의 원인으로 작용하고 있으며 아름다운 공동체를 위해 많은 문제를 해결해야 한다는 것을 모두 알고 있습니다.

오늘은 어제의 결과이며 미래의 모습입니다. 지난 역사와 그 안에 실재했던 우리 선열들의 가르침은 우리에게 많은 지혜를 알려 주고 있습니다. 그 중에도 "안중근"이 우리에게 전하려는 "단합"과 "평화"는 깊이 숙고하고 논의를 이어가야 할 우리 시대 가치입니다.

안중근 의사의 독립전쟁과 공판투쟁 등 그분의 모든 행적을 담은 자료를 모아 자료집으로 만들어 우리 시대 자산으로 삼고 후대에 전하는 일에 기꺼이 동참해 오늘 작은 결실을 공동체와 함께 공유하게 되었습니다. 앞으로 이보다 더 많은 자료를 엮어 발간해야 합니다. 기쁜 마음으로 함께 결실을 거두어 낼 것입니다.

안중근 자료집 발간을 통해 많은 분들이 안중근 의사의 나라의 독립과 민족의 자존을 위해 가졌던 열정과 결단을 체험하고 우리 시대 정의 실현을 위해 헌신할 것을 다짐하는 계기가 되기를 바랍니다.

10년이 넘도록 안중근 자료집 발간을 위해 애쓰고 계시는 안중근의사기념사업회, (사)안중근평화연구원 이사장 함세웅 신부님과 임직원 여러분들에게 진심으로 존경과 감사의 인사를 드립니다.

서울특별시의회 새정치민주연합 전 대표의원

양 준 욱

편찬사

안중근은 1909년 10월 26일 하얼빈에서 대한제국의 침략에 앞장섰던 이토 히로부미를 제거해서 국가의 독립과 동양평화에 대한 의지를 드높인 인물이다. 그에 대한 연구는 한국독립운동사 연구에 있어서 중요한 부분을 이루고 있으며, 그의 의거는 오늘날까지도 남북한 사회에서 적극적 의미를 부여받고 있다. 안중근의 독립투쟁과 그가 궁극적으로 추구했던 평화에 대한 이상을 밝히는 일은 오늘을 사는 우리 연구자들에게 공통된 과제이다.

안중근이 실천했던 일제에 대한 저항과 독립운동은 5백 년 동안 닦아온 우리 민족문화의 특성을 가장 잘 나타내주고 있다. 조선왕조가 성립된 이후 우리는 문치주의를 표방하며 문민(文民)들이 나라를 다스렸다. 그러나 개항기 이후 근대 우리나라 사회에서는 조선왕조가 유학사상에 바탕한 문치주의를 장려한 결과에 대한 반성이 일어나기도 했다. 문치주의로 나라는 이른바 문약(文弱)에 이르게 되었고, 그 결과로 나라를 잃게 되었다는 주장이 제기된 것이었다.

그러나 조선왕조가 표방하던 문치주의는 불의를 용납하지 않고 이욕을 경시하면서 정의를 추구해 왔다. 의리와 명분은 목숨만큼이나 소중하다고 가르쳤으며, 우리의 정통 문화를 지키는 일이 무엇보다도 중요함을 늘 일깨워주었다. 이러한 정신적 경향은 계급의 위아래를 떠나서 삼천리강산에 살고 있던 대부분의 사람들의 심중에 자리잡은 문화적 가치였다. 그러므로 나라가 위기에 처했을 때, 유생들을 비롯한 일반 농민들까지도 의병을 모두어 침략에 저항해 왔다. 그들은 단 한 번 무기를 잡아 본 적이 없었다. 그렇다 하더라도 우리나라에 대한 상대방의 침입이 명분 없는 불의한 행위이고, 사특한 움직임으로 규정될 경우에는 유생들이나 농민지도자들이 의병장으로 일시에 전환하여 침략에 목숨을 걸고 저항했다. 일반 농민들도 군사훈련을 받지 않은 상태임에도 불구하고 자신의 몸을 던져 외적의 침입에 맞서고자 했다.

그러나 엄밀히 말하자면, 글 읽던 선비들이 하루아침에 장수가 될 수는 없었던 일이며, 군사훈련을 받지 않은 사람을 전선으로 내모는 일은 살인에 준하는 무모한 행동으로 비난받을 수도 있었으나 이러한 비난은 우리 역사에서 단 한 번도 일어나지 않았다. 그 까닭은 바로 문치주의에서 강조하던 정의와 명분은 사람의 목숨을 걸 수 있을 만큼 소중한 것으로 보았기 때문이다.

우리는 안중근에게서 바로 이와 같은 의병문화의 정신적 전통이 계승되고 있음을 확인하게 된다. 물론 전통시대 의병은 충군애군(忠君愛君)을 표방하던 근왕주의적(勤王主義的) 전통이 강했다. 안중근은 전통 유학적 교육을 통해 문치주의의 향기에 접하고 있었다. 그는 무인(武人)으로서 훈육되었다기보다는 전통적인 문인(文人)으로 교육받아 왔다. 또한 안중근은 천주교 입교를 통해서 유학 이외의 새로운 사조를 이해하기 시작했다. 안중근은 전통적 근왕주의를 뛰어넘어 근대의 세례를 받았던 인물이다. 그의 혈관에는 불의를 용납하지 않고 자신을 희생하여 정의를 세우고자 했던 의병들의 문화전통과 평등이라는 가톨릭의 정신이 흐르고 있었다. 이 때문에 안중근의 생애는 전통적인 의병이 아닌 근대적 독립운동가로 규정될 수 있었다.

안중근은 우리나라의 모든 독립운동가들에게 존경의 대상이 되었다. 그는 독립운동가들에게 '역할 모델(role model)'을 제공해 주고 있다. 그의 의거는 한국독립운동사에 있어서 그만큼 큰 의미를 가지고 있었다. 그렇다면 해방된 조국에서 그에 관한 학문적 연구도 본격적으로 착수되어야 했다. 그러나 안중근에 관한 연구는 다른 독립운동가에 비교해 볼 때 체계적 연구의 시기가 상대적으로 뒤늦었다. 그 이유 가운데 하나는 『안중근 전집』이나 그에 준하는 자료집이 간행되지 못했던 점을 들 수도 있다. 돌이켜 보건대, 박은식·신채호·안창호·김구·이승만 등 주요 독립운동가의 경우에 있어서는 일찍이 그분들의 저작집이나 전집들이 간행된 바 있었다. 이러한 문헌자료의 정리를 기초로 하여 그 독립운동가에 대한 본격적 연구가 가능하게 되었다. 그러나 안중근은 아직까지도 『저작전집(著作全集)』이나 본격적인 『자료집』이 나오지 못하고 있다. 이로 인하여 안중근에 대한 연구가 제한적으로밖에 이루어지지 못하고 있다. 그리고 안중근에 대한 본격적 이해에도 상당한 어려움이 따르게 되었다.

물론 안중근의 『자서전』과 그의 『동양평화론』이 발견된 1970년대 이후 이러한 안중근의 저술들을 중심으로 한 안중근의 자료집이 몇 곳에서 간행된 바도 있다. 그리고 국사편찬위원회 등 일부 기관에서는 한국독립운동사 자료집을 간행하는 과정에서 안중근의 재판기록을 정리하여 자료집으로 제시해 주기도 했다.

그러나 안중근에 대한 연구 자료들은 그 범위가 매우 넓다. 거기에는 안중근이 직접 저술하거나 집필했던 문헌자료들이 포함된다. 그리고 그는 공판투쟁과정에서 자신의 견해를 분명히 제시해 주고 있다. 따라서 그에 대해 알기 위해서는 그가 의거 직후 체포당하여 받은 신문 기록부터 재판과정에서 생산된 방대한 양의 기록들이 검토되어야 한다. 또한 일본의 관인들이 안중근 의거 직후 이를 자국 정부에 보고한 각종 문서들이 있다. 여기에서도 안중근에 관한 생생한 기록들이 포함되어 있다. 그리고 안중근 의거에 대한 각종 평가서 및 정보보고 등 그와 그의 의거에 관한 기록은 상당 분량에 이른다.

안중근 의거 직후에 국내외 언론에서는 안중근과 그 의거에 관해 자세한 내용을 경쟁적으로 보도하고 있었다. 특히 국내의 주요 신문들은 이를 보도함으로써 의식 무의식적으로 문치주의적 의병정신에 동참하고 있었다. 안중근은 그의 순국 직후부터 우국적 언론인의 탐구대상이 되었고, 역사학자들도 그의 일대기와 의거를 연구하여 기록에 남겼다. 이처럼 안중근에 관해서는 동시대를 살았던 독립운동가들과는 달리 그의 행적을 알려주는 기록들이 무척 풍부하다.

앞서 말한 바와 같이, 개항기 이래 식민지강점기에 살면서 독립을 위해 투쟁했던 주요 독립운동가들의 전집이나 자료집은 이미 간행되어 나왔다. 그러나 그 독립운동가들이 자신의 모델로 삼기 위해 노력했고 존경했던 안중근 의사의 자료집이 전집의 형태로 간행되지 못하고 있었다. 이는 그 후손으로서 안중근을 비롯한 독립 선열들에게 대단히 면목 없는 일이었다. 따라서 안중근 전집 내지 자료집의 간행은 많은 이들에게 대단히 중요한 과제로 남게 되었다.

이 상황에서 안중근의사기념사업회 산하에 안중근연구소가 발족한 2005년 이후 안중근연구소는 안중근 전집 내지 자료집의 간행을 가장 중요한 과제로 삼았다. 그리하여 2005년 안중근의사기념사업회 안중근연구소는 전집간행을 준비하기 시작했다. 그 과정에서 안중근연구소는 안중근 연구를 필생의 과업으로 알고 있는 신운용 박사에게서 많은 자료를 제공받아 이를 중심으로 하여 전집 간행을 위한 가편집본 40여 권을 제작하였다. 그리고 이렇게 제시된 기본 자료집에 미처 수록되어 있지 못한 별도의 자료들을 알고 있는 경우에는 그것을 제공해 달라고 연구자들에게 요청했다. 한편, 『안중근 자료집』에는 해당 자료의 원문과 탈초문 그리고 번역문의 세 가지를 모두 수록하며, 원문의 교열 교감과 번역과정에서의 역주작업을 철저히

하여 가능한 한 완벽한 자료집을 간행하기로 의견을 모았다.

안중근의사기념사업회에서는 안중근연구소의 보고에 따라 그 자료집이 최소 25책 내외의 분량에 이를 것으로 추정했다. 또한 자료집 간행이 완간되는 목표 연도로는 안중근 의거 100주년에 해당되는 2009년으로 설정했다. 안중근의사기념사업회는 이 목표를 달성하기 위해 백방으로 노력했다. 그러나 안중근 자료집의 간행이라는 이 중차대한 작업에 대한 국가적 기관이나 연구재단 등의 관심에는 큰 한계가 있었다. 안중근의사기념사업회는 정리비와 간행비의 마련에 극심한 어려움을 겪고 있었다. 이 어려움 속에서 안중근 의거와 순국 100주년이 훌쩍 지나갔고, 이 상황에서 안중근의사기념사업회는 출혈을 각오하고 자력으로라도 『안중근 자료집』의 간행을 결의했다. 자료집을 순차적으로 간행하기로 하였다.

이 자료집의 간행은 몇몇 분의 특별한 관심과 노력의 소산이었다. 먼저 안중근의사기념사업회, (사)안중근평화연구원 이사장 함세웅 신부는 『안중근 자료집』 간행의 비용을 마련하기 위해 많은 노력을 기울였다. 무엇보다도 이 자료집의 원사료를 발굴하여 정리하고 이를 번역해서 원고를 제공해준 신운용 박사의 노고로 이 자료집은 학계에 제시될 수 있었다. (사)안중근평화연구원 부원장 윤원일 선생은 이 간행작업의 구체적 진행을 위해 수고를 아끼지 않았다. 안중근의사기념사업회의 일에 깊은 관심을 가져준 여러분들도 『안중근 자료집』의 간행을 학수고대하면서 격려해 주었다. 이 모든 분들의 선의가 모아져서 2010년 5권이 발간되었으나 더 이상 진척되지 못하고 있었다. 여러 어려움으로 자료집 발간이 지체되는 것을 안타깝게 여긴 박원순 서울시장님과 서울시의회 새정치민주연합 전 대표 양준욱 의원님과 임형균 의원님을 비롯한 서울시의원님들의 지원으로 자료집 발간 사업을 다시 추진하게 되었다. 이 자리를 빌려 서울시 역사문화재과 과장님과 관계자들 서울시의원님들에게 심심한 감사의 인사를 드린다. 앞으로 이 자료집은 많은 분들이 도움을 자청하고 있어 빠른 시간 내에 완간될 것이라 생각한다. 이 자료집 발간에 기꺼이 함께한 편찬위원 모두의 마음을 모아 안중근 의사와 순국선열들에게 이 책을 올린다.

광복의 날에

안암의 서실(書室)에서

안중근 자료집 편찬위원회 위원장

조 광

『재하얼빈 한인 신문기록』 해제

신운용*

목차

1. 들어가는 말

안중근의거의 전체상을 파악하려면 다양한 측면에서 접근해야 한다. 특히 의거전후의 하얼빈 한인사회의 상황은 안중근의거를 이해하기 위해 반드시 검토되어야 부분이다.

이러한 의미에서 이 책은 일제가 위험인물로 여긴 대표적인 하얼빈 한인들의 직접적인 육성을 확인할 수 있다는데 가치가 있다. 이는 안중근의거에 대한 하얼빈 한인의 인식은 물론이거니와 하얼빈 한인 사회의 형성과정과 그 전개, 한인사회의 갈등, 하얼빈 일본인과의 관계 등 안중근의거전후의 하얼빈 한인사회의 상황을 구조적으로 이해는 데 기초적인 내용을 제공하고 있다.

이와 같은 맥락에서 필자는 우선 하얼빈 한인사회의 형성과 전개과정을 살펴보려고 한다. 이는 블라디보스토크 한인사회와 함께 안중근의거의 또 다른 공간적 배경인 하얼빈 한인사회는 안중근의거의 전체상을 파악하기 위한 기반이라는 데서 반드시 연구되어야 할 대목이기 때문이다.

---

* (사) 안중근평화연구원 책임연구원.

일제는 1907년 3월 하얼빈에 총영사관을 설립하였다. 이는 일제의 만주침략정책의 결과물이기도 하지만 무엇보다 한인통제도 그 목적 중의 하나였음은 물론이다. 때문에 일제는 일본인 거류민회보다 부일성향의 강봉주(姜鳳周)을 사주하여 한인회를 먼저 조직하였던 것이다. 이 부일성향의 한인회는 김성백 등의 민족운동가들과 충돌을 거듭하다가 결국 해체되는 운명을 맞게되었다. 하얼빈 한인들의 활동은 미주와 블라디보스토크의 항일노선과 연동되어 있었다. 그 결과 하얼빈 공립협회와 하얼빈 대한인 국민회가 이어서 만들어졌다.

김성백 등의 하얼빈 민족운동가들은 자치와 민족운동의 지속적인 실천을 위한 에너지원으로 동흥학교를 만들었다. 그들은 부인성향의 한인회를 제거하고 민족적 한인회를 스스로 창조적으로 만들었던 것이다. 안중근의거는 바로 이러한 하얼빈 한인사회를 배경으로 일어난 역사적인 사건이었다는데 의미가 있다.

이어서 필자는 김려수(金麗水)·김성옥(金成玉)·김배근(金培根)·김택신(金澤信)·김형재(金衡在)·방사첨(方士瞻)·이진옥(李珍玉)·장수명(張首明)·탁공규(卓公圭)·홍시준(洪時濬)의 「피고인 신문조서」와 강봉주(姜鳳周)·김성옥(金成玉)·김영환(金永煥)·박문순(朴文順)의 「참고인 신문조서」, 김성백(金成白)의 「증인 신문조서」를 번역·탈초하여 원문과 함께 실었다. 이를 통하여 이 책의 가치가 부각될 것이다. 특히 일제가 안중근의거에 가장 깊이 관여된 것으로 지목한 김성백 등의 하얼빈 민족운동가에 대한 기초적인 정보를 확인할 수 있다는 것도 이 책의 또 다른 의미이다.

필자는 이 글이 이 책을 이해하는 기초적인 안내 역할을 할 수 있기를 바라며 더불어 안중근의거를 이해할 수 있는 하나의 통로가 되기를 희망한다.

2. 의거 전후의 하얼빈 한인 사회의 상황

하얼빈지역에 한인이 처음으로 이주한 것은 1892년의 일로 보인다.[1] 동청철도부설 공사를 시작할 무렵인 1897년경 노동 목적으로 평북 초산군(平北楚山郡) 출신의 서상준(徐相俊)이 넓은 의미의 하얼빈 지역에 속하는 횡도하자(橫道河子)에 처음으로

---

1 남만주철도주식회사 경제조사회, 「(부록)조선인만주이주지방별개황」, 『만주농민이민방책』, 310쪽.

이주하였다.[2]

그러나 한인사회의 본격적인 형성은 러시아의 통청철도의 건설과 더불어 이루어지기 시작하였다.[3] 즉, 동청철도 건설을 위한 선대발가 1898년 3월 8일 블라디보스토크을 출발하여 4월 24일 하얼빈 전(田)씨 술공장에 도착하였다. 이 선발대의 러시아와 중국어 통역으로 츄푸뤄프라는 한인이 참여하였다. 따라서 하얼빈 한인사회의 형성과 관련하여 의미 있는 시기는 츄푸뤄프라는 한인통역이 동철철도 건설을 위한 러시아 선발대로 온 1898년 4월로 잡는 것이 타당하다.[4]

동청철도부설 공사에 한인 노동자들이 길림성으로부터 점차 하얼빈으로 이주하였다.[5] 동청철도의 공사가 한창 진행 중이던 1903년 무렵부터 하얼빈으로 일자리를 찾아 온 한인들이 점점 늘어나 자연스럽게 한인사회가 형성되었다.

그런데 본격적인 하얼빈 한인 단체의 결성은 일제의 재외 한인 정책과 일정한 관계를 갖고 있었다는 사실에 주목할 필요가 있다. 하얼빈에 총영사관을 1907년 3월에 개관한 일제는 한인을 통제할 목적으로[6] 1907년 8월 강봉주 등 한인사회의 지도자급 인사를 하얼빈 일본 총영사관으로 불러들여 한인회 조직을 강요하였다.[7] 이에 강봉주(姜鳳周)는 부일한인회를 만들고 부일한인회의 회장이 되었다.

그 한인회는 회비를 5등분하여 최고 5루블에서 최저 10코페이카로 정하고 이인보(李仁補) 이외 1명을 직원으로 두고서 회비를 거두었다. 하지만 일본총영사관의 지원으로 이루어진[8] 한인회와 민족운동가들 간의 마찰은 필연성을 안고 있었다.

역사적 의미를 갖는 하얼빈 한인단체는 재외한인의 한일투쟁 노선과 맥을 같이 하면서 성립되었다는 사실을 주목할 필요가 있다. 즉, 공립협회가 1905년 4월 5일 샌프란시스코에서 안창호가 주도하여 창립된 이래 재외한인의 단결과 대일항쟁을 주도하였다. 1905년 11월 11일 공립신보가 창간되고 1907년 1월 8월에는 안창호가 공립협회 국내조직을 위해 국내로 파견되었고, 1908년 2월 20일에 개최된 공리

---

2 『만주농업이민방책』(국사편찬위원회 소장).
3 서명훈, 『하얼빈조선민족 백년사화』, 민족출판사, 2007, 4~5쪽; 『동청철도연혁사』, 1923년.
4 서명훈, 위의 책, 5쪽.
5 『만주농업이민방책』(국사편찬위원회 소장).
6 日本 外交史料館, 「日本人會及韓國人會ニ關スル件」, 『在外國集會ニ關スル雜纂』(문서번호: 1.3.5, 2).
7 국가보훈처, 「在哈爾賓韓國人ノ狀況ニ關シ報告ノ件」, 『아주제일의협 안중근』3, 513쪽.
8 신운용 편역, 「방사첨 제2회 신문기록」, 『재하얼빈 한인 신문기록』(안중근 자료집 7), (사)안중근평화연구원, 2016, 60~61쪽.

협회 총회에서는 하와이와 블라디보스토크로 조직의 확장이 결의되었다.

이러한 공립협회의 움직임에 부응하여 1908년 9월 29일 김성영(회장)과 김기옥(부회장) 등이 중심이 되어 수청 신영동에 러시아령 최초의 공립협회지부를 결성하였다.[9] 이어서 1909년 1월 7일 블라디보스토크 공립협회 지회가 회장 오주혁, 부회장 정순만을 중심으로 조직되었다.

이러한 분위기 속에서 하얼빈공립협회의 설립은 하얼빈 공립협회의 구성을 강력하게 희망한 블라디보스토크 대동공보사의 노력의 결과로 보인다.[10] 블라디보스토크에서 노이고리를 걸쳐[11] 1909년 6월(음력)경에[12] 하얼빈 프리스탄 모스바야로 온 탁공규(卓公圭, 탁문환(卓文瓛))가 항일투쟁과 상부상조를 목적으로 하는 한인단체를 하얼빈에 결성하려는 열망을 품고서 김성백·김성옥·강봉주 등을 설득하였다.[13]

그 결과 하얼빈 한인은 강봉주의 집에 본부를 두고, 1909년 2월 10일[14] 「대한융희삼년정월일일공립회서문」과 「(하얼빈)공립회장정」을 공표하여 회장 1명, 부회장 1명, 총무 1명, 서기 1명, 위문원(慰問員) 2명, 평의원 10인이하 3인이상, 간사원(幹事員) 1명, 회계원 1명으로 구성된 공립협회 하얼빈지방회를 결성하였다.[15] 이 때 회장 강봉주, 부회장 표명석(表明石)(부회장은 표명석에 이어 김정세에서 다시 윤근성으로 바뀌었다)이 각각 선출되었다.[16]

이처럼 대동공보사가 하얼빈에 파견한 탁공규가 하얼빈 공립협회의 조직을 주도하였다는 점과 블라디보스토크의 항일열기가 하얼빈으로 확대되었다는 일제의 지적[17] 등에서 보듯이 하얼빈 한인의 대일투쟁은 블라디보스토크 한인과의 긴밀한 관

---

9 『공립신보』 1908년 11월 18일자, 「축하해삼위공립회」.

10 이와 같은 대동공보사의 열망은 하얼빈공립회의 장정을 대동공보사에서 작성한 데서도 확인된다(국가보훈처, 「在哈爾賓韓國人ノ狀況ニ關シ報告ノ件」, 『아주제일의협 안중근』 3, 1995, 513쪽).

11 신운용 편역, 「탁공규 제2회 신문기록」, 『재하얼빈 한인 신문기록』(안중근 자료집 7), (사)안중근평화연구원, 2016, 90쪽.

12 신운용 편역, 「탁공규 제2회 신문기록」, 『재하얼빈 한인 신문기록』, (안중근 자료집 7), (사)안중근평화연구원, 2016, 90쪽.

13 국가보훈처, 「在哈爾賓韓國人ノ狀況ニ關シ報告ノ件」, 513쪽.

14 하얼빈공립회의 설립 일시를 1910년 2월 10일로 본 것은 「大韓隆熙三年正月一日共立回序文」(『신한민보』 1909년 10월 13일자, 「국민회보-哈爾賓地方會設立」)의 정월(음력 1월) 1일을 따른 것이다.

15 국가보훈처, 「在哈爾賓韓國人ノ狀況ニ關シ報告ノ件」, 519~520쪽; 『신한민보』 1909년 10월 13일자, 「국민회보-哈爾賓地方會設立」.

16 국가보훈처, 「在哈爾賓韓國人ノ狀況ニ關シ報告ノ件」, 513쪽.

17 위와 같음.

계 속에서 이루어졌던 것이다.

하얼빈공립협회의 목적은 「하얼빈공립회장정」[18] 제2조에서 볼 수 있듯이 동포의 생명을 보호하고 환난상구하며 생업을 넓히고 다지며 지식을 발달시키는 데 있었다. 공립협회는 사실상 하얼빈 한인사회의 최고 자치기관이었다. 공립협회는 「공립회장정」으로 다음과 같이 회의 운영방침과 환난상구의 방법을 구체적으로 정하였다. 즉, 병에 걸린 회원에게는 1루블을 지급하고(19조) 사망한 경우에는 장례비 명목으로 3루블을 지급하며(20조) 무직인 경우에는 5루블을 지급하고 여유가 생기면 갚도록 정하였다.

이에 반하여 임원 중에 재정상 문제를 일으키는 경우 해임하고 50코페이카 이상 1루블 이하의 벌금에 처하고(16조), 음주도박 아편 등의 악습이 있는 회원에게는 1루블 이상 3루블 이하의 벌금에 처하였다. 특히 회의 목적을 위반하거나 회의 명예에 더럽힌 회원은 출회 조치를 취하였다. 또한 회의 재정적 안정을 기하기 위해 입회금과 회비를 기일 안에 납부하지 못할 경우 매월 이자를 부과하는 조항을 만들었다.

그런데 하얼빈공립협회의 설립일은 「하얼빈지방회원명록」에는 1909년 9월 14일(음력 8월 1일)로 기록되어 있어 있는 사실을 보건대,[19] 정식으로 공립협회본부에 설립인가를 받은 날은 9월 14일로 보인다. 공립협회는 입회비 30코페이카 회비 매월 20코페이카로 정하고 매월 2회씩 강봉주의 집에서 모임을 가졌다. 하얼빈 한인 268명 중 약 43%인 115명이 공립협회에 참여하고 있다는 사실은 하얼빈 한인사회의 성격을 반영하는 의미 있는 대목이다. 「하얼빈지방회원명록」을 분석해보면 함경도의 30대가 가장 많다. 그들의 직업은 담배말이와 같은 단순노동에 종사하는 것으로 분석된다. 따라서 하얼빈 한인사회는 주로 함경출신의신 30대의 노동자가 주류를 이룬 것으로 파악된다.

하얼빈 공립협회의 설립은 하얼빈 한인사회의 항일투쟁이 블라디보스토크는 물론 미주의 항일세력과 연결고리를 갖게 되었다는 면에서 큰 의미가 있다. 이는 하얼빈 한인사회도 해외한인의 대일투쟁 노선을 함께하는 항일투쟁의 구조를 만들어가 가고 있는 의미이기도 하다.

---

18 국가보훈처, 「在哈爾賓韓國人ノ狀況ニ關シ報告ノ件」, 519~522쪽.

19 도산안창호선생기념사업회·도산학회, 「哈爾賓地方會員名簿」, 『미주국민회자료집』 제1권, 경인문화사, 2005, 221쪽.

이후 하얼빈 공립협회도 미주 한인조직의 발전과 호흡을 같이 하였다. 즉, 1909년 2월 1일 하와이의 협성회와 공립협회가 통합하여 국민회로 개칭되었다.[20] 이에 보조를 같이 하여 1909년 4월 28일[21] 하바로프스크 부인동에 회장 김석영, 부회장 김관영으로 구성된 국민회 지회가 설치되었다.

하얼빈 공립협회도 1909년 9월 14일(음력 8월 1일)에는 공립협회가 국민회로 재편됨에 따라 그 회명을 하얼빈국민회로 개칭을 청원하였다.[22] 국민회 본부는 1909년 10월 9일 회장 강봉주, 부회장 윤근성으로 하는 하얼빈국민회를 인준하였다.[23] 이후 1910년 1월 16일 하얼빈 국민회의 회장은 정대호, 부회장은 김성백, 평의원 방사첨·김일택(金一澤)·조흥명(趙興明) 등이, 서기는 유장춘(柳長春)이 각각 맡았다.[24]

1910년 2월 10일 국민회와 샌프란시스코의 대동보국회가 협쳐 5월 10일 대한인국민회를 결성하였다. 이에 호응하여 하얼빈국민회 회장 김성백은 9월 30일 대한인국민회에 가입하기로 하였음을 대한인국민회 북미총회에 다음의 내용을 보고하였다. "학교를 설립하고 동흥학교를 기독동흥학교로 개칭하였다. 석두하자지방의 한인학교에 교사로 장우범을 파견하였다. 회원은 110명이고 그 중 25명을 다른 곳으로 출장을 나갔고, 강봉주·이봉학(李鳳學)·최창식(崔昌植) 3명이 사망하였다."[25]

한편, 하얼빈공립협회는 부일성향의 강봉주가 회장이었으나 그 실권은 김성백과 탁공규 등이 장악하고 있던 것으로 파악된다.[26] 일제의 사주로 한인회를 만든 강봉주 등 부일성향의 인사들과 김성백·탁공규 등의 항일세력간의 대립은 표면화되었다.[27]

김성백 등이 하얼빈 일본 총영사관의 감독을 받는 한인회를 없애버릴 것을 주장하면서 강봉주에게 한인회에서 물러나도록 압력을 가하였다. 결국 1909년 5월에

---

20 『공립신보』 1909년 1월 27일자, 「국민회경축일자」.
21 『신한민보』 1909년 5월 5일자, 「국민회보」.
22 『신한민보』 1909년 10월 13일자, 「合爾濱地方會設立」.
23 위와 같음.
24 日本 外交史料館, 「在哈爾賓附近朝鮮人及排日者ノ氏名等ニ關スル件」, 『不逞團關係雜件-朝鮮人ノ部-在滿洲』第1卷(문서번호:4.3.2-2,1,3).
25 『신한민보』 1910년 11월 23일자, 「合爾濱地方會」; 日本 外交史料館, 「當地方在留朝鮮人ノ動靜ニ關スル件」, 『不逞團關係雜件-朝鮮人ノ部-在滿洲』第1卷.
26 국가보훈처, 「在哈爾賓韓國人ノ狀況ニ關シ報告ノ件」, 513쪽.
27 『신한민보』 1909년 5월 12일자, 「원근의샹응」.

강봉주는 회장직을 내놓게 되어 부일성향의 한인회는 결국 사라지게 되었다.[28] 이 사건은 하얼빈 한인사회에 항일투쟁의식이 얼마나 가득 차있는지를 엿볼 수 있는 중요한 단서라는 점뿐만 아니라 하얼빈 한인사회에 일제의 통제가 용이하지 않았다는 사실을 엿볼 수 있다는 데 큰 의미가 있다.[29]

이러한 상황 속에서 경비 문제 등으로 공립협회의의 활동도 여의치 못하였다. 이에 한인들은 다른 방안을 모색하였다. 그리하여 1909년 4월 블라디보스토크에서 온 김형재가 학교의 설립을 주창하였다. 그 결과 계발과 항일의식을 고취하기 위해 부두구 외국삼도가에 탁공규를 교주(校主)로, 김형재는 무보수 교사로 자임하여 4월 18일(러시아력) 동흥학교[30] 설립허가를 김성옥이 대표로 신청하였다.[31] 하지만 교원은 중학교 졸업장을 갖고 있어야 한다는 러시아의 설립조건에 따라 러시아인을 교사로 초청하여[32] 러시아 당국에 학교 설립을 신청하였다. 동흥학교의 허가를 러시아 당국에 신청한 것은 그 자체로 하얼빈 한인들의 항인인식을 반영하는 것으로 보인다. 동흥학교는 프시리라비치를 교사로 초청하여 한인들에게 러시아어와 한문을 가르쳤다.

그러나 대부분의 한인들은 담배말이 등 단순 노동에 종하하였기 때문에 동흥학교를 유지하는 것이 대단히 어려운 일이었다. 이를 타개하기 위해 김성백·김형재가 앞장서서 한인회 조직의 필요성을 강조하였다. 이에 따라 1909년 7월 27일 다음과

---

28 국가보훈처, 「在哈爾賓韓國人ノ狀況ニ關シ報告ノ件」, 『아주제일의협 안중근』3, 514쪽.

29 국사편찬위원회, 「兇行者 及 嫌疑者 調査書」, 『한국독립운동사』 자료 7, 303쪽. "方士瞻은 檢察官의 訊問에 대해 哈爾賓 在留 韓人이 日本에 反對임을 再三 供述하고 昨年 日木領事舘이 姜鳳柱를 韓國人民會長에 選定하였더니 다른 韓國人이 反對하여 드디어 辭職하자 모두가 온통 기뻐하였다고 例證하였다. 이로써 얼마나 排日思想이 橫溢했는지를 알기에 足할 것이다."

30 동흥학교의 정식 명칭을 '대한동흥학교'로 보인다. 이는 김성백과 최관홀이 동흥학교의 명칭에 대한 논쟁에서 엿볼 수 있다(日本 外交史料館, 「當地朝鮮人ノ動靜ニ關ニスル情報(三)」, 『不逞團關係雜件-朝鮮人ノ部-在滿洲』第1卷.

31 신운용 편역, 「원서공(願書控)(동흥학교 설립 청원서)」, 『러시아 관헌 취조문서』(안중근 자료집 2), (사)안중근평화연구원, 2014, 82쪽.

32 신운용 편역, 「방사첨 제2회 신문기록」, 『재하얼빈 한인 신문기록』(안중근 자료집 7), (사)안중근평화연구원, 2016, 64쪽.

같이 한인회가 조직되었다.[33]

김성백·김성옥·한성준·김주경·유장춘·김장항·방사첨 등 주요한인 70여 명이 모여 김성백을 회장으로 추천하고 김성옥·방사첨·최상준·강원식·손규현·박관옥 등 10명을 평의원으로 선출하고 월 15루블에 홍남구(洪南九)[34]를 회계로 고용하였다. 회비는 5등급으로 나누어 최고 5루블에서 최저 20코페이카로 정하였다. 김성백·김성옥·방사첨 세 사람은 회비로 5루블을 내기로 하였다. 회비의 대부분이 투입된 동흥학교와 한인회는 항일세력의 주축이 되었던 것이다.

동흥학교는 탁공규에 이어 김성옥이 교주가 되었는데 한문과에 7~8명, 노어과에 20명의 학생이 있었다. 월경비는 35루블정도가 들어갔다. 이는 한인회의 지원을 포함하여 학생의 신분에 따라 2루블, 50코페이카를 받아서 충당되었다. 그래도 모자라는 부분은 김성옥이 매월 5루블을 내어 충당하였다.

안중근의거 무렵의 하얼빈 한인사회의 상황은 1910년 1월 15일 하얼빈 일본 총영사 대리 오오노 야스에(大野安衛)가 외무대신 고무라 쥬타로(小村壽太郎)에게 보낸 보고서에 자세히 기록되어 있다.[35] 그 보고서에 따르면 1910년 1월 현재의 한인은 260명으로 남자가 250명 여자가 18명이다. 직업별로 살펴보면, 의사가 3명, 러·청·일인에게 고용된 사람이 29명, 러시아와 청국의 관위(官衛) 통역이 각각 1명과 2명, 담배

---

33 국가보훈처, 「在哈爾賓韓國人ノ狀況ニ關シ報告ノ件」, 『아주제일의협 안중근』 3, 514쪽.
러시아 당국이 파악한 한인회의 상황은 다음과 같다. "하얼빈시에 있는 한인의 생활상태에 대해 본관은 구체적으로 말하려고 한다. 하얼빈시에는 한인이 222명이 있다. 한인회의 임원인 러시아 신민 김은 그 회의 회장이고 위원 20명이다. 위원은 모두 상당한 지위에 있는 자로 재류한인의 선거로 뽑혔다. 위원 가운데 한 사람인 삼존(필자: 홍시준)은 이토 공작 살해사건으로 체포되었다. 한인은 회무 평의(評議)를 위해 학교 또는 김의 집에 모이거나 이 회에서 학교 및 빈곤한 병자 내지 적빈자, 매장비용에 충당하기 위해 돈을 모은다. 재류한인 중에 노동을 할 수 있는 사람은 10코페이카 내지 5루블을 낼 의무가 있고 현금은 이번에 체포된 회계 「삼손」이 보관하고 있다. 회장 및 위원은 무급이고 또한 본회의 교사 한 사람은 월급 15루블을 받고 사무원으로 이번 이토 공작 살해사건으로 체포된 「슨」(필자: 홍시준)은 월급 15루블을 받고 한 달에 본회의 모금액은 약 70루블이다. 이 돈으로 학교 유지비에 충당한다. 한인은 노임을 주로 담배말이로 벌고 있으나 그들 중에는 소상인, 세탁업, 통역, 용달 및 의사가 있다. 하얼빈 재류한인은 러시아 신민을 제외하고 여권을 갖고 있지 않다. 한인의 말에 의하면 일본영사관이 여권을 받아야 한다고 통달하였으나 이 회에서 어느 누구라도 일본영사관에서 여권을 받지 않기로 결정하고 「아파나시예프」장군에게 러시아 신민이 되게 해달라고 청원하였다. 한인 사이에 쟁의가 일어나면 회원이 모여 재단하고 벌을 받는 사람에게는 사죄, 벌금 또는 태형을 과하고 누구나 이 재결(裁決)에 복종한다. 집회 시기는 정하지 않고 필요에 따라 모인다(신운용 편역, 「보고서」, 『러시아 관헌 취조문서』(안중근 자료집 2), (사)안중근평화연구원, 2014, 66쪽).

34 한인회 회계 홍남구는 러시아측 사료에는 홍시준으로 나와 있다(위와 같음).

35 日本 外交史料館, 「在哈爾賓附近朝鮮人及排日者氏名等ニ關スル件」, 『不逞團關係雜件-朝鮮人ノ部-在滿洲』 第一卷.

말이 기타 노동자와 그 가족이 242명이다. 이중 러시아 국적 취득자는 4명인데, 직업별로 보면 러시아와 청국 관위 통역이 각각 1명, 무직과 여자가 각각 1명이다.

이들 한인의 대다수는 부두구에 모여 살고 있었고 이들 중 의사나 통역을 제외하고 대부분은 노동이나 담배말이에 종사하였다. 이들은 담배말이의 경우 한 달에 15루블에서 25루블을 버는데 이것으로는 밥값과 방세를 제외하면 남은 돈이 거의 없어 어려운 생활을 이어나갔다.

안중근의거 무렵인 1910년 10월 말 하얼빈 한인 인구 279명으로 이들의 직업은 대다수가 노동자, 석공, 또는 나무꾼, 담배말이로 농업에 종사하는 한인이 적지 않고 실업자도 많았다. 이중 항일투쟁가는 20여 명으로 일제는 파악하고 있다.[36]

3. 내용과 그 의미

김려수(의거당시 30살)는 제1회 신문(1909년 10월 31일)에서 신원을 밝혔다. 특히 그는 청국인 집에 놀러가서 의거를 한사람이 안중근과 우덕순이라는 소식을 접하고 수첩에 적었다고 진술하였다. 제2회 신문에서(1909년 11월 20일) 일본인 처와 일본으로 갈 작정이었는데 일본인이 이토를 죽인 사람들의 이름을 모르면 바보 취급을 당할 것을 우려하여 안중근과 우덕순의 이름을 수첩에 적어놓은 것이라고 밝혔다.

김성백과 필적하는 하얼빈 한인사회 핵심적인 인물인 김성옥(의거당시 49살)은 제1회 신문(1909년 10월 31일)에서 간단한 신원과 조도선과의 관계를 밝히면서, 안중근과 우덕순을 모르는 사람이라고 진술하였다. 특히 그가 한인들에게 숙식을 인정상 제공하고 있는 사실도 제1회 신문에서 밝혀졌다. 이는 그가 하얼빈 한인사회의 핵심적인 인사임을 의미하는 것이다.

제2회 신문에서 김성옥은 가족관계, 고향 경성에서 하얼빈으로 온 과정, 조도선과의 관계, 동흥학교의 교장인 사실, 일본영사관에서 의사면허장을 받은 사실, 하얼빈 한인의 우편은 일본영사관을 통한다는 점, 김형재, 김려수, 탁공규에 대한 진술, 의거의 책원지는 한국이며 김성백이 가장 반인적 인물임을 밝혔다.

36 日本 外交史料館, 「哈爾濱 在留 鮮人 狀況 」, 『不逞團關係雜件-朝鮮人ノ部-在滿洲』 第1卷.

일제는 안중근과 우덕순이 김형재의 안내로 김성옥의 집으로 가서 이강으로부터 온 편지를 김성옥에게 주고서 2개지역 4개지점의 공격지점을 설치하여 의거를 성공시켰다는 첩보를 입수하였다.[37] 이를 확인하기 위해 김성옥을 참고인으로 소환하여 집중적으로 신문을 하였으나 김성옥은 그 첩보내용을 부인하였다. 또한 유동하의 참석여부에 대해 집중적으로 취조를 당한 김성옥은 유동하가 오지 않았음을 분명히 하였다. 특히 헤어질 때 안중근은 김형재 등과 울었다는 말을 김형재에게 들었으며, 이를 다시 김성옥이 김영환에게 말을 하였다는 진술을 하였다. 아울러 조도선·김성백 등에 대해 언급하였다.

김배근(29세)은 신문(1909년 10월 31일)에서 신원을 밝히면서, 26일 오후 러시아 관헌에게 잡힌 사실, 러시아인에게 담배를 말아 납품하고 있는 사실, 안중근·조도선·정서우는 전혀 모르는 사람이고 유동하·정대호는 여순감옥에서 알게 된 사실, 성엽(成燁)이 자(字)인 사실 등 진술하였다.

김형재(30세)는 제1회 신문(1909년 10월 31일)에서 자신은 국문을 가르치며, 김성백이 동흥학교의 설립자이고 김성옥이 교장임을 밝혔다. 또한 그는 이토를 환영하고 싶었지만 나가지 못한 이유으로 밤늦게까지 신문번역을 하여 늦게 일어났다는 점, 한인의 눈을 꺼려서였다는 점을 들었다.

제2회신문(1909년 11월 19일)에서 김형재는 조도선·정대호·김성옥·유동하·이강 유진률·정지연·홍범도·최재형·탁공규·김성백에 대한 진술을 하였다. 특히 이때 일제는 김형재와 안중근이 이강의 편지를 김형재에게 전하여 김성옥의 집에서 의거를 모의하였다는 첩보를 안중근의거가 하얼빈 한인과 깊은 관계가 있는 것으로 보고서 이를 김형재에게 확인하려고 하였다. 하지만 일제는 김형재의 진술으로 그들의 의도를 실현할 수 없었다. 아울러 그는 대표적인 배일세력은 대동공보임을 밝혔다.

의거 현장에서 안중근을 본 방사첨(34세)은 제1회 신문(1909년 10월 31일)의 간단한 신원진술을 한 탁공규는 제2회 신문(11월 2일)에서 탁공규가 문장을 제일 잘한다는 점, 일제의 사주로 만들어진 민회 회장을 한인들의 압력으로 강봉주가 그만둔 사실, 김성백이 러시아에 귀화한 사실, 김형재가 배일인사라는 점, 동흥학교에 러시아교사가 있는 이유, 동흥학교의 배일연설회, 이토의 사망에 대해 조의를 표한 사실,

---

37 국사편찬위원회, 「헌기 제147호」, 『한국독립운동사』 자료 7, 264쪽.

하얼빈 한인은 대부분 일본을 반대하다는 사실, 이토빵(伊藤方)이라는 일본이름을 갖게 된 이유 등을 진술하였다.

일제의 첩자 이진욱(34살)은 1909년 10월 31일 신문의 간단한 신원진술에 이어 제2회 신문(11월 2일)에서 이토 환영회에 5루블을 낸 사실, 방사첨과 일본영사관에 이토의 죽음을 애도하러 간 사실, 블라디보스토크의 한인들은 한인이 일본거류지에 가는 것조차 말렸을 정도로 일본을 반대한다는 사실, 김형재는 일본을 반대하고 가장 학식이 있는 사람이라는 사실 등을 진술하였다.

하얼빈공립협회 창립을 실질적으로 주도한 탁공규는 1909년 10월 31일 제1회 신문에서 간단한 신원진술을 하고서 안중근 우덕순조도선등을 모른다고 진술하였다. 제1회신문(11월 20일)에서는 블라디보스토크 행적을 진술하면서 이강 등의 대동공보사 인사들을 알고 있는 사실 등을 진술하였다.

초대 하얼빈 공립회 회장 강봉주는 1909년 12월 29일 신문에서 하얼빈공립협회 창립과정, 일제의 사주로 만들어진 민회 회장을 그만두라는 압력을 한인들이 가한 사실을 밝히면서 이범윤 이위종에 대한 진술을 하였다. 안중근과 대동공보사는 의거와 가관계가 없음을 분명히 하였다.

김성옥의 집에서 조도선과 함께 머물고 있었던 김영환(金永煥)은 1909년 12월 25일신문에서 김성옥 집으로 온 과정, 안중근·우덕순·유동하를 모르는 사람이라고 진술하였다. 또한 안중근이 김형재와 헤어질 때 울었다는 것은 김성옥에게서 들었다고 밝혔다.

박문순(36세)은 제1회 신문(1910년 1월 3일)에서 간단한 신원과 하얼빈시에 온 과정, 공립회의 상황을 진술하였다. 제2회 신문에서 근는 한달에 60코페이카, 1년에 4루블 50코페이카에 대동공보를 구독하고 있음을 밝혔다. 이때 강봉주와의 대질신문을 하였는데, 강봉주는 대동공보의 신문대금으로 60코페이카를 받아 송금하였다는 점과 공립회의 성립과정과 목적 그리고 공립회모임 등을 진술하였다. 또한 강봉주는 김성백·김성옥·김형재·박문순·조흥명 등을 반대파로 지목하였다.

김성백(32세)은 1909년 11월 8일 미조부치 검찰관의 증인 신문을 받았다. 일제가 하얼빈 한인 중에서 대표적인 반일투쟁가인 김성백을 증인으로 밖에 신문하지 못한 이유는 그가 러시아 국적자였기 때문이다. 이때 김성백은 간단한 신원과 정대호가 1909년 10월 27일일 김성백 집에 도착한 사실유동하 집안과의 관계, 안중근이 유동하에게 친 전보 등에 대해 진술을 했다.

이외 장수명(31세)·홍시준(28세) 그리고 김려수의 친동생 김천덕·김려수의 9촌 조카 김석구도 일제의 신문을 받아야 했다.

4. 맺음말

이상에서 필자는 이 책을 이해하기 위해 하얼빈 한인사회의 형성과정과 그 상황을 기술하면서 하얼빈 한인 신문기록의 내용을 간단하게 소개하였다.

하얼빈 한인사회는 동청철도 부설과 더불어 형성되기 시작하여 1903년경부터 하얼빈에 한인들이 점증되는 과정을 거쳐 형성되었다. 정치적 의미를 갖는 하얼빈 한인단체는 하얼빈 일본총영사관이 설립된 약 5개월 후 일제의 사주로 만들어진 부일성향의 한인회이었다. 이 한인회는 김성백 등의 민족운동가들과 충돌을 하여 1909년 5월 결국 해체되고 말았다.

하얼빈 한인들의 민족운동은 미주와 블라디보스토크의 그것과 연동되어 있었다. 미주에서 공립협회가 성립되고 1908년 1월 블라디보스토크에 설립되었다. 하얼빈에 공립협회는 탁공규 등의 노력으로 1908년 2월 설립되었다. 이후 하얼빈 공립협회는 미주의 공립협회가 대한인국민회로 재편됨에 따라 같은 운명을 걷게 되었다.

하얼빈 한인사회를 이끌고 간 인물은 김성백과 김성옥이다. 이들은 하얼빈 한인단체를 주도하였다. 특히 김성백은 1909년 4월에 동흥학교가 설립되고 이어서 동흥학교의 유지와 한인의 단결을 위해 부일성향의 한인회를 해체시키고 1909년 7월에 한인회가 조직되는데 결정적인 역할을 하였다.

이 책은 김기렬 관련 인물 두 사람을 제외하고 15명의 한인사회의 주요 인물의 육성을 담고 있다. 특히 안중근의거를 전후하여 하얼빈 한인사회의 모습을 들여다 볼 수 있다는 데 특히 의미가 있다. 아울러 안중근의거뿐만 아니라 하얼빈 한인의 일상생활과 민족운동, 하얼빈 한인의 부일행위를 엿볼 수 있다는데 또한 가치가 있다.

무엇보다 이 책은 김형재 등의 도움으로 김성옥의 집에서 의거를 모의하였다는 주장의 진위를 살펴볼 수 있는 근거를 확인할 수 있다는 점, 안중근의거를 전후한 하얼빈 한인사회를 구조적으로 파악할 수 있다는 사료를 제공하고 있다는 점 등에서 또 다른 사료적 가치가 있다.

차 례

재하얼빈 한인 신문기록

재하얼빈 한인 신문기록 번역본

在哈爾賓 韓人 訊問記錄 日本語本

재하얼빈 한인 신문기록 원본(原本)

재하얼빈 한인 신문기록

번역본

범례

- 이 책은 일본외무성 외교사료관 소장본을 저본으로 하여 국사편찬위원회 소장본으로 보충하였다.
- 이 책은 일본외무성 외교사료관 소장본인『伊藤公爵遭難ニ關シ倉知政務局長出張中犯人訊問之件』第3卷(문서번호: 4.2.5, 245-3)과『伊藤公爵遭難ニ關シ倉知政務局長出張中犯人訊問之件』第1卷·第2卷(문서번호: 4.2.5, 245-4)에 실려 있는 재하얼빈 한국인에 대한 일제의 신문기록을 번역하여 일본어본, 원본을 붙인 것이다.
- 외무성본: ( )은 외무성 소장본에는 있으나 국사편찬위원회 소장본에는 없는 경우이다.
- 국편본: ( )은 국사편찬위원회 소장본에는 있으나 일본외무성 외교사료관 소장본에는 없는 경우이다.
- 원문에서 틀린 부분은 주에서 수정하였다.
- 일본어 인명·지명은 일본어 발음으로 표기하였다.
- 중국 지명은 하얼빈을 제외하고는 한글발음대로 표시하였다.
- 러시아어 지명은 원지명에 가깝게 표기하였다. 단, 확인이 안 될 경우 일본어 발음을 따랐다.
- 한자로 된 러시아 지명은 가급적 러시아어로 표기하였다.

1 김려수 제1회 신문기록

피고인 신문조서

피고인 김려수(金麗水)

위의 자를 살인피고사건에 대해 1909년(명치 42) 10월 31일 하얼빈 일본제국 영사관에서 검찰관 미조부치 타카오(溝淵孝雄) 서기 기시타 아이분(岸田愛文)이 열석하여 통역 촉탁 소노키 스에키(園木末喜)의 통역으로 검찰관은 다음과 같이 피고인으로 신문하였다.

문 성명, 연령, 신분, 직업, 주소, 본적지, 출생지는 무엇인가.
답 성명은 김려수
연령은 30살
직업은 연초말이
주소는 노령 수청(水淸)
본적지는 한국 함경북도 명청읍(明川邑)
출생지는 위와 같음.

문 그대는 처자부모는 있는가. 또한 어디에 있는가.
답 어머니과 동생이 있다. 지금 어머니와 동생은 함께 수청에 있다.

문 모친과 동생은 직업이 무엇인가.
답 농업이다.

문 재산은 있는가.
답 재산은 없다.

문 그대는 하얼빈에 언제 왔는가.
답 8년 전부터 이곳에 와 있었다.

문　하얼빈 어디에 거주하고 있는가.
답　사도가(四道街)에 있다.

문　8년 전부터 사도가의 같은 여관에 거주하고 있는가.
답　집은 때때로 이전을 하였다.

문　그렇다면 가장 오래 거주한 곳은 어디인가.
답　처음 육도가(六道街)에서 3년 정도 있었다. 그 후 「코루보스 나콜토」로 이전하여 그곳에서 1년, 또한 오도가(五道街)로 이사하여 1년 정도 있다가 러일전쟁 때문에 「니코리스크」로 피난을 가서 그곳에서 1년 정도 있었다. 그 후 또 이곳으로 와서 현재 살고 있는 곳에서 2년 정도 있었다.

문　지금 있는 사도가 집주인은 뭐라고 하는가.
답　러시아인인데 성명은 모른다. 집은 20번지이다.

문　그대는 안응칠이라는 자를 아는가.
답　그 성명은 들었으나 본 적은 없다.

문　성명은 아는가.

이때 피고 안응칠의 사진을 보이다.

답　모른다.

문　그대는 블라디보스토크에서 여관을 하고 있는 김기련(金基連)이라는 자를 아는가.
답　여관에 김이라는 자는 없다. 또 박관옥(朴寬玉)이라는 자는 있다.[1]

1　외무성본: 박관옥이라는 집은 있다(「朴寬玉ト云ウ宿屋ハアリマス」).

문　그대는 우연준(禹連俊)이라는 자를 아는가.
답　모른다.

문　그 우는 지금 그대와 함께 이곳에 와 있는데 전혀 모르는가.
답　모른다.

문　이 수첩은 그대의 집에 있었던 것인가.

이때 1909년(명 42) 영특 제1호의 26의 수첩을 보이다.

답　그렇다.

문　어떤 용도로 사용하고 있었는가.
답　「치바」[2]를 기록하는 수첩이다.

문　그대는 「치바」를 한 적이 있는가.
답　내가 러시아인이 맡긴 집을 청국인에게 빌려 주었더니 내가 없는 동안 청국인들이 「치바」를 하여 러시아 관헌에게 체포되어 나까지도 연행된 적이 있으나 나는 「치바」는 하지 않는다.
지금 보인 수첩은 나의 것은 아니다.

문　수첩은 9월 16일까지 기록되어 있는데 알고 있는가.
답　나는 모른다.

문　그대는 우덕순(禹德順)을 아는가.
답　모른다.

2　노름의 일종.

문 지금 보인 수첩에 우덕순·안응칠이라고 써 있는데 누가 쓴 것인가.
답 내가 쓴 것이지만 전혀 모르는 사람이다

문 모르는 자의 이름을 왜 수첩에 썼는가.
답 오도가의 청국인 집에 놀러 갔더니 그 집에 한국인이 5·6명이 마침 있었는데 이토 씨를 죽인 사람은 안응칠과 우덕순 두 사람이라는 것 같은 이야기를 하고 있으므로 나는 그것을 적었던 것이다.

문 그 청국인의 집은 무엇을 하는가.
답 손(孫)이라는 사람의 음식점이다.

문 그대가 손의 집에서 이토공을 죽인 자는 우와 안이라는 것을 들은 것은 며칠인가.
답 엇그제 오후 1시경이다.

문 수첩에 안응칠과 우덕순의 이름은 어디에서 적었는가.
답 손의 집에서 적었다.

문 이토공을 죽인 자는 안응칠과 우덕순이라는 것은 어떻게 안 것인가.
답 어떻게 알았는지 모른다. 이야기를 들었을 뿐이다

문 그렇다면 우덕순·안응칠은 하얼빈에 있는 한국인 사이에 이름이 알려진 자인가.
답 전혀 들은 적이 없는 이름이다. 손의 집에서 이야기를 한 한국 사람이 그것을 청국인에게서 들었다는 것을 나중에 들었다.

문 이 사진은 안응칠의 사진인데 그대는 모르는가.

이때 피고 안응칠의 사진을 보이다.

답 나는 하얼빈에 있는 조선 사람은 모두 알고 있지만 이런 사람은 모른다.

문 김성옥(金成玉)이라는 자를 그대는 아는가.
답 알고 있다. 그 사람은 부스럼(瘡) 전문의사이다.

문 그대의 친척이 아닌가.
답 성은 같으나 친척은 아니다.

문 이토공을 죽인 자는 안·우 두 사람이라는 것을 들은 후 그대는 김성옥(金成玉)의 집에 가서 그 사람을 만났는가.
답 나는 간 적이 없다. 그 집에는 1년에 한 번 정도밖에 안 간다.

문 안응칠이 그 의사의 집에 머문 것을 듣지 않았는가.
답 그런 말은 못 들었다.

문 이토공이 지난번 하얼빈에 온 것은 그대도 당시 알고 있었는가.
답 그것은 못 들었다. 길 청소를 하고 있어 물어 보았더니 러시아·일본·청국의 대신이 온다고 들었으나 누구인지 몰았다.

문 그 대신이 탄 기차는 몇 시에 도착한다고 들었는가.
답 일시는 모른다.

문 26일 아침 그대들은 대관이 오므로 이곳 정거장으로 마중 간 적은 없는가.
답 없다. 그날은 담배를 말고 있었다.

문 26일 아침 이 정거장에서 일본의 대관이 총격을 당했다는 것은 못 들었는가.
답 그것은 들었다.

문 그대는 언제 러시아 관헌에 붙잡혔는가.
답 어제이다.

문 그 전에 어느 관헌에게 붙잡힌 적은 없는가.

답 그런 적은 더욱이 없다. 그러나 전에 말한 대로 올 봄 「치바」를 했다는 것으로 이곳 영사관에 잡혀왔다.

문 그때 벌을 받았는가.

답 과태료 10루블에 처해졌다.

문 김성엽(金成燁)이라는 자를 아는가.

답 모른다.

문 채가구(蔡家溝)에 온다는 정대호(鄭大鎬)이라는 자를 아는가.

답 모른다. 또 채가구라는 곳도 모른다.

문 김택신을 아는가.

답 알고 있다. 그 사람도 담배말이이다. 하얼빈에 있는 조선 사람은 거의 다 담배말이이다.

문 정대호라는 자는 아는가.

답 모른다.

피고인 김려수

위의 내용을 읽어 들려주었더니 승낙하고 자서하다.
그날 앞에서 언급한 총영사관에서
단, 출장 중이므로 소속관서의 도장을 못 사용하다.

관동도독부지방법원
서기 기시타 아이분(岸田愛文)
고등법원 검찰관 미조부치 타카오(溝淵孝雄)
촉탁 통역 소노키 스에키(園木末喜)

2 김려수 제2회 신문기록

피고인 제2회 신문조서

피고인 김려수(金麗水)

위의 자를 살인피고사건에 대해 1909년(명치 42) 11월 20일 관동도독부 감옥서에서 검찰관 미조부치 타카오(溝淵孝雄) 서기 기시타 아이분(岸田愛文)이 열석하여 통역 촉탁 소노키 스에키(園木末喜)의 통역으로 검찰관은 전회에 이어서 다음과 같이 피고인으로 신문하였다.

문 그대의 처는 일본인인가.
답 그렇다.

문 이름은 뭐라고 하는가.
답 마츠오 요네코(松尾ヨネ子)라고 한다.

문 처의 나이는 몇 살인가.
답 30살이다.

문 몇 년경에 부부가 되었는가.
답 2년 전 부부가 되었다.

문 아이는 있는가.
답 하나 있었으나 죽었다. 지금 처는 임신 3개월이다.

문 하얼빈의 일본영사관에 그대들은 신세를 지고 있는가.
답 여러 가지 신세를 지고 있다.

문 어떤 신세를 지고 있는가.

답 나는 담배말이이므로 별반 신세를 지는 것 같은 일도 없다. 하지만 우편 등을 보낼 때에는 영사관에 부탁하여 보내고 있다.

문 우편은 보내는 사람 받는 사람 어느 한쪽이 일본인이 아니면 영사관에서는 취급하지 않는 것이 아닌가.

답 나는 우편을 많이 보내지 않는데 이제까지 두 번 편지를 보냈다. 그것은 보내는 사람도 받는 사람도 한국인이었는데 역시 일본 영사관에 부탁하여 보냈다.

문 그 우편물은 일본민회에서 취급하는 것이 아닌가.

답 영사관에 직접 부탁하여 보냈다.

문 그대는 안응칠·우연준이라는 자를 알고 있는가.

답 그 사람은 모른다. 그러나 지난번 이토 씨가 죽었으므로 그 하수인은 조선 사람이라고 들었다. 그런데 나는 처와 함께 한번 일본에 갈 작정을 하고 있었으므로 만약 사람들이 물으면 그 하수인의 이름을 모른다고 하는 것도 바보이므로 조선 사람이 모여 있는 곳으로 그 이름을 물으러 갔다. 그곳에 있는 청국인에게 하수인은 안응칠이라는 사람으로 더욱이 우연준이라는 사람도 공범이라고 들었으므로 잊지 않도록 나의 수첩에 두 사람의 이름을 적어 둔 것이다.

문 그대가 그것을 청국인에게서 들은 것은 언제인가.

답 16일이다.

문 청국인은 어째서 안과 우의 이름을 알고 있었는가.

답 청국인은 그날 정거장에 가서 안을 보았다고 한다.

문 우라는 자는 어떠한가.

답 우를 보았다는 말은 하지 않았다. 나는 안이라는 사람이 죽였느냐고 물었더니 그 외에 우라는 사람도 동류임을 한국 사람에게서 들었다고 하였다. 그 청국인은 지금도 하얼빈에 있다.

문 지금 그 청국인은 하얼빈 어디에 있는가.
답 이곳의 강봉주(姜鳳周) 집에 있는 김익지(金益智)이라는 자이다.

문 김형재(金衡在)라는 자는 일본을 반대하는 자인가. 또는 친일파인가.
답 나는 모른다. 단지 그 사람은 학교에서 무보수로, 교사를 하고 아울러 신문 번역을 하고 있다고 들었다.

문 지난번 이토 씨를 죽인 자는 하얼빈 또는 블라디보스토크와 기맥을 통하고 있다는 말을 듣지 않았는가.
답 그것은 모른다. 안이라는 자는 평양 사람이고 우는 경상도 사람이라고만 들었다.

문 정대호이라는 자를 아는가.
답 모른다.

문 탁공규(卓公圭)를 아는가.
답 알고 있다.

문 탁공규는 배일파인가. 친일파인가.
답 이름을 듣고 있을 뿐으로 작년 블라디보스토크에서 온 사람이라고 들었다.

문 그대는 블라디보스토크의 신문사에 있는 자를 아는가.
답 한 사람도 아는 사람이 없다.

문 그대는 전에 의병에 들어가지 않았는가.
답 하얼빈으로 와서 나는 9년이 되었으므로 의병 따위와는 더욱이 관계가 없다.

피고인 김려수

위의 내용을 읽어 들려주었더니 틀림없음을 승낙하고 자서하다.
그날 앞에서 언급한 장소에서

단, 출장 중이므로 소속관서의 도장을 못 사용하다.

관동도독부 지방법원
서기 기시타 아이분(岸田愛文)
고등법원 검찰관 미조부치 타카오(溝淵孝雄)
촉탁 통역 소노키 스에키(園木末喜)

3 김성옥 제1회 신문기록

피고인 신문조서

피고인 김성옥(金成玉)

위의 자를 살인피고사건에 대해 1909년(명치 42) 10월 31일 하얼빈 일본제국 총령사관에서 검찰관 미조부치 타카오(溝淵孝雄) 서기 기시타 아이분(岸田愛文)이 열석하여 통역촉탁 소노키 스에키(園木末喜)의 통역으로 검찰관은 다음과 같이 피고인으로 신문하였다.

문 성명, 연령, 신분, 직업, 주소, 본적지, 출생지는 무엇인가.
답 성명은 김성옥
연령은 49살
직업은 약포(藥鋪)
신분은 —
주소는 하얼빈 사도가 846번
본적지 한국경성 북서사동(北署沙洞)
출생지 위와 같음.

문 그대는 처자가 있는가.
답 있다.

문 어디에 있는가.
답 이곳에 있다.

문 부모는 있는가.
답 돌아가셨다.

문 그대는 자산이 있는가.

답 전혀 없다. 약을 팔아 생계를 유지하고 있다.

문 하얼빈에는 언제 왔는가.
답 3년 전에 와서 계속 살고 있다.

문 하얼빈 한국인의 민장은 누구인가.
답 김성백이 민장이다

문 그 사람은 그대의 친척인가.
답 전혀 관계없다. 몇십 년 전부터 그 사람은 이곳에 있다.

문 이자를 아는가.

이때 피고 안응칠의 사진을 보이다.

답 이런 사람은 모른다. 또한 하얼빈에는 없는 사람이다.

문 그대는 김려수라는 자를 아는가.
답 얼굴을 보면 알지 몰라도 성명은 모른다.

문 조도선은 아는가.
답 내 집에 묵고 있다. 내 집은 넓고 특히 밥을 주고 있으므로 수십 일 동안이나 내 집에 있었다.

문 그 사람은 그대의 집에 언제 왔는가.
답 8월 10며칠경에 내 집에 왔다.

문 누구의 소개로 그 사람을 숙박시켰는가.
답 특별히 소개한 사람은 없다.

문 그대 집에서 늘 밥을 주는가.

답 그렇다. 하지만 때에 따라서는 따로 식사를 하고 오는 일도 있다.

문 그 사람은 언제 그대의 집을 나가서 돌아오지 않았는가.

답 지금부터 15일쯤 전에 나가서 어디로 갔는지 모른다.

문 조도선은 무슨 일을 하는가.

답 그것은 모른다.

문 그 사람의 벗이 누구인가를 데리고 그대의 집에 온 적이 없었는가.

답 다른 사람을 데리고 온 적이 없다.

문 그대는 우연준이라는 자를 아는가.

답 모른다. 내 집에 온 적이 없다. 또한 하얼빈에도 없는 사람으로 생각한다.

문 그대의 집에는 주소 성명을 모르는 부랑자를 숙박시키고 있는가.

답 모르는 사람도 와서 부탁하면 돈이 없어도 식사를 주고 돌봐 준다.

문 이자는 그대가 지난번 숙박시킨 적이 있는 남자인가.

이때 피고 조도선을 피고에게 보이다.

답 이 남자임에 틀림없다.

문 그대의 집에서 사람들에게 밥을 주고 또한 숙박하는 사람들이 왔다 간 것을 기입한 숙박부 또는 일기류는 없는가.

답 그런 것은 더욱이 없다.

문 그대의 집은 여관을 하고 있는가.

답 여관이 직업은 아니다. 단지 호의적으로 머물 수 있게 해주는 것이다. 또한 관청의 허가도 얻지 않았다.

문 그대는 우덕순이라는 자를 아는가.
답 모른다.

문 이 이름은 알고 있는가.

이때 우연준을 피고에 보이다.

답 모르는 사람이다.

문 여관업도 아닌데 그대가 모르는 자가 어떤 관계로 숙박을 부탁하고 가는가.
답 내 집에서는 부탁을 받으면 돈이 없는 사람에게도 식사를 주므로 모두 전해 듣고 오는 것이다.

문 그대는 아이가 몇인가.
답 셋 있다.

문 약을 팔아 월 어느 정도의 수입이 있는가.
답 한 달에 120·30양(兩)[1] 정도 수입이 있다.

문 그대 집의 집값은 어느 정도인가.
답 한 달에 50양[2]이다.

문 영업세는 어느 정도 내고 있는가.
답 세금은 한 푼도 낸 적이 없다.

---

1 루블.
2 루블.

문 집값을 내고서 다섯 가족이 생활하면 수입에 비해 그다지 여유가 없는 것 같이 생각되는데 게다가 다른 사람들에게 단지 식사를 주어도 지장은 없는가.

답 돈이 없다고 해서 내쫓을 수는 없으므로 주고 있다.

문 그대는 이외에 뭔가 수입이 있는 것이 아닌가.

답 따로 수입은 전혀 없다.

문 이토 공작이 하얼빈에서 저격당한 것은 알고 있는가.

답 들어서 알고 있다.

문 언제 들었는가.

답 3일쯤 전에 들었다.

문 저격한 자는 어느 나라 사람이라고 들었는가.

답 한국 사람이라고 들었다.

문 그자의 이름을 들었는가.

답 이름은 못 들었다.

문 몇 사람이었는가.

답 몇 사람인지 모른다.

문 그대는 안응칠이라는 자를 알고 있는가.

답 더욱이 모른다. 또한 이름도 일찍이 들은 적이 없다.

문 조선인들 사이에서는 이토공을 저격한 자는 안응칠이라는 평판이 있다는데 그대는 모르는가.

답 전혀 모른다.

문 지금 하수인 한 사람은 우덕순이라는 자라고 하는데 그것도 모르는가.

답　그것도 모른다.

문　그대와 함께 러시아 관헌이 보낸 자 중에 그대가 알고 있는 자가 있는가.

답　있다. 그 사람들은 김택신, 김친테쿠라고 하지만 그 이름을 어떻게 쓰는지는 모른다. 또한 이름이 자세하지 않은 홍이라는 사람[3]과 방사첨·탁공「구」[4]·김봉조(金鳳照) 등이다. 그 이외는 얼굴은 아는 사람이 있지만 성명은 모른다.

피고인 김성옥

위의 내용을 읽어 들려주었더니 승낙하고 자서하다.
그날 앞에서 언급한 영사관에서
단, 출장 중이므로 소속관서의 도장을 못 사용하다.

관동도독부 지방법원
기시타 아이분(岸田愛文)
고등법원 검찰관 미조부치 타카오(溝淵孝雄)

3　홍시준.
4　탁공규.

4 김성옥 제2회 신문기록

피고인 제2회 신문조서

피고인 김성옥(金成玉)

위의 자를 살인피고사건에 대해 1909년(명치 42) 11월 20일 관동도독부 감옥서에서 검찰관 미조부치 타카오(溝淵孝雄) 서기 기시타 아이분(岸田愛文)이 열석하여 통역촉탁 소노키 스에키(園木末喜通譯)의 통역으로 검찰관은 전회에 이어서 다음과 같이 피고인으로 신문하였다.

문 그대가 러시아 관헌에게 붙잡힌 것은 13일인가. 14일인가.
답 13일 저녁이다.

문 어디서 붙잡혔는가.
답 내 집에서 붙잡혔다.

문 그대의 원적은 경성 북사동(北沙洞) 어디인가.
답 나는 고향을 떠나 온 지 12년이 되었으므로 집의 번지 등은 그때는 없었으므로 모른다. 하지만 사동의 사거리에서 상업을 하였다.

문 그대의 부친의 이름은 뭐라고 하는가.
답 김광전(金光前)라고 한다. 충청도 강경(江景)에서 살며 농사를 짓고 있다.

문 부친은 지금도 살아 있는가.
답 내가 15살 때 돌아가셨다. 나는 형제도 없는 사람이다.

문 그대는 12년 전 북사동(北沙洞)을 나와 어디에 있었는가.
답 소왕령(小王嶺)을 지나 길림(吉林)으로 갔다.

문 하얼빈에 온 지는 몇 년이 되었는가.
답 3년이 되었다.

문 그대는 블라디보스토크에 있었던 적이 없는가.
답 소왕령에 갈 때 그곳을 지나갔을 뿐 산 적이 없다.

문 그대의 처는 러시아 사람인가 한국 사람인가.
답 한국인이다.

문 아이는 몇 명 있는가.
답 여자 아이가 셋이다.

문 아이들은 하얼빈 사도가에서 함께 살고 있는가.
답 그렇다.

문 그대 집에 조도선이 와서 머물고 있었는가.
답 그렇다.

문 조는 그대 집에 언제 왔는가. 또 몇 개월 있었는가.
답 8월 10일에 와서 10수일간 머물렀다.

문 그 사람은 9월 9일경까지 있었던 것이 아닌가.
답 확실히 기억나지 않으나 9월 초경까지 있었던 것으로 생각된다.

문 그 사람은 하얼빈에서 상업이라도 한다고 하였는가.
답 처음 왔을 때 세탁가게라도 한다는 것 같이 말하였으나 그 후 세탁가게는 시작하지 않았다.

문 자본은 갖고 있었는가. 또는 빌려달라는 말은 하지 않았는가.
답 자본에 대한 것은 전혀 못 들었다.

문　그 사람은 저축금이라도 갖고 있는 것 같았는가.
답　그것은 모른다.

문　조가 처음 그대 집에 왔을 때 휴대품을 많이 갖고 왔는가.
답　전혀 갖고 있지 않았다. 몸뿐이었다.

문　식료비는 그대 집에 주었는가.
답　받은 것도 있다. 또한 받지 못한 것도 있다. 그 사람은 다른 곳에 머물다가 온 적도 때때로 있었다.

문　그 사람은 처를 「이르쿠츠크」에서 부른다고 하였는가.
답　그런 말은 하지 않았다.

문　그 전에 그대 집의 조도선 앞으로 「이르쿠츠크」에 있는 처로부터 전보가 온 적이 있는가.
답　그것은 모른다.

문　조가 그대 집에 있을 무렵 안이라는 자와 우라는 자가 그 사람을 찾은 적은 없는가.
답　그런 일은 없었다.

문　그대는 동흥학교의 교장인가.
답　그렇다.

문　그 학교의 경비는 어떻게 모으는가.
답　그것은 생도로부터 월에 1루블씩 받아서 유지하고 있다.

문　하얼빈 일본영사관은 그대들을 위해 또는 한국민회 등을 도와주는가.
답　말하지 않아도 잘 도와주고 있다.

문 어떠한 도움을 받고 있는가.

답 한인 중에 죄인 등이 있으면 취조를 하고 또 내 의술 면허장도 일본의 영사관이 준 것이다.

문 그대의 매약허가증도 일본영사관에서 받은 것인가.

답 그렇다.

문 러시아의 영사관에서 받은 것이 아닌가.

답 그렇지 않다.

문 그대는 조선에 편지 등을 보내는데 어떻게 하고 있는가.

답 일본 거류민회라고 쓰고 이것을 일본민회에 갖고 가서 처리한다.

문 수취인 발송인 어느 한쪽이 일본인이 아니면 처리되지 않는 것이 아닌가.

답 그렇지 않다. 수취인 발송인 모두 한국인이라도 일본의 민회에서 처리하고 있다.

문 일본 거류민회라고 쓰면 일본 거류민회에서 처리하니까 만약 거류민회라고 하지 않으면 한국 사람들 사이의 우편은 일본우편으로 처리하지 않은 것이 아닌가.

답 그런 것은 자세히 모른다. 하얼빈의 한인이 일본거류민회에 부탁하는 것은 다른 우편으로는 보낼 수 없기 때문일 것이라고 생각한다.

문 그대는 당파에 관계하고 있는가.

답 전혀 그런 관계는 없다. 아이가 학교에 다니고 있으므로 학교에 관계하고 있다.

문 하얼빈에는 일본인을 배척하는 모임이 있는가.

답 그런 모임이 있는 것은 모른다. 이곳은 담배말이가 많으므로 그들 사이에 공립회(共立會)라는 모임이 있어 담배말이에 관한 일을 하고 있다고 들었다.
더욱이 말씀드리는데 나는 하얼빈의 일본영사에게 여러 가지 신세를 지고 있고 나의 일 집의 생계를 유지할 수 있으므로 나는 일본에 매우 감사하고 있는 것이다. 이를 생각한다면 이번의 사건에 관계가 없는 것을 알 수 있다고 생각한다.

내가 알고 있는 것은 아무 것도 숨기지 않고 사실을 진술하였다.

문 그대는 김형재를 아는가.
답 알고 있다.

문 그 사람은 교사를 겸하여 신문의 통신을 업으로 하고 있는 자인가.
답 그렇다.

문 블라디보스토크의 신문사의 사원이 아닌가.
답 블라디보스토크의 대동공보(大東共報) 등에는 관계하고 있지 않은 것 같이 생각된다. 하얼빈에 있는 원동보(遠東報) 그 이외 러시아의 신문에 관계하고 있는 것 같이 들었다.

문 청국신문 또는 한국 내지의 신문에 관계하고 있지 않는가.
답 원동보(遠東報)는 청국의 신문이다. 한국의 신문에 관계하고 있지 않다.

문 그대는 김려수를 아는가.
답 알고 있다.

문 그 사람은 직업이 무엇인가.
답 담배말이로 도박을 하는 남자이다.

문 김려수는 동흥학교 생도인가.
답 그렇다. 때때로 학교에 간다.

문 그 사람에게 처가 있는가.
답 일본인 처가 있다.

문 그 사람은 일본을 반대하는 자가 아닌가.
답 그런 것 같지 않다고 생각한다.

문 김려수는 학문이 있는가.
답 자신의 이름을 쓸 수 있을 정도이다

문 탁공규를 아는가.
답 알고 있다.

문 그 사람도 동흥학교에 관계하고 있는가.
답 조선 독문(讀文)[1] 교사로 온지 5·6일 밖에 안 되었다.

문 그 사람은 배일파인가 친일파인가.
답 그다지 친밀하지 않으므로 모른다. 하지만 처음 그 사람은 그다지 마음가짐이 좋지 않으므로 학교에 들어가지 못했다. 하지만 내 집 등에도 오고 결국 들어오게 되자마자 붙잡혔던 것이다.

문 정대호라는 자를 아는가.
답 그런 사람은 모른다.

문 그대는 블라디보스토크의 신문사의 이강과 유지률(柳智律)[2]이라는 자를 알고 있는가.
답 그런 사람은 더욱이 모른다. 처음 듣는 이름이다.

문 이번에 한국인이 이토 씨를 죽인 것에 관해 그대가 들은 바 또는 예상은 어떠한가.
답 나는 2개월 정도 전부터 병으로 장사도 다른 사람에게 맡기었기 때문에 실로 붙잡혔을 때도 병으로 누워있었던 것이다. 그러므로 이번의 일은 아무런 예상도 못하였다. 그러나 하얼빈에 있는 사람이 한 일은 아닐 것이다. 나는 한국 본국에서 꾸민 것이 아닌가 하고 생각하고 있다.

---

1 언문(諺文).
2 유진률(兪鎭律).

하얼빈에 있는 사람들 중에 김성백은 외국에 국적을 두고 있는 사람으로 평소 일본에 대해 격한 말을 하는 남자이다. 그러므로 만약 하얼빈에 있는 사람이 관계하고 있다고 한다면 그 사람 정도로 다른 사람은 아닐 것으로 생각한다.

피고인 김성옥

이상의 내용을 읽어 들려주었더니 틀림없음을 승낙하고 자서하다.
그날 앞에서 언급한 장소에서
단, 출장 중이므로 소속관서의 도장을 못 사용하다.

관동도독부 지방법원
서기 기시타 아이분(岸田愛文)
고등법원 검찰관 미조부치 타카오(溝淵孝雄)
촉탁 통역 소노키 스에키(園木末喜)

5 김배근 신문기록

피고인 신문조서

피고인 김배근(金培根)

위의 자를 살인피고사건에 대해 1909년(명치 42) 10월 31일 하얼빈 일본제국 영사관에서 검찰관 미조부치 타카오(溝淵孝雄) 서기 기시타 아이분(岸田愛文)이 열석하여 통역 촉탁 소노키 스에키(園木末喜)의 통역으로 검찰관은 다음과 같이 피고인으로 신문하였다.

문 성명, 연령, 신분, 직업, 주소, 본적지, 출생지는 무엇인가.
답 성명은 김배근(김성엽(金成燁))
연령은 29세
직업은 담배말이
주소는 하얼빈 프리스타니 한인 이백순(李白順) 집
본적은 한국 충청남도 정산군(定山郡) 적면북실(赤面北室)
출생지는 위와 같음.

문 그대는 처자는 있는가.
답 있다.

문 처자는 지금은 어디에 있는가.
답 본적지에 있다.

문 그대의 부모는 있는가.
답 있다. 모두 원적지에 있다.

문 그대는 일본어를 아는가.
답 나는 하얼빈에 오기까지는 장춘의 우편국에 있었는데 그 이전에는 요양서문 밖

(遼陽西門 外) 124번에 있는 제10사단 어용상인(御用商人) 고토 이타로(後藤伊太郞)라는 사람의 집에 있었으므로 일본어를 조금 알고 있다.

문 그대 하얼빈에는 언제 왔는가.
답 올 4·5월경에 왔다.

문 그대는 어디서 담배말이를 하였는가.
답 다른 사람의 집에서는 하지 않고 내 집에 갖고 와서 품삯을 받고 하였다.

문 그대는 언제 러시아의 관헌에 붙잡혔는가.
답 음력 이번 달 13일[1] 오후 7시경 붙잡혔다.

문 어디에서 붙잡혔는가.
답 이곳 사도가(四道街)에 놀러 갔을 때 붙잡혔다.

문 사도가의 붙잡힌 곳에는 뭔가 목표(目標)가 있었는가.
답 외국 사도가 길 위에서 붙잡혔으므로 목표는 전혀 없었다.

문 그날 아침 그대는 어디인가에 갔는가.
답 그날은 담배 30개비를 말지 않았으므로 아무데도 가지 않았다. 30개비를 말고 나서 놀러가는 도중에 붙잡혔다.

문 그 30개비의 담배말이는 누가 부탁하였는가.
답 러시아인이다. 그 사람의 성명은 모른다. 그러나 오도가의 모퉁이 집에서 7·8번째의 집이다.

문 그 집의 주인과 처의 얼굴은 아는가.

1 1909년 10월 26일.

답 모른다.

문 30개비의 담배를 말아 품삯을 받았는가.
답 러시아돈으로 90코페이카를 받았다.

문 그날 이토 씨가 저격당한 것을 들었는가.
답 나중에 들었다.

문 누가 쏘았다고 들었는가.
답 누구인지 모르지만 한국인이 쏘았다고 들었다.

문 그대는 이진옥·정서우·김려수·장수명·김성옥·김택신·유강로·탁공규·홍시준·정대호·우연준·조도선·방사첨을 아는가.
답 우연준·조도선·정서우는 전혀 모르는 사람이고 또 유강로·정대호는 나와 함께 붙잡혀 감옥에서 알았다. 그 외의 사람은 모두 알고 있다.

문 이자는 모르는가.

이때 안응칠의 사진을 보이다.

답 모른다.

문 안응칠이라는 자를 아는가.
답 전혀 모르는 사람이다.

문 조선인의 묘를 이전한 적이 있는가.
답 있다. 음력 9월 11일 17기를 이전하였다.

문 묘 이전 회장(回章)[2]이 왔는가.

답 왔다. 만약 가지 않으면 돈을 1루블 내라고 하므로 나도 갔다.

문 이때 탁공규·홍시준 그 이외 또 그곳에 간 자가 있는가.

답 백몇십 사람이 모였으므로 하나하나 기억하지 못하지만 홍시준·이진옥 두 사람은 보았다. 돈이 없는 사람은 일하러 가고 돈이 있는 사람은 돈을 낸 것이 다소 있다.

문 그대는 장춘 우편국 또는 요양(遼陽)에 있을 때도 김성엽(金成燁)이라고 하였는가.

답 나는 당시 김배양(金培根)이라고 부르고 있었다. 김성엽이라는 것은 나의 자(字)이다.

피고인 김배근 자(字) 성엽(成燁)

문 그대는 지금 뭐라고 하고 있는가.

답 이곳에서 김성화(金成燁)라고 하고 있다. 또 러시아 관헌에게 취조를 받았을 때도 김성엽(金成燁)이라고 하였다.

피고인 김배근

이상의 내용을 읽어들려 주었더니 승낙하고 자서하다.
그날 앞에서 언급한 장소에서
단, 출장 중이므로 소속관서의 도장을 못 사용하다.

관동도독부 지방법원
서기 기시타 아이분(岸田愛文)
고등법원 검찰관 미조부치 타카오(溝淵孝雄)
촉탁 통역 소노키 스에키(園木末喜)

---

2 안내장.

6 김택신 신문기록

피고인 신문조서

피고인 김택신(金澤信)

위의 자를 살인피고사건에 대해 1909년(명치 42) 10월 31일 하얼빈 일본제국 영사관에서 검찰관 미조부치 타카오(溝淵孝雄) 서기 기시타 아이분(岸田愛文)이 열석하여 통역 촉탁 소노키 스에키(園木末喜)의 통역으로 검찰관은 다음과 같이 피고인으로 신문하였다.

문 성명, 연령, 신분, 직업, 주소, 본적지, 출생지는 무엇인가.

답 성명은 김택신
연령은 35살
직업은 담배말이
주소는 하얼빈 육도가(六道街)
본적지는 한국 함경남도 단천읍(端川邑) 북문 내 성동(北門內 城洞)
출생지는 위와 같음.

문 그대는 다른 사람에게 고용되어 있는가.

답 청국인의 집을 다른 사람과 함께 빌려 살고 있있다. 식사 담당은 박관옥(朴官玉)이라는 사람이 하고 있다.

문 그대의 동거자의 성명은 무엇인가.

답 모두 일을 나가고 밥 먹으러 올 뿐이므로 성명은 모른다.

문 김려수라는 자를 아는가.

답 모른다.

문 그 사람은 박관옥의 집에 있는 자인데 모르는가.

답 그런 사람이 박의 집에 있지 않다.

문 오늘 그대와 함께 붙잡힌 자 중에 그대가 아는 자가 있는가.
답 홍시준(洪時濬)은 같은 고향 사람이므로 알고 있다.

문 그 이외에 알고 있는 자는 없는가.
답 이외에 아는 사람은 없다.

문 그대는 처자 부모는 있는가.
답 부모는 있으나 처자는 없다.

문 부모는 어디에 있는가.
답 원적지에 있다.

문 그대는 우연준·우덕순·정대호·정서우라는 자를 아는가.
답 모두 모른다.

문 방사첨(方士瞻)은 아는가.
답 알고 있다.

문 이진옥은 아는가.
답 알고 있다.

문 탁공규(卓公圭)는 아는가.
답 알고 있다.

문 김성옥은 어떠한가.
답 모른다.

문 이자는 알고 있는가.

이때 피고 안응칠의 사진을 보이다.

답 더욱이 모른다.

문 그대는 안응칠이라는 이름을 들은 적이 있는가.
답 들은 적은 없다.

문 음력 9월 11일[1] 한국인의 묘를 개장(改葬)한 적이 있는가.
답 그것은 들었으나 나는 가지 않았다.

문 개장하는 데 가지 않아도 좋은가. 또한 가지 않아서 뭔가 보상이라도 했는가.
답 개장일까지 몰랐다. 나는 일본인의 집에 담배말이를 하러 가는 도중에 한국 사람 모두가 개장하는 곳으로 갔는데 나에게 가지 않겠느냐고 하였으나 거절하였다. 만약 가지 않으면 1루블의 벌금을 내라고 하였으나 나는 가지 않았다.

문 그대가 담배말이를 하러 가는 일본인의 주소, 성명은 무엇인가.
답 프쵸이월체에서 요리점을 하고 있는 사람으로 이름은 모른다. 더구나 그 집에 이미 한인 이부(李莩) 「쿠와」라는 사람이 있다. 주인은 턱수염이 많이 난 사람이다.

문 이번에 그대는 어디서 붙잡혔는가.
답 거리 이름은 모르나 청국인의 요리점이 있는 곳에서 붙잡혔다. 내가 붙잡힌 현장은 요리점으로부터 다리를 건너 변소가 있는 곳으로 바로 청국 시장이다.

문 며칠날 몇시경에 붙잡혔는가.
답 음력 9월 13일[2] 오전 10시경이다.

---

1 1909년 10월 24일.
2 1909년 10월 26일.

문 어디에 가는 도중이었는가.
답 일본인의 집에 담배말이 일을 알아보러 가는 도중이었다.

문 붙잡히고서 어디로 끌려갔는가.
답 처음 김성백의 집으로 함께 끌려갔다. 집에는 러시아 장교가 많이 와 있었다.

문 26일 아침 이토 공작이 하얼빈에 온 것을 알고 있었는가.
답 모른다.

문 이토공이 저격당한 것을 알고 있었는가.
답 몰랐지만 붙잡혀 있는 동안 한국 용암포(龍巖浦)에서 온 사람이 이토 씨를 죽였다고 하는 말을 들었다.

문 그자를 러시아 관헌이 붙잡았는가.
답 그렇다.

피고인 김택신

이상의 내용을 읽어 들려주었더니 틀림없음을 승낙하고 자서하다.
그날 앞에서 언급한 총영사관에서
단, 출장 중이므로 소속관서의 도장을 못 사용하다.

관동도독부 지방법원
서기 기시타 아이분(岸田愛文)
고등법원 검찰관 미조부치 타카오(溝淵孝雄)
촉탁 통역 소노키 스에키(園木末喜)

7 김형재 제1회 신문기록

피고인 신문조서

피고인 김형재(金衡在)

위의 자를 살인피고사건에 대해 1909년(명치 42) 10월 31일 하얼빈 일본제국 영사관에서 검찰관 미조부치 타카오(溝淵孝雄) 서기 기시타 아이분(岸田愛文)이 열석하여 통역 촉탁 소노키 스에키(園木末喜)의 통역으로 검찰관은 다음과 같이 피고인으로 신문하였다.

문 성명, 연령, 신분, 직업, 주소, 본적지, 출생지는 무엇인가.
답 성명은 김형재
연령은 30살
직업은 야학교 교사와 신문번역
주소는 하얼빈 프리스타니 외국 삼도가 47번 동흥학교(東興學校) 내
본적지는 한국 경상북도 안동군 풍서면(豊西面) 구담(九潭)
출생지는 위와 같음.

문 그대는 처자가 있는가.
답 있다.

문 부모도 있는가.
답 오래전에 고향을 떠나 왔으므로 지금은 생사도 모른다.

문 동흥학교는 누가 교주(校主)인가.
답 설립자는 김성백이지만 지금은 김성옥이 교장이다.

문 그대는 무슨 담당인가.
답 야학교이므로 산술과 한국의 국문을 맡고 있다.

문 이밖에 어떠한 과목을 가르치고 있는가.
답 이밖에 받아쓰기 등도 가르치고 있다.

문 러시아어는 어떠한가.
답 러시아어도 가르치고 있다.

문 러시아어 교원은 누구인가
답 전에 러시아 군대의 중대장을 한 정위(正尉)(일본 대위) 「바실리 라사라비치 에레베치킨」이라는 사람이다

문 한국인 교원은 그대 한 사람인가.
답 한국 사람으로 교원은 나 이외에 탁공규도 있다. 그 사람은 국문을 가르치고 있다.

문 세계역사 또는 동양역사를 가르치고 있는가.
답 가르치고 있다.

문 그것도 그대가 가르치고 있는가.
답 과목은 두고 있으나 지금은 발음 정도만 가르치고 있다.

문 한국의 역사는 물론 가르치고 있는가.
답 가르치기 위해 블라디보스토크에서 책을 두 책 사들였으나 아직 가르치고 있지 않다.

문 생도는 어떤 사람인가
답 인부와 돈을 버는 사람들이다.

문 그 학교의 생도 중에 유강로라는 자는 없는가.
답 그런 사람은 없다.

문 야학 생도 중에 이진옥·김려수·장수명·김택신·홍시준·김성엽[1]·우연준·조도선·방사첨이라는 자가 있는가.

답 김택신의 동생 김택준(金澤俊)은 생도이다. 또 홍시준·김성엽·이진옥도 모두 생도이다. 또한 방사첨도 때때로 청강하러 왔다.
우·조는 생도가 아니다.

문 정대호라는 자를 알고 있는가.

답 알고 있다.

문 그 사람은 무엇을 하고 있는가.

답 포그라니치나야의 세관 주사로 영어 통역이다.

문 우연준·조도선은 모두 아는 자가 아닌가.

답 우연준은 모른다. 조도선은 이름은 듣고 있지만 지난번 내 집과 김성옥의 집에서 만난 적이 있다.

문 그 사람은 한국의 의병이 아닌가.

답 그런 것은 못 들었다.

문 우덕순이라는 자는 모르는가.

답 모른다.

문 그대는 신문 번역을 하고 있다고 하는데 한국어를 어느 나라 말로 번역하는가.

답 러시아어 또는 청국어로 번역한다.

문 그렇다면 러시아 또는 청국의 신문사로부터 위탁을 받고 있는가.

답 위탁을 받고 있지 않으나 번역료는 받고 있다.

---

1 김재근.

문　그 번역료를 받고 있는 신문은 어디에 있는 신문인가.
답　러시아의 「노버여 쥐즌」과 「하르빈」 두 신문, 그리고 청국의 원동보(遠東報)이다.

문　그대는 정치상 어떠한 당파에 속하는가.
답　당파에는 관계없다. 원래 이곳에 공립회(共立會) 그 타의 회가 있으나 나는 입회하지 않았다.

문　이 남자는 알고 있는가.

이때 피고 안응칠의 사진을 보이다.

답　전혀 모르는 사람이다.

문　그대는 안응칠이라는 이름을 들은 적이 없는가.
답　신문에서 안이라는 이름을 보았다.

문　언제 발행된 신문인가.
답　근일 「노버여 쥐즌」에 나와 있다.

문　그것은 이토 씨의 조난 이후인가.
답　조난 후 3·4일이 지나 조난 기사 중에 안이라는 이름이 나와 있다.

문　이토 씨의 환영에 대해 한국인 사이에 뭔가 계획이 있었는가.
답　별로 그런 것은 못 들었다. 실은 이토 씨는 한국의 통감이 되어 한국을 위해 진력하고 있으므로 만약 이토 씨가 없으면 한국은 망한다고까지 한인 사이에 소문이 나 있어 환영하지 않은 것을 나는 유감으로 생각하고 있다.

문　그러나 하얼빈에서 관민합동으로 이토 씨의 환영을 할 기회가 있었던 것이 아닌가.
답　그런 것은 못 들었다.

문 그대는 언제 러시아 관헌에게 붙잡혔는가.
답 어제 저녁에 붙잡혔다.

문 자택에서 붙잡혔는가.
답 외출하였다가 돌아가다가 끌려갔다.

문 집 안도 수색하였는가.
답 내가 안으로 들어와 보았을 때 물품이 어지럽게 널려 있었으므로 집 안을 수색한 것으로 생각하였다.

문 그대는 26일 아침 이토 씨를 맞이하러 나갔는가.
답 나는 가지 않았다.

문 왜 가지 않았는가.
답 밤늦게까지 신문 번역을 하였으므로 아침에 자서 가지 않았다.

문 이토 씨는 한국을 위해 대단히 진력하고 있다고 생각하고 또한 그대는 환영하지 않은 것은 유감이라고 생각한다고 하였는데, 신문 일(번역)이 바빠서 환영하러 나가지 않은 것은 진술과 맞지 않는 것 같이 생각되는데 어떠한가.
답 아침에 늦게까지 자서 환영하러 가지 못했다.

문 아침 늦게까지 자서 환영하지 않은 것은 예가 아니지 않은가.
답 그것은 할 말이 없다. 실은 외국의 신문에 한국에 대한 일본의 시정이 잘 못되었다는 기사가 가끔 나와 한국 사람 중에는 그것을 그대로 믿는 사람이 있으므로 나는 그 잘못된 믿음을 늘 우려하고 있다. 하지만 그러한 사람들의 눈도 있어 환영하러 나가기 어려운 점도 있다. 하지만 나는 일본에 대해 대단히 후의를 표하고 있는 사람이다.

문 그대가 이 정도로 일본을 믿고 있고 은인이라고 생각하는 사람이 오는데 위와 같은 사정으로 환영하러 나가지 않은 것은 좀 이유가 충분하지 않은 것 같이 생각되는데 어떠한가.

답 나는 작년 11월 이곳에 왔다. 하지만 학교를 설립하므로 상당한 교원을 고용하기까지 나에게 교원 대리를 해달라고 하여 응하였다. 하지만 이곳의 풍습으로 약간의 오보도 곧바로 믿고서 (나에게) 멍청하다고 (욕)하므로 나는 늘 이를 위로하고 있지만 요즘 모두가 나를 그다지 좋게 말하지 않으므로 나는 여러 가지 근신하고 있다. 이것도 환영하러 나가지 않은 하나의 원인이다.

문 그대는 러시아에 귀화하였는가.

답 아직 귀화하지 않았다. 나는 한국 사람이다.

문 그대의 집 번지는 무엇인가.

답 외국 삼도가 47호이다.

문 24일 밤 그대 집에 채가구에서 전보가 온 적은 없었는가.

답 내 집에 전보가 온 적은 더욱이 없다.

피고인 김형재

이상의 내용을 읽어 들려주었더니 승낙하고서 자서하다.
그날 앞에서 언급한 장소에서
단, 출장 중이므로 소속관서의 도장을 못 사용하다.

관동도독부 지방법원
서기 기시타 아이분(岸田愛文)
고등법원 검찰관 미조부치 타카오(溝淵孝雄)
촉탁 통역 소노키 스에키(園木末喜)

8 김형재 제2회 신문기록

피고인 제2회 신문조서

피고인 김형재(金衡在)

위의 자를 살인피고사건에 대해 1909년(명치 42) 11월 19일 관동도독부 감옥서에서 검찰관 미조부치 타카오(溝淵孝雄) 서기 기시타 아이분(岸田愛文)이 열석하여 통역 촉탁 소노키 스에키(園木末喜)의 통역으로 검찰관은 전회에 이어서 다음과 같이 피고인으로 신문하였다.

문 그대는 김성옥의 집에 머무른 조도선이라는 자와 언제쯤부터 아는 사이가 되었는가.

답 그 사람은 하얼빈에 3개월간 있었으므로 나뿐만 아니라 하얼빈에 있는 한국 사람은 모두 알고 있다.

문 조는 어디에서 하얼빈으로 왔는가.

답 노경(露境)에서 왔다고 들었다.

문 무슨 일을 하고 있는 자인가.

답 나는 그다지 친하지 않으므로 직업은 못 들었지만 가끔 길에서 만난 적이 있다. 하지만 풍채가 그다지 좋지 못하다.

문 그 사람은 하얼빈에서 무슨 일을 한다고 하였는가.

답 그것은 듣지 못했다.

문 처가 기다리고 있다고 했는가.

답 다른 사람의 이야기에 의하면 처가 러시아인이라고 한다.

문 처와 함께 살고 있는가.

답 동거하는지 별거하지는 모른다.

문 처를 노경(露境)에서 부른다는 이야기를 못 들었는가.
답 그것도 모른다.

문 그 사람은 세탁업에 경험이 있으므로 하얼빈에서 세탁업을 한다는 것을 듣지 않았는가.
답 나는 그 사람을 만나 이야기를 나누지 않았으므로 그것은 모른다.

문 그대는 정대호라는 자를 아는가.
답 올 7·8월경 본국으로 돌아가다가 도중에서 되돌아와 하얼빈 학교로 찾아와 처음 만났다.

문 그 사람의 직업은 무엇인가.
답 세관에서 근무하고 월급은 1,000루블 정도 받고 있다고 들었다.

문 정이 무슨 일로 향리에 간다고 들었는가.
답 처자를 맞으러 간다고 들었다.

문 그대는 김성옥을 알고 있는가.
답 알고 있다.

문 그 사람은 직업이 무엇인가.
답 의사이다.

문 김성옥의 집에는 여러 사람이 숙박하고 있는가.
답 그렇다. 그 사람과 나는 올 4월경부터 친하게 지냈다. 그 사람은 집도 넓고 부자이므로 한국 사람들이 많이 출입하고 있다.

문 그 사람은 의사이므로 재산이 있는가.

답　환자가 매우 많으므로 수입이 많다고 들었다. 하지만 재산이 어느 정도 있는지 모른다.

문　조도선은 3·4개월간 김성옥의 집에서 계속 머물러 있었는가.
답　조는 때때로 다른 곳으로 나가는 일도 있었으므로 나는 어느 정도 김의 집에 있었는지 자세히 모른다.

문　그대가 있는 학교와 김성옥 집의 거리는 어떠한가.
답　1한리(韓里)[1](일본의 4정목(丁目)) 정도이다.

문　그 사람은 동흥학교에도 관계하고 있는가.
답　그 사람은 친절한 사람으로 내외의 모두가 신세를 지고 있었으므로 학교에서도 돈이 부족할 때에는 받는다. 그런 일로 관계가 있다.

문　그 사람은 교장이 아닌가.
답　교장이다. 그러나 그 교장은 다른 교장과는 다르다. 학교가 생겼을 때 부자를 교장으로 한다고 하는데 모두의 의견이 일치하여 교장으로 삼았다.

문　학교의 사무는 누가 담당하고 있는가.
답　학교의 사무라고 할 것도 별로 없다. 월급의 부족 등은 김성백과 상의하여 받고 있다.

문　그 사람은 처가 일본인인가.
답　러시아인이다.

문　김성백은 어떠한 남자인가. 무슨 당파에 관계하고 있는가.
답　그 사람은 무학이므로 어릴 때부터 노령에 있어 러시아인과 같아 전혀 국가사

1　0.392727km.

상은 없는 사람이다.

문 그런데 김성백의 집에는 많은 사람이 출입하는 것은 무슨 이유인가.
답 지금까지는 출입하는 사람도 없었다. 하지만 올해 많은 사람이 출입하고 있는 것 같았다. 그것은 돈이 있기 때문일 것으로 생각한다.

문 그 사람은 돈이 없는 사람을 돌봐주고 무료로 머물게 하는가.
답 그 사람은 돈이 없는 사람이라도 잘 보살펴주고 있다. 하지만 돈 따위를 보낸 것은 듣지 못했다.

문 그대는 김성백을 평소 알고 있는 사람인가.
답 올해쯤부터 학교 관계로 친하게 지내고 있다.

문 러시아력(露曆) 9월 10일[2] 그대는 김성백의 집에 간 적이 있는가.
답 나는 몇 개월 전부터 간 적이 없다.

문 10일 밤 그대는 김성백의 집에서 술을 마신 적이 없는가.
답 올 7월경 생일에 가서 술을 마셨다.

문 그대는 안응칠을 알고 있는가.
답 나는 전혀 모르는 사람이다.

문 안응칠은 9일[3] 김성옥의 집에서 그대가 술을 마시고 있었다고 하는데[4] 어떠한가.
답 그런 적이 더욱이 없다. 나는 원래 술을 즐기지 않는다.

---

2 1909년 10월 23일.
3 1909년 10월 22일.
4 신운용 편역, 「안중근 제3회 신문기록」, 『안중근 신문기록』(안중근 자료집 3), (사)안중근평화연구원, 2014, 59쪽.

문　술을 마시지 않는다고 해도 김의 집에서 안응칠을 만난 적은 없는가.

답　그런 적이 없다. 나는 김성백의 집에 가는 것을 삼가하고 있다. 아울러 그 사람은 부자이고 나는 가난하므로 그쪽에서 부르러 오지 않으면 가지 않는다.

이때 안응칠을 입정시켰다. 김형재와 다음과 같이 대질신문을 하였다.

안응칠에게

문　그대는 이자를 아는가.

답　하얼빈에 온 날 밤 나와 함께 김성백의 집에서 술을 마셨다. 그때 처음 만난 사람이다.

김형재에게

문　안은 지금 들은 대로 말하는데 어떠한가.

답　나는 김성백의 집에는 몇 개월간 가지 않았다. 사람을 잘못 본 것으로 생각된다.

안응칠에게

문　김형재는 들은 대로 그런 일은 없다고 하는데 어떠한가.

답　나는 이 사람이라고 생각한다. 이곳으로 보내졌을 때도 이 사람을 보고 김성백의 집에서 술을 마신 사람이라고 스스로 생각하고 있을 정도이다.

문　그대는 그때 김형재와 이야기를 했는가.

답　별로 이야기를 하지 않았다.

문　인사는 했는가.

답　그것도 어떠했는지 모른다.

김형재에게

문 그대가 실제로 만났다면 숨길 필요는 없다. 특히 11일[5]은 한인의 묘 개장일이므로 한인 회장 김성백을 만나 이야기를 할 필요도 있을 것이므로 혹은 간 것이 사실이 아닌가고 생각하는데 어떠한가.

답 개장에 대한 것은 다른 집에서 이야기하였으므로 김성백의 집에 갈 필요가 없으므로 간 일이 없다.

문 김성백은 한인 회장이므로 그 사람의 집에 모여서 이야기를 하면 모이는 것도 빠르고 또한 순서로 보아도 그 사람의 집에 모이는 것 같이 생각하는데 어떠한가.

답 김성백의 집은 좋기 때문에 사람들이 많이 모이면 방이 더러워지므로 그 사람 집에서는 모이지 않는가.

피고인 안중근

위 안응칠에 관계되는 부분을 읽어 들려주었더니 승낙하고 자서하고서 퇴정시켰다.

김형재에게

문 그대는 우연준을 아는가.

답 모르는 사람이다.

문 김성옥의 집에는 여러 사람이 출입하고 있는가.

답 그렇다.

문 어째서 많은 사람들이 출입하고 있는 것인가

답 그 사람은 부자이므로 자연히 사람들이 많이 출입하는 것이다.

문 김성옥은 뭔가 당파에 속해 있는 인물인가.

---

5 1909 년 10월 24일.

답 그 사람도 원래 배운 것이 없는 사람이다. 그러므로 당파 관념이 없는 사람이다. 하지만 늘 일본의 영사관에 출입하고 있으므로 우선 그 사람은 일본파일 것으로 생각한다.

문 그대는 앞서 취조하였을 때 하얼빈 한국인은 대개 일본에 대해 좋게 생각하고 있지 않으므로 실로 그대는 이토 씨가 도착하였을 때도 한인이 꺼려 정거장에 환영도 가지 않았다고 하였는데 김성백·김성옥과 같은 거목이 배일 내지 친러 관념이 없다고 한다면 하얼빈에서 어떠한 사람이 배일파라는 것인가.

답 한인의 눈을 꺼려 가지 않았다는 것은 단순하게 하얼빈 한인뿐만 아니라 곧 그 일이 블라디보스토크의 신문 따위에 나오므로 그것은 꺼려서 가지 않았다.

문 그렇다면 블라디보스토크는 한국인 배일파가 있는 근거지인가.

답 배일당이라고 것은 모른다. 하지만 그곳에 있는 한인은 배일사상이 있는 사람이 다소 있다. 또한 대동공보(大東共報) 따위에는 때때로 그런 기사가 나온다.

문 대동공보에는 일본에 관해 어떠한 기사가 나오는가.

답 늘 일본에 관한 것이 나오고 있다. 그러므로 하나하나 진술할 수 없으나 구적 일본에 대해 운운하던지 또는 청년들은 일본에 대항해야 한다는 따위와 교사(敎唆)적인 기사가 논설 등에 때때로 나오고 있다.

문 그대는 대동공보의 기자 중에 아는 자가 있는가.

답 재작년경 경성의 황성신문사에 있던 장지연이라는 사람을 알고 있으나 그 이외의 기자 중에 아는 사람은 없다.

문 장지연은 지금도 기자를 하고 있는가.

답 그 사람은 경상남도 진주 경남일보에 있는 것을 신문에서 보았다.

문 그 신문은 지금도 발행되고 있는가.

답 내가 이번 끌려오기까지는 나의 숙소에서 구독하고 있었다.

문 대동공보 유지률(柳智律)[6]라는 자가 있지 않는가.
답 대동공보사에 유진율이라는 사람이 있는 것을 신문에서 보았다.

문 그 사람은 기자인가.
답 발행인이다.

문 대동공보의 편집인은 누구인가.
답 러시아인이다.

문 기자는 이강 이외에 없는가.
답 잘 모르지만 신문에서 보았더니 그 사람 이외에는 없는 것 같다.

문 장지연·이강·유진률 등은 배일당의 주모자가 아닌가.
답 배일당이라는 것은 모른다. 하지만 배일사상이 있는 것은 틀림없다. 신문사에 있는 사람으로 배일사상이 없는 사람은 없다고 생각된다.

문 배일사상이 신문사에 있는 자에게는 반드시 있다고 하면 의병에게 신문사가 돈 등을 내는 것 같은 일은 있는가.
답 그런 것은 모른다.

문 신문사는 의병을 돕는다든지 또한 어느 경우에 따라 돈이라도 주는 것 같은 풍설은 듣지 못했는가.
답 그런 소문은 못 들었다. 그런 일이 있어도 비밀로 우리들은 모른다.

문 러시아의 허무당 등이 그 신문에 관계되어 있는 것은 듣지 못했는가.
답 러시아의 혁명당이 있는 것은 알고 있다. 하지만 그런 사람들이 관계되어 있다는 것은 못 들었다.

---

6 유진률(兪鎭律).

문 그대가 하얼빈에서 체포당한 것은 음력 17일[7]인가.
답 그렇다.

문 이토 씨의 조난일 즉 13일[8]부터 그대가 붙잡히기까지 대동공보의 이강·유진률 등이 하얼빈에 온 것은 듣지 못했는가.
답 그런 것은 못 들었다.
정거장 부근은 러시아병이 경계를 하고 있으므로 오려고 해도 올 수 없을 것이라고 생각한다.

문 그러나 그 후 여행객으로 온다면 지장이 없을 것으로 생각하는데 어떠한가.
답 그것은 문제가 없지만 나는 온 것은 못 들었다.

문 안응칠이 이강에게 편지를 보냈으므로[9] 이강 등은 올 것이라고 생각하는데 떠한가.
답 나는 그 사람들이 오는 것은 전혀 들은 적이 없다.

문 그대는 모두 알고 있는 것을 말한다고 하는데 결코 숨김없이 사실을 진술해라.
답 오늘은 나의 생사가 걸려 있으므로 다른 사람은 가령 어떠한지 몰라도 결코 알고 있는 사실을 숨기지 않았다.

문 그대는 포그라니치나야에 있는 의사의 아들 유동하라는 자를 알고 있는가.
답 그 사람은 모르는 사람이다. 하지만 밤에 학교에 온 일이 한번 있는데 나는 별로 이야기도 하지 않았다.

문 10일 밤 유동하는 김성백에게 용무가 있어 학교로 찾아 온 적이 있었는가.
답 김성백에게 용무가 있었는지 학교를 보러 왔는지 모른다. 하지만 한번 학교에는

---

7 1909년 10월 30일.
8 1909년 10월 26일.
9 안중근은 편지를 이강에게 보낸 적이 없다.

온 것은 틀림없다.

문 그것은 10일이었는가.
답 그 날짜는 확실히 기억나지 않는다.

문 유동하가 학교에 왔을 때 김성백은 학교에 와 있었는가.
답 김성백은 러시아어를 배우고 있으므로 매일 밤 빠지지 않고 학교에 온다.

문 그 사람에게 그대가 러시아어를 가르치고 있는가.
답 러시아인의 교원과 내가 도와서 두 사람이 가르치고 있다.

문 이번에 이토공을 죽인 자는 안응칠인데, 그것은 어디에서 연락이 있었는가. 그대는 그것을 모른다고 하지만 뭔가 그 주변에서 들은 것은 없었는가.
답 나는 풍설은 듣지 못하였지만 하얼빈이 아니라 다른 곳에서 계획을 하여 왔을 것이라고 생각한다.

문 그 계획을 한 곳이라는 곳은 어디인가.
답 나는 블라디보스토크일 것라고 생각한다.

문 의병과 연락한다고 생각하는가. 또는 신문사와 관계하고 있다고 생각하는가.
답 의병과 관계는 물론 있을 것이라고 생각하지만 신문사와는 관계가 없을 것이라고 생각한다.

문 그 관계하고 있다고 생각하는 의병은 어떠한 종류의 자들인가.
답 나는 의병의 내용을 모르므로 어떠한 부류의 의병인지 모른다. 또한 풍설에도 듣지 못했다. 단지 연락이 있을 것이라고 생각할 뿐이다.

문 그대가 생각하는 의병 두목은 누구인가. 알고 있는가.
답 올해 3·4월경에 나는 홍범도라는 사람이라는 것을 들었다. 그 사람은 작년 강원도에서 의병을 일으켜 양식 등을 모아서 늘 「호발포」[10]와 「소안미」 사이를 왕복하고 있다고 들었다.

문 그대는 파리(玻璃), 쌍성(雙城)이라는 곳을 모르는가.
답 파리는 청국어이다. 그것은 「호발포」이고 쌍성은 「이르쿠츠크」이다.

문 그대가 의병을 일으킨 것을 들은 것은 그대가 붙잡히기 3·4개월 전인가.
답 붙잡히기 3개월 정도 전이다.

문 그대는 최도헌(崔都憲)이라는 의병 대장의 이름을 들었는가.
답 그 사람은 의병 대장인지 뭔지 모른다. 하지만 의병이라는 것을 들었다.

문 안응칠은 최도헌·홍범도의 부하가 아닌가.
답 그것은 모른다.

문 평소 블라디보스토크의 신문사로부터 하얼빈으로 오면 어떠한 여관에 묵는가.
답 돈이 있는 사람은 러시아여관에 머물고 돈을 많이 갖고 있지 않은 사람은 자국인의 집으로 가서 머문다.

문 자국인이라는 것은 회장의 집인가. 또는 벗의 집에라도 가는 것인가.
답 이 회장의 집은 별도로 여관을 하지 않는다. 보통 한국인이 하는 여관이 있다.

문 러시아인 여관은 하얼빈에 많이 있는가.
답 4·50호 정도 있다.

문 그대는 김려수를 아는가.
답 알고 있다.

---

10 하바로프스크.

문 그 사람은 동흥학교의 생도인가.

답 학교에 와서 러시아어를 배우고 있었다.

문 그 사람은 배일 친일 어느 쪽에 속하는 자인가.

답 그 사람은 처가 일본인이므로 우선 친일파라고 생각한다. 특히 평소 모임 따위에 나오는 것을 싫어하는 사람이다.

문 그 사람의 직업은 무엇인가.

답 아마 담배말이를 하고 있다고 생각된다.

문 탁공규를 알고 있는가.

답 알고 있다.

문 그 사람은 학교의 교원인가 생도인가.

답 때때로 국문을 가르치고 있다.

문 그 사람은 배일 친일 어느 쪽인가.

답 친밀하지 않으므로 자세한 것은 모른다.

이때 유동하를 입정시켜 아래와 같이 김형재와 대질신문을 하였다.

유동하에게

문 9일 밤 우와 안이 김성백의 집에 도착하였을 때 김형재라는 자는 김성백의 집에 있었는가.

답 그 사람은 없었다.

문 그날 밤 김성백의 집에서 술을 마신 적은 없는가.

답 그런 적은 없다.

문 그대가 10일 야학교로 김성백을 찾아 갔을 때 그 사람은 책을 배우고 있었는가.
답 그렇다.

문 이것은 러시아어인가.
답 교실에 들어가 교원으로부터 배우고 있었다.

문 그때 김형재는 학교에 있었는가.
답 있었다.

문 그대는 김성백에게 돈 이야기를 어디서 했는가.
답 실외로 불러서 이야기를 하였다.

피고인 유동하
피고인 김형재

이상의 내용을 읽어 들려주었더니 틀림없음을 승낙하고 각자 자서하다.
그날 앞에서 언급한 장소에서
단, 출장 중이므로 소속관서의 도장을 못 사용하다.

관동도독부 지방법원
서기 기시타 아이분(岸田愛文)
고등법원 검찰관 미조부치 타카오(溝淵孝雄)
촉탁 통역 소노키 스에키(園木末喜)

9 방사첨 제1회 신문기록

피고인 신문조서

피고인 방사첨(方士瞻)

위의 자를 살인피고사건에 대해 1909년(명치 42) 10월 31일 하얼빈 일본제국 영사관에서 검찰관 미조부치 타카오(溝淵孝雄) 서기 기시타 아이분(岸田愛文)이 열석하여 통역 촉탁 소노키 스에키(園木末喜)의 통역으로 검찰관은 다음과 같이 피고인으로 신문하였다.

문　성명, 연령, 신분, 직업, 주소, 본적지, 출생지는 무엇인가.
답　성명은 방사첨
　　연령은 34살
　　직업은 치과 의사
　　신분은 ―
　　주소는 하얼빈 조선거리
　　본적지는 함경북도 부령동면(富寧東面) 석거리(石巨里)
　　출생지는 위와 같음.

문　그대는 처자가 있는가.
답　있다.

문　함께 살고 있는가.
답　처자는 러시아 본국으로 돌아갔다.

문　부모는 있는가.
답　부모는 없다. 나의 형이 지금 원적지에 있다.

문　형의 이름은 뭐라고 하는가.

답 방사녀(方士汝)라고 한다.

문 이번 달 26일 아침 이토 공작이 이곳 정거장에 도착하였을 때 그대는 보러 갔는가.
답 일본 거류민회의 통지를 받고서 환영하러 나갔다. 또한 환영 기부금도 냈다.

문 그런데 이토공은 저격당했는가.
답 그렇다.

문 그 저격을 한 자는 어떠한 자인가.
답 내가 모르는 사람이다.

문 하수인은 한 사람인가. 두 사람인가.
답 내가 본 것은 한 사람이었다고 생각한다.

문 범인은 현장에서 붙잡혔는가.
답 붙잡혀 입구 쪽으로 왔을 때 나는 보았다.

문 그자는 이자가 아닌가.

이때 피고 안응칠의 사진을 보이다.

답 확실히 이 사람이라고 생각한다.

문 붙잡힌 자의 이름은 듣지 않았는가.
답 일본인이라는 것을 당시 들었을 정도이고, 누구인지 모른다.

문 그 후 하수인의 이름은 들었는가.
답 신문에서 성이 안이라는 것을 보았다.

문　그 안이라는 자는 모르는 자인가.
답　전혀 모르는 사람이다

문　그대는 조도선·우연준이라는 자를 아는가.
답　조도선은 알고 있다. 하지만 우연준이라는 사람은 모른다.

문　우덕순이라는 자는 모르는가.
답　이름도 들은 적이 없다.

문　조도선은 무엇을 하는 자인가.
답　무슨 일을 하는지 모른다.

문　그 사람은 한국의 의병이 아닌가.
답　한국의 의병이라는 것은 듣고 있다.

문　정대호라는 자는 모르는가.
답　그 사람은 모른다. 혹은 얼굴을 보면 알지도 모르겠다.

문　그 사람은 오늘 여기에 와 있는가. 어떠한가.
답　그 사람은 처음 만난 사람이다.

피고인 방사첨

이상의 내용을 읽어 들려주었더니 틀림없음을 승낙하고 자서하다.
그날 앞에서 언급한 총영사관에서
단, 출장 중이므로 소속관서의 도장을 못 사용하다.

관동도독부 지방법원
서기 기시타 아이분(岸田愛文)

고등법원 검찰관 미조부치 타카오(溝淵孝雄)
촉탁 통역 소노키 스에키(園木末喜)

10 방사첨 제2회 신문기록

피고인 제2회 신문조서

피고인 방사첨(方士瞻)

위의 자를 살인피고사건에 대해 1909년(명치 42) 11월 2일 하얼빈 일본제국 영사관에서 검찰관 미조부치 타카오(溝淵孝雄) 서기 기시타 아이분(岸田愛文)이 열석하여 통역 촉탁 소노키 스에키(園木末喜)의 통역으로 검찰관은 전회에 이어서 다음과 같이 피고인으로 신문하였다.

문 그대는 올 봄 블라디보스토크에 간 적이 있는가.

답 올 초에 갔다.

문 무슨 용무로 갔는가.

답 나는 18살 때 모친을 혼자 남겨두고 고향을 나온 이래 돌아가지 않았으므로 한 번 귀국할 작정으로 가까운 길인 블라디보스토크 쪽으로 갔는데 한국에 혁명당이 일어났다는 것을 들었다. 일본인의 측에서 보면 나를 당원으로 생각하고 또 한국인의 측에서는 나를 탐정이라고 잘못 생각하여 위험하므로 블라디보스토크에서 2주 정도 있다가 돌아왔다.

문 되돌아온 월일은

답 3월경이라고 생각한다. 조선에 갈 작정으로 블라디보스토크의 영사관에 여행허가증 발부를 청하였는데 주지 않고 미루었다.

문 어느 정도의 여정으로 돌아올 작정으로 출발하였는가.

답 1개월 예정으로 떠났다.

문 집 단속은 어떻게 했는가.

답 내 집은 처가 출타 중이었다. 내가 귀가한 후에 처는 러시아 본국으로 돌아갔다.

문 블라디보스토크에서는 누가의 집에 머물렀는가.
답 여관은 아니다. 한국 사람의 김성엽(金成燁)이라는 사람의 집에 있었다.

문 김성엽은 이자가 아닌가.

이때 피고 김성엽의 사진을 보이다.

답 이 사람은 아니다. 내가 말하는 김성엽은 이곳 민단장의 동생이다

문 이번 한국인의 묘지를 개장하자는 논의가 일어난 것은 며칠경의 일인가.
답 올 음력 7월 말 내지 8월 초경이었다.

문 어떠한 까닭으로 개장하게 되었는가.
답 한국인의 묘를 방치해 두는 것은 도저히 볼 수 없어 러시아인의 토지를 사서 옮기기로 하였다.

문 그때 청국인의 묘는 이전하지 않았는가.
답 청국인의 묘에 대한 것은 모른다.

문 개장에 대해서는 위원이라도 두었는가.
답 나는 한국 사람이지만 한국 사람과 그다지 사귀지 않으므로 자세한 것은 모른다. 어떤 일이든지 한국 사람에 관한 것은 그 결과만 나에게 알려 왔다.

문 한국인 전체에 관계되는 사항에 대해 민인(民人)을 도와 무슨 일이든 얼굴을 내밀고 도와주는 사람이 있을 것인데 어떠한가.
답 민장은 물론 잘 도와주지만 이곳에 있는 한국 사람은 배운 것도 없고 재산도 없는 사람이 많으므로 자산이 있거나 또한 도움을 주는 사람은 그다지 보이지 않는다.

문 이곳에 있는 한국인 중에 문장을 잘 만들고 또한 말 잘하는 사람은 누구인가.

답 학문이 있는 사람은 탁공규이고 그 이외에는 없다.

문 김형재는 어떠한가.
답 그 사람은 탁공규 다음이다.

문 김형재는 이 사람인가.

이때 피고 김형재의 사진을 보이다.

답 그렇다.

문 그대에게 이와 같은 회문(回文)[1]이 왔는가.

이때 한인 묘지 개장에 관한 안내장을 보이다.

답 회문(回文)을 돌리고 있다는 이야기는 들었으나 내 집에는 오지 않았다.

문 이 안내장은 누가 썼는가.
답 모른다.

문 육도가(六道街)의 박관옥(朴寬玉)을 아는가.
답 알고 있다. 그 사람은 여관을 한다.

문 그 사람은 학문이 있는가.
답 학문은 그다지 없다.

문 지금 보인 회문(回文)[2]에 따르면 평의원회에서 결정한다고 써 있는데 평의위원이

---

1 안내장.
2 안내장.

분명히 있음이 틀림없는데 누구인가.
답 평의회는 없는 것같이 생각된다. 민장 아래 다만 고용원만 있을 뿐이다.

문 그 고용원은 몇 사람 정도 있는가.
답 인원수는 모른다.

문 민단에 부회장이 있는가.
답 그것도 모른다.

문 서기는 있지 않은가.
답 서기도 있다.

문 부회장의 이름도 전해들은 적은 없는가.
답 부회장이 있는지 없는지도 모르고 물론 이름도 모른다. 작년 김성백이 민장을 그만둔 이래 지금의 회장 이름도 모른다.

문 민단에 고용원이 몇 사람 있는가.
답 그것도 모른다.

문 김성백 이전의 회장은 누구였는가.
답 김성백 이전의 회장은 모르지만 그 전은 박관옥(朴寬玉)이라는 자로 그 전의 회장은 김이라는 사람인데 그 이름은 모른다.

문 김성백은 언제 회장이 되어 언제 그만두었는가.
답 7월경 회장이 되어 곧바로 그만두었다.

문 이곳의 회장은 일본 영사관의 인가를 받는가.
답 인가는 받지 않는다. 한국 사람은 일본 영사관에 대해서는 좋게 생각하고 있지 않으므로 먼저 강봉주(姜鳳柱)[3]라는 사람이 영사관의 명을 받고서 회장이 되었으나 한국 사람들이 못마땅하게 생각하므로 스스로 그만두었다고 하였다. 그 때도 모두 이를 기뻐하였던 것이다.

문 이곳에는 일본에 반대하는 한국인이 많은가.
답 많이 있다.

문 조선 본국에서 의병이 된 사람도 물론 왔는가.
답 그런 것은 모른다.

문 일본을 반대하는 결사대에 참가하는 것 같은 자는 없는가.
답 그러한 사람은 모른다. 작년 강봉주가 회장이었을 때 그러한 두세 사람이 온 것을 붙잡았다고 하는 것을 들었다.

문 김성백은 러시아에 귀화하였는가.
답 귀화하였다. 그 사람의 부친은 노령 몬유케[4]에서 농업을 하고 있으므로 일가족 모두 귀화하였다.

문 김성백이 귀화한 날은.
답 귀화한지 얼마 안 되었다고 생각한다.

문 김성백이 러시아에 귀화하였는데 왜 한국 회장이 되었는가.
답 그것까지는 모른다.

문 그 사람이 러시아에 귀화한 것은 다른 한국인은 모두 알고 있는가.
답 그것은 모두 알고 있다.

---

3 강봉주(姜鳳周).
4 몬고가이.

문 김성백은 일본의 쪽인 것을 모르는가.

답 러시아에 귀화할 정도이므로 일본 쪽은 아니다. 필시 이곳에 있는 한인 중에는 일본의 후원을 받는 사람이 꽤 있다고 생각한다.

문 김형재는 어떠한가.

답 그 사람은 학문이 있으나 역시 일본에 대해서는 못마땅하게 생각하고 있다.

문 그 사람은 영국 등의 신문을 번역하여 돈을 받고 있는가.

답 그런 일은 없다. 그 사람은 청국의 원동보라는 신문을 쓰고 있는 것 같이 들었다.

문 그대는 안순근(安順根)[5]을 아는가.

답 모른다.

문 그자는 왼손 무명지의 관절 하나가 잘렸는데 모르는가.

답 모른다.

문 이신화(李信化)는 어떠한가.

답 모른다.

문 최동겸(崔東謙)이라는 자를 아닌가.

답 그 사람은 알고 있다. 그 사람은 최동현(崔東顯)이다

문 그 사람은 어떠한 인물인가.

답 그것은 모른다.

문 김태근(金泰根)이라는 자는 모르는가.

답 전혀 모른다.

5 안중근.

문 현인석(玄仁錫)은 어떠한가.

답 그 사람은 모른다. 하지만 성을 모르나 이름은 인섭(仁涉)이라는 사람은 알고 있다.

문 그자는 어디에 있는가.

답 이곳 프리스타니에서 담배말이를 하고 있다.

문 다른 사람이라도 아는가.

답 잘 알지 못 한다.

문 한인의 묘를 개장을 한 것은 음력 11일이었는가.

답 그렇다.

문 그대는 그 개장하는 데 갔었는가.

답 갔었다. 나중에 모두 학교에 모였고 그날 온 사람이 30명이므로 30명 앞으로 발신한다고 하였다. 나는 그곳에 있는 러시아인이 생일이므로 놀러 오라고 하여 학교에 갔던 것이다.

문 그때 장수명도 갔는가.

답 그 이름은 모른다. 얼굴을 보면 알 것으로 생각한다.

문 이진옥도 갔는가.

답 그 사람도 갔다.

문 이번에 그대와 함께 붙잡힌 자 중에 그때 간 자가 있는가.

답 간 사람도 있다고 생각한다.

문 이 중에 간 자가 있는가.

이때 피고인 일동의 사진을 보이다.

답　이 중에 이 사람만은 확실히 왔었다.

이때 피고는 탁공규·김택신·김성엽의 사진을 지시하였다.

문　그대는 생일이므로 학교에 놀러갔다고 하는데 누구의 생일이었는가.

답　처가 러시아인인 유장춘(柳長春)이라는 한국 사람 딸의 생일이다.

문　묘지개장 회장(回章)[6]에 명일(名日) 운운이라고 되어 있는데 어떠한 뜻인가.

답　그것은 일요일의 사투리이다.

문　그대는 동흥학교의 생도인가

답　생도는 아니다. 그러나 때때로 청강하러 간다.

문　그대는 동흥학교의 생도 중에서 알고 있는 자는 없는가.

답　이진옥·김성엽·홍시준·김택신은 모두 생도이다.
김려수는 전에 생도였으나 지금은 생도가 아니다. 또 김성옥은 학교의 교사이다. 탁공규는 원래부터 계속 교원을 하고 있다.

문　러시아어는 누가 가르치고 있는가.

답　러시아인이 가르치고 있다.

문　그 사람은 전에 군인인가.

답　그것은 모른다. 하지만 전에 김성백이 교장이었을 때 김형재 탁공규를 교원으로 한다고 러시아 관헌에게 신고하였더니 중학교의 졸업증을 갖고 있지 않으므로 교원은 러시아인으로 해야 한다고 하여 러시아인이 왔던 것이다. 그러나 두 사람은 지금도 교원을 하고 있다.

6　안내장.

문 학교에서는 연설회라도 여는 일이 있는가.

답 때때로 연설회를 연다. 그때 일본에 반대하는 연설을 하는 것은 흔히 있는 일이다. 그리고 김형재는 달변가이다.

문 이토공이 온다는 것에 대해 일본인회가 환영에 대한 것을 알려 온 적이 있는가.

답 그런 것은 모른다.

문 26일 아침 그대도 이진옥도 환영하러 갔는가.

답 나 혼자 갔다. 그 사람은 가지 않았다.

문 이토공이 조난당하였으므로 그대는 도망쳤는가.

답 그렇지 않다. 도망치지 않았다. 어느 한국 사람의 행위일 것이므로 엉뚱한 짓을 했다고 생각하며 돌아왔다.

문 이토공이 조난당한 날 그대 집에 일본인 시라후지(白藤)와 사마츠(佐松)라는 자가 왔는가.

답 왔다.

문 그 사람은 그대 집에 와서 뭐라고 했는가.

답 두 사람은 나에게 이토 씨의 조난은 나와 관계가 없는 것임을 밝히기 위해 일본 거류민회에 조의를 표하러 가라며 그들도 함께 가주겠다고 하였다.

문 거류민회에 가서 조의를 표했는가.

답 특별히 조의를 표하지 않았다. 하지만 일본 거류민회의 부회장인 군지(郡司)라는 사람에게 조의를 표하고 돌아왔다. 또 나는 시카다(志方)의 집에 가서 서생(書生)을 만나고서 영사관에 애도를 표하러 가는 것이 좋을지 상의하였더니 가는 것이 좋을 것이라고 하였으므로 회장의 집에 가서 조의를 표하고 다음날 아침 이진옥과 함께 영사관의 경부(警部)에게 조의를 표했다.

문 그대는 이토 공작 환영의 비용을 기부했는가.

답 이진옥과 상의하여 나는 9엔, 이(李)는 5엔을 기부했다. 돈은 시라후지에게 주었다.

문 그것은 일본인과 상의를 하였는가.

답 상의는 하지 않았다. 종래 하얼빈에서 뭔가 일이 있으면 기부를 한 관계로 내쪽에서 자진하여 기부하였다.

문 정대호의 이름을 들은 적은 없는가.

답 못 들었다.

문 홍시준은 아는가.

답 홍시준은 알고 있다.

문 그 사람은 일본인에 반대하는 자인가.

답 하얼빈에 있는 한인은 대부분은 일본에 반대한다.

문 이곳에 있는 한인은 일본에 반대한다고 하면 이번 이토공의 조난에 대해 한국인 중에 간접적으로 관계한 자가 있을 터인데 있으면 그자의 성명을 말해라.

답 나는 그런 것을 전혀 모른다. 만약 그런 것을 알고 있다면 내가 스스로 영사관에 신고한다.

문 이 종이 조각(帳面)은 그대의 것인가.

이때 연명장(連名帳)을 보이다.

답 그렇다.

문 이것은 어떤 연명장인가.

답 술을 나누어 형제가 되었으므로 그것을 각자 갖고 있었다.

문 한국에도 이와 같이 형제결의의 술을 나누고 연명장을 나누는 일이 있는가.
답 내지에는 그다지 많지 않다. 하지만 해외에 나와 있으므로 술을 나누는 것이다.

문 그 연명장에 쓰여 있는 자는 모두 맹약을 했는가.
답 그렇다. 그 맨 앞에 있는 한상현(韓尙弦)이 첫째 형이다.

문 한상현은 지금 이곳에 있는가.
답 이곳에 없을 것으로 생각한다.

문 그러한 연명장을 만든 이유는 일본에 반대하기 위한 것이 아닌가.
답 그런 일은 더욱이 없다.

문 이 연명장에 이진옥도 쓰여 있는가.
답 그 사람도 가입하였으므로 물론 쓰여 있다고 생각한다.

문 이진옥은 별명이 있는가.
답 한국 사람은 아명을 모두 갖고 있고 나중에 바꾼다.

문 그대 집에서 단총이 나왔는데 그대의 것인가.
답 그렇지 않다. 1906년(명치 39) 일본인 타카미(高見)라는 사람과 1년간 함께 있었는데 그때 호신용으로 타카미 씨의 환자인 러시아인에게서 타카미 씨가 빌렸고 그것을 또 내가 빌렸다. 그것은 타카미의 처가 알고 있다. 사람은 지금도 이곳에 있다. 그의 집은 잘 모른다. 또한 앞에서 말한 타카미라는 사람은 이미 죽었다.

문 그대는 왜 이토빵이라는 이름으로 불리고 있는가.
답 나는 일찍이 일본인 치과의사인 야마모토(山本)라는 사람에 고용되었는데 나는 그 당시부터 일본어를 조금 알고 있으므로 그 야마모토라는 사람이 한국인 이름보다 일본인 이름을 사용하는 것이 어떤가라고 하였으므로 나는 적당히 부탁한다고 하였더니 일본에는 총리대신으로 이토라는 호인이 있으므로 그의 성을 사용하면 좋겠다고 하여 이토라고 붙여주었던 것이다.

피고인 방사첨

이상의 내용을 읽어 들려두었더니 틀림없음을 승낙하고 자서하다.
그날 앞에서 언급한 장소에서
단, 출장 중이므로 소속관서의 도장을 못 사용하다.

관동도독부 지방법원
서기 기시타 아이분(岸田愛文)
고등법원 검찰관 미조부치 타카오(溝淵孝雄)
촉탁 통역 소노키 스에키(園木末喜)

11 이진옥 제1회 신문기록

피고인 신문조서

피고인 이진옥(李珍玉)

위의 자를 살인피고사건에 대해 1909년(명치 42) 10월 31일 하얼빈 일본제국 영사관에서 검찰관 미조부치 타카오(溝淵孝雄) 서기 기시타 아이분(岸田愛文)이 열석하여 통역 촉탁 소노키 스에키(園木末喜)의 통역으로 검찰관은 다음과 같이 피고인으로 신문하였다.

문 성명, 연령, 신분, 직업, 주소, 본적지, 출생지는 무엇인가.
답 성명은 이진옥
연령은 34살
직업은 약국
신분은 ―
주소는 하얼빈 프리스타니
본적지는 한국 함경남도 원산(元山) 중함리(中咸里) 와우바레리.

문 그대 처자는 있는가.
답 없다.

문 부모는 있는가.
답 지금 원적지에 부모 모두 계시다.

문 부친의 이름은 뭐라고 하는가.
답 이명수(李明水)라고 한다.

문 그대는 조도선을 아는가.

답　모른다.

문　우덕순(禹德順)을 아는가.
답　모른다.

문　우연준(禹連俊)을 아는가.
답　모른다.

문　정대호를 아는가.
답　모른다. 나는 이토빵[1]이라는 자 이외에 아는 사람이 2·3명 있을 뿐이다.

문　이자는 아는가.

이때 피고 안응칠의 사진을 보이다.

답　모른다.

문　이번 달 26일 아침 이토 공작이 저격당하였는데 그 하수인은 어느 나라 사람이라고 들었는가.
답　하수인은 한국인이라고 들었다.

문　안응칠이라는 이름을 들은 적은 없는가.
답　들은 적은 없다.

피고인 이진옥

위의 내용을 읽어 들려주었더니 틀림없음을 승낙하고 자서하다.

1　방사첨.

그날 앞에서 언급한 영사관에서
단, 출장 중이므로 소속관서의 도장을 못 사용하다.

관동도독부지방법원
서기 기시타 아이분(岸田愛文)
고등법원 검찰관 미조부치 타카오(溝淵孝雄)
촉탁 통역 소노키 스에키(園木末喜)

12 이진옥 제2회 신문기록

피고인 제2회 신문조서

피고인 이진옥(李珍玉)

위의 자를 살인피고사건에 대해 1909년(명치 42)11월 2일 하얼빈 일본제국 영사관에서 검찰관 미조부치 타카오(溝淵孝雄) 서기 기시타 아이분(岸田愛文)이 열석하여 통역 촉탁 소노키 스에키(園木末喜)의 통역으로 검찰관은 전회에 이어서 다음과 같이 피고인으로 신문하였다.

문 이토 씨가 저격당한 아침 그대는 어디에 있었는가.
답 내 집에 있었다.

문 그대는 방사첨의 집에 간 적이 있는가.
답 있다. 그때 내 뒤를 따라 그 사람 집으로 일본인 두 사람이 왔다.

문 그 일본인의 이름을 알고 있는가.
답 이름은 모른다. 하지만 그 사람들 가운데 한 사람은 12가의 약국 주인이고 다른 한 사람은 구마자와(熊澤)라는 사람의 집에 있는 사람이다.

문 그때 일본인과 어떠한 이야기를 했는가.
답 그때 나와 방사첨과 일본인 두 사람이 이토 씨는 호인이라는 이야기하였다. 이보다 3일 정도 전에 나는 수염이 많이 난 일본인의 집에 갔다. 그때 그 사람이 이토 씨의 환영회에 돈을 내는 것이 어떠한가라고 하므로 3루블을 냈다. 그러나 또한 그 날 2루블을 받으러 왔으므로 그것도 주었다.

문 방사첨의 집에 간 시간은
답 낮 12시경이었다.

문 그때 이토 공작이 저격당했다는 이야기는 없었는가.
답 물론 그 이야기를 들었다. 하지만 나는 믿지 않았다. 그날 오후 시카타(志方)라는 사람의 집에 가서 드디어 사실 이야기를 들었다.

문 방사첨의 집에서는 이토공 조난에 대한 것을 누가 이야기했는가.
답 일본인이 이야기했다.

문 그 조난에 대해 애도하러 갔는가.
답 나는 애도를 표하러 가지 않으면 안 된다고 생각하여 방사첨과 이곳 영사관에 애도하러 왔다.

문 이토 씨가 도착하였을 때 그대는 정거장에 갔는가.
답 나는 집에 있었고 가지 않았다.

문 방사첨은 어떠한가.
답 그 사람은 그 날 내가 그 사람 집으로 갔더니 정거장에 갔다 왔다고 하고 이토 씨가 저격당했다는 이야기가 있었으나 믿지 않았다.

문 이 연명장(連名帳)은 그대 집에 있었던 것인가.

이때 연명장(連名帳)을 보이다.

답 내 집에 있던 것이다

문 왜 이 연명장(連名帳)을 만들었는가.
답 이곳에서 한인이 의형제라는 것을 계속 말하므로 나는 그 까닭을 물었더니 한인 64명이 서로 돕고 술을 나누는 것이라고 하므로 나도 이에 이름을 올리고 1루블을 내고 술을 나누어 마셨다. 그때 그 연명장(連名帳)을 1루블에 모두에게 주었다.

문 그 서로 돕고 결합하고 있는 것은 누가에게서 들었는가.
답 이름은 모른다.

문 그자는 그대와 함께 붙잡혀 온 자 중에 있는가.
답 그 사람은 없다.

문 그렇다면 지금 보인 연명장은 64명 모두 갖고 있는 것인가.
답 그렇다.

문 누가 써서 준 것인가.
답 쓴 사람은 모른다.

문 연명장을 받은 것은 64명인가 61명인가.
답 64명 내지 61명이다.

문 연명장은 언제 받았는가.
답 작년 12월이다

문 그대는 이곳에 있는 동흥학교의 생도인가.
답 그렇다.

문 그 학교의 생도는 모두 알고 있는가.
답 알고 있다. 홍시준·김성옥·김택신·탁공규·김성엽·방사첨·김려수 등 모두 학교의 생도와 교원이다.

문 그중에서 교원은 누구인가.
답 김성옥이 교장이고 탁공규는 교원이며 다른 사람들은 생도이다.

문 앞서 보인 연명장에 그대의 이름이 없는 것은 무슨 이유인가.
답 그 수첩의 35행에 이금용(李今龍)이라는 것이 나로 이것은 아명이다.

문 블라디보스토크에 있는 한국인은 모두 일본을 반대하는 자들인가.

답 나는 그곳에서 일본인이 있는 곳에 있었는데 한국 사람들이 말렸을 정도로 일본을 반대하는 사람들이 많았던 것이다

문 동흥학교에 있는 자 중에 일본인을 반대하고 학문이 있고 재산이 있고 언변이 좋은 자는 누구인가.

답 모두 일본에 반대한다. 그중에서 학식이 풍부한 사람은 김형재이다.

문 이곳에서 일본영사관의 인가 아래 한국인회를 설치한 것을 두고 일본인에 굴복한 형편없는 놈이라고 하여 블라디보스토크에서 3명 바다에 던져진 자가 있는가.

답 그것은 모른다.

문 강봉주(姜鳳周)는 민장 자리를 그만둔 것을 알고 있는가.

답 알고 있다.

문 그 자리를 그만둔 까닭은 무엇인가.

답 나는 이곳으로 근래 왔으므로 그 사정은 모른다.

문 그대는 일본인 뭐라고 하는 자에게 고용되었던 것인가.

답 원산(元山)에서는 노다(野田)라는 사람, 블라디보스토크에서는 미노우라(箕浦)라는 사람의 집에 있었다. 이곳에서는 시카타(志方)라는 사람의 집에서 며칠 있다가 약국을 시작했다.

문 조선인의 묘지를 이전한다는 논의는 며칠경부터 일어났는가.

답 음력 올 7월경부터 이야기가 있었다.

문 그러한 서면이 왔는가.

이때 한국인 묘지개장의 회장(回章)[1]을 보이다.

답 내 집에는 오지 않았다. 다른 사람이 돌리고 있다는 것을 들었다.

문 묘지는 11일 이전했는가.
답 그렇다. 나도 갔다.

문 그 야학교에서 모임이 있었는가.
답 있었다. 나도 갔다.

문 무슨 회에서 어떠한 모임을 가졌는가.
답 온 사람이 누가이며 온 사람이 몇 사람인지 조사하였다. 그날 밤 그 집의 딸 생일이어서 향응 대접을 받고 왔다.

문 그대는 안순근(安順根)[2]이라는 자를 아는가.
답 전혀 모른다.

문 이신화(李信化)를 아는가.
답 그런 이름은 못 들었다.

문 최도헌(崔都憲)이라는 자를 아는가.
답 모른다.

문 김태근(金泰根)이라는 자를 아는가.
답 전혀 모른다.

문 현인석(玄仁錫)이라는 자를 아는가.

---

1 안내장.
2 안중근.

답 모른다.

문 묘지의 개장은 무엇 때문인가.
답 청국인의 묘지에 있어 구별을 할 수 없었다. 또한 홍수로 침수되고 혹은 개로 인해 피해를 보아 이전을 하였다.

문 그 이전 비용을 그대는 냈는가.
답 비용은 내지 않았다. 만약 가지 않으면 비용을 내야 하므로 부득이 가지 않았다.

문 이곳의 민장 아래에는 무슨 직책이 있는가.
답 「콘세 쿠완」이라는 것인데 민장 아래 12명이 있다.

문 그 「콘세 쿠완」에 속하는 사람의 이름을 알고 있는가.
답 홍시준이라는 사람 한 사람만 알고 있다. 그 이외 사람의 이름은 모른다.

문 민단이 러시아 등으로부터 하사금을 받고 징수를 하고 있는 것은 아닌가.
답 그것은 전혀 모른다.

문 김성백은 민단장인가.
답 그렇다. 그 사람의 친동생은 러시아에 귀화하여 지금 두만강 앞 노령에 있다.

문 몇 년 전쯤에 귀화하였는가.
답 28여 년 전쯤에 일가족 모두 귀화하였다.

문 러시아에 귀화한 사람이 왜 민장이 되었는가.
답 그 까닭은 모른다.

피고인 이진옥

이상의 내용을 읽어 들려주었더니 틀림없음을 승낙하고 자서하다.

그날 앞에서 언급한 총영사관에서
단, 출장 중이므로 소속관서의 도장을 못 사용하다.

관동도독부 지방법원
서기 기시타 아이분(岸田愛文)
고등법원 검찰관 미조부치 타카오(溝淵孝雄)
촉탁 통역 소노키 스에키(園木末喜)

13 장수명 제1회 신문기록

피고인 신문조서

피고인 장수명(張首明)

위의 자를 살인피고사건에 대해 1909년(명치 42) 10월 31일 하얼빈 일본제국 영사관에서 검찰관 미조부치 타카오(溝淵孝雄) 서기 기시타 아이분(岸田愛文)이 열석하여 통역 촉탁 소노키 스에키(園木末喜)의 통역으로 검찰관은 다음과 같이 피고인으로 신문하였다.

문 성명, 연령, 신분, 직업, 주소, 본적지, 출생지는 무엇인가.
답 성명은 장수명
연령은 31살
직업은 담배말이
주소는 하얼빈 나바사루
본적지는 한국 경상북도 거창읍(居昌邑) 내함(內咸)
출생지는 위와 같음.

문 그대는 처자 부모가 있는가.
답 처자는 없다. 부모는 원적지에 계시다. 하지만 나는 십수년 전 집을 나왔으므로 지금은 살아 계신지 돌아가셨는지 모른다.

문 그대는 조도선을 아는가.
답 모른다.

문 우연준을 아는가.
답 모른다.

문 정대호를 아는가.
답 모른다.

문 방사첨을 아는가.
답 알고 있다. 그 사람은 약국을 하고 있다.

문 김성옥을 아는가.
답 알고 있다. 그 사람은 의사이다.

문 우덕순이라는 자를 아는가.
답 모른다.

문 안응칠이라는 자는 어떠한가.
답 그 사람도 모른다.

문 이자는 알고 있는가.

이때 피고 안응칠의 사진을 보이다.

답 모른다. 하얼빈에 없는 사람이다.

문 이토 공작이 하얼빈에서 저격당하였는데 그 하수인은 누구라고 들었는가.
답 나는 모른다. 나는 정거장이 있는 곳에 있는 다리 위에 서 있었는데 러시아병에게 붙잡혀 왔다.

문 방사첨은 일본어를 아는가.
답 조금 알고 있다.

피고인 장수명

이상의 내용을 읽어 들려주었더니 틀림없음을 승낙하고 자서하다.
그날 앞에서 언급한 장소에서
단, 출장 중이므로 소속관서의 도장을 못 사용하다.

관동도독부 지방법원
서기 기시타 아이분(岸田愛文)
고등법원 검찰관 미조부치 타카오(溝淵孝雄)
관동도독부 촉탁 통역 소노키 스에키(園木末喜)

14 장수명 제2회 신문기록

피고인 제2회 신문조서

피고인 장수명(張首明)

위의 자를 살인피고사건에 대해 1909년(명치 42) 11월 5일 하얼빈 일본제국 영사관에서 검찰관 미조부치 타카오(溝淵孝雄) 서기 기시타 아이분(岸田愛文)이 열석하여 통역 촉탁 소노키 스에키(園木末喜)의 통역으로 검찰관은 다음과 같이 전회에 이어서 피고인으로 신문을 하였다.

문 그대는 안순근(安順根)[1]이라는 이름을 들은 적이 없는가.
답 모른다. 보면 아는 사람일지도 모르겠다.

문 이신화(李信化)·최도헌(崔都憲)이라는 자는.
답 모른다.

문 최도헌이라는 자는 한국 의병이라는데 어떠한가.
답 모른다.

문 김태근(金泰根)·현인석(玄仁錫)이라는 자를 아는가.
답 그런 사람도 모른다.

문 그대는 언제 러시아관헌에 붙잡혔는가.
답 음력 9월 13일[2] 12시이다.

문 어디에서 붙잡혔는가.

1 안중근.
2 1909년 10월 26일.

답　내 집에서 정거장으로 가는 도중에 있는 다리 바로 앞 사거리에서 붙잡혔다.

이때 피고에게 별지와 같이 그 현장도면을 만들게 하고 또한 그 장소를 기입하도록 하였다.

문　「프리스탄」에 무슨 일로 가는 중이었는가.

답　그날 내 집에서 담배를 말고 있었는데 목욕탕에 갈 생각으로 수건을 갖고 나오는 도중에 붙잡혔다.

문　붙잡혔을 때 입고 있던 옷을 입고 있었는가.

답　그렇다.

문　그대가 갖고 있던 수건은 어떻게 하였는가.

답　갖고 왔다.

피고인 장수명

이상의 내용을 읽어 들려주었더니 틀림없음을 승낙하고 자서하다.
그날 앞에서 언급한 장소에서
단, 출장 중이므로 소속관서의 도장을 못 사용하다.

관동도독부 지방법원
서기 기시타 아이분(岸田愛文)
고등법원 검찰관 미조부치 타카오(溝淵孝雄)
촉탁 통역 소노키 스에키(園木末喜)

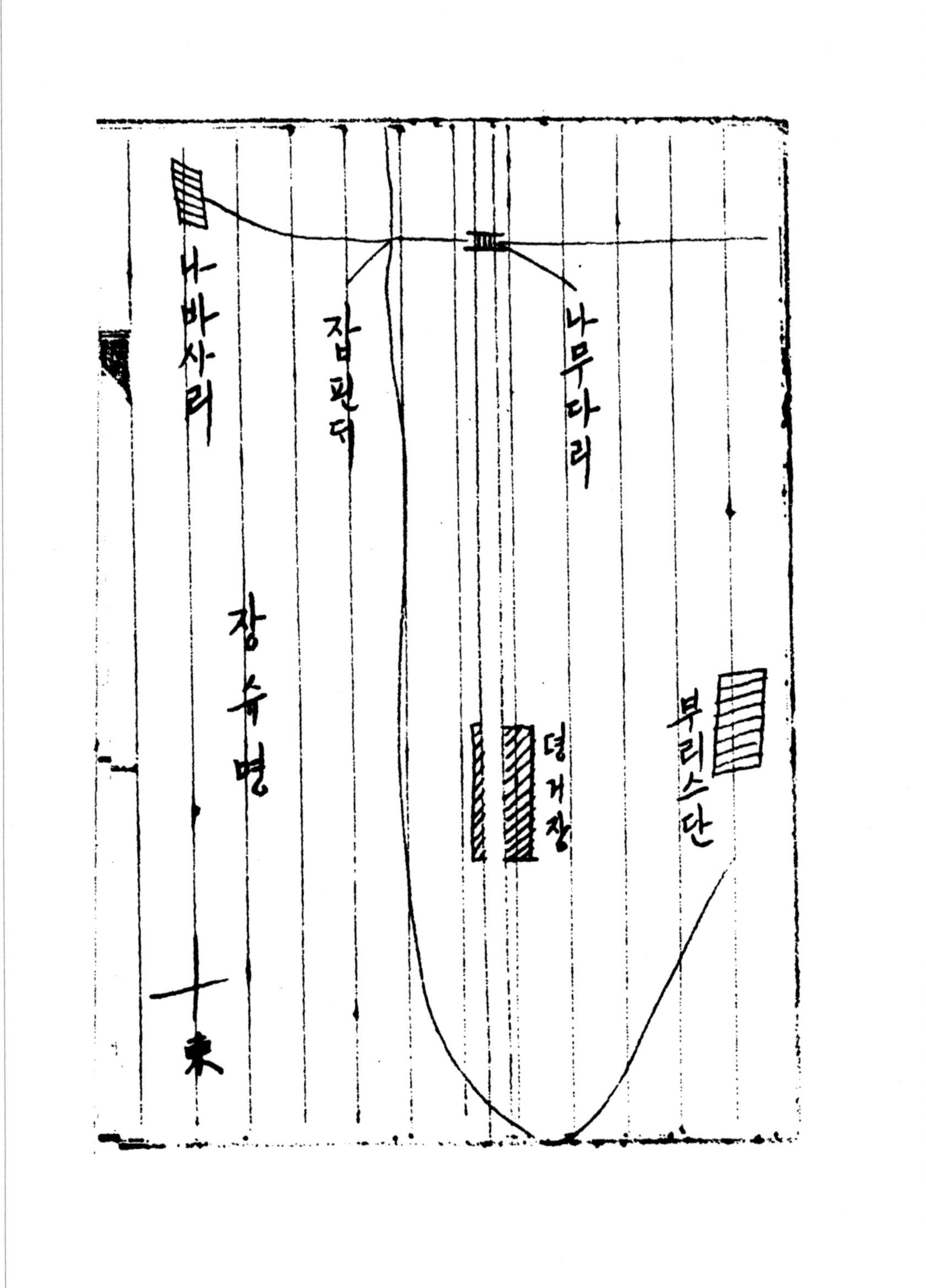

나바사리
잡핀디
나무다리
장슈명
뎡거장
부리스단
東

15 탁공규 제1회 신문기록

피고인 신문조서

피고인 탁공규(卓公圭)

위의 자를 살인피고사건에 대해 1909년(명치 42) 10월 31일 하얼빈 일본제국 영사관에서 검찰관 미조부치 타카오(溝淵孝雄) 서기 기시타 아이분(岸田愛文)이 열석하여 통역 촉탁 소노키 스에키(園木末喜)의 통역으로 검찰관은 다음과 같이 피고인으로 신문하였다.

문 성명, 연령, 신분, 직업, 주소, 본적지, 출생지는 무엇인가.

답 성명은 탁공규
연령은 36살
직업은 사냥군
신분은 —
주소는 러시아 모스토바야 우리첸 30번
본적지는 한국 함경남도 함흥읍(咸興邑) 중하리(中荷里)
출생지는 위와 같음.

문 그대는 하얼빈에 머물고 있는가.

답 모스토바야에 있다.

문 그대는 처자 부모가 있는가.

답 처자는 있으나 부모는 없다.

문 처자는 지금 어디에 있는가.

답 모스토바야에 있다.

문 이번에 그대는 어디서 붙잡혔는가.

답 이곳 하얼빈에서 붙잡혔다.

문 그대는 김성옥을 아는가.
답 알고 있다.

문 어디에 살고 있는가.
답 주소는 경성이라고 들었다.

문 그 사람과는 언제부터 알게 되었는가.
문 작년 11월부터 알게 되었다.

문 그대는 하얼빈에는 무슨 일로 왔는가.
답 약을 사러 왔다가 청국인의 가게에서 사서 돌아가는 길에 붙잡혔다.

문 그 약은 어떻게 했는가.
답 사서 가는 길에 붙잡혔다.

문 그것은 언제인가.
답 음력 9월 13일이다.

문 그대는 집을 언제 나왔는가.
답 집은 아침 밥을 먹고 해가 뜨는 7·9시경에 나와 그 길에 붙잡혔다.

문 그날 아침 하얼빈 정거장에 이토 공작이 온 것은 알고 있었는가.
답 전혀 몰랐다.

문 이토 씨의 환영회에서 기부금을 내는 것 또는 이곳에 오는 것을 누구에게서 통지를 받았는가.
답 그런 것은 없었다.

문 그 전에 한국인 김성백이라는 자의 집에 모인 적은 있는가.
답 묘를 이전하는 일로 나온 적은 있으나 모임에는 가지 않았다.

문 그 일로 나온 날은 언제인가.
답 음력 이번 달 11일[1]이라고 생각한다.

문 며칠이 걸렸는가.
답 그날 모두 끝났다.

문 한국인의 묘를 이전하는 것에 대해 민회장의 집에서 만난 사실이 있는가.
답 전에 만난 것은 모른다. 하지만 이전한 날은 일요일이었으므로 학교에 모두 모인다는 말은 들었다.

문 그 묘는 누구의 묘인가.
답 누구의 묘인지 모른다.

문 묘는 많이 있었는가.
답 17기 정도 있었다.

문 묘에 대한 일로 그대와 함께 간 자로 오늘 그대와 함께 이곳에 와 있는 자가 있는가.
답 있다.

문 일요일에 학교에서 모인 사람도 오늘 함께 왔는가.
답 학교의 쪽으로는 가지 않았으므로 모른다.

문 그대는 조도선이라는 자를 아는가.
답 모른다.

1 1909년 10월 24일.

문 우덕순을 아는가.
답 모른다.

문 우연준은 아는가.
답 모른다.

문 정대호는 아는가.
답 모른다.

문 김성백을 아는가.
답 모른다.

문 홍시준은 아는가.
답 알고 있다.

문 유강로·김택신을 아는가.
답 김택신은 알고 있으나 유는 모른다.

문 이진옥·김려수·장수명을 아는가.
답 모른다.

문 이 사진 속에 있는 자는 아는가.

이때 피고 안중근의 사진을 보이다.

답 모른다.

문 그대는 26일 아침 러시아 관헌에게 붙잡힌 것은 그대 집에서 어느 정도의 거리에 있는 곳에서인가.

답 약 3·4홉(合)[2] 정도이다.

문 정거장에서 어느 정도 떨어져 있는가.
답 조선의 3리(里) 정도 떨어져 있다.

문 정거장에서 어느 쪽인가.
답 내 집에서 하얼빈으로 오는 길이다.

문 안응칠을 아는가.
답 모른다.

문 이토 공작이 살해당했다는 것을 들었는가.
답 붙잡히고 나서 정거장에서 들었다.

문 하수인은 누구라고 들었는가.
답 한국 사람이라고 들었으나 성명은 모른다.

피고인 탁공규

이상의 내용을 읽어 들려주었더니 승낙하고 자서하다.
그날 앞에서 언급한 영사관에서
단, 출장 중이므로 소속관서의 도장을 못 사용하다.

관동도독부 지방법원
서기 기시타 아이분(岸田愛文)
고등법원 검찰관 미조부치 타카오(溝淵孝雄)
촉탁 통역 소노키 스에키(園木末喜)

---

2 면적의 단위. 평(坪)의 10분의 1. 1홉=180.39cm³.

16 탁공규 제2회 신문기록

피고인 제2회 신문조서

피고인 탁공규(卓公圭)

위의 자를 살인 피고사건에 대해 1909년(명치 42) 11월 20일 관동도독부 감옥서에서 검찰관 미조부치 타카오(溝淵孝雄) 서기 기시타 아이분(岸田愛文)이 열석하여 통역 촉탁 소노키 스에키(園木末喜)의 통역으로 검찰관은 전회에 이어서 다음과 같이 피고인으로 신문하였다.

문 그대가 프리스탄 모스바야에 와서 산 것은 언제인가.
답 올 음력 6월이다.

문 그 전에는 어디에 있었는가.
답 「노이고리」라는 곳에 있었다.

문 블라디보스토크에 있었던 적은 없는가.
답 있었다. 작년 11월에 블라디보스토크에서 「노이고리」로 왔다.

문 블라디보스토크에서는 어떠한 자와 교제하였는가.
답 별로 교제한 사람은 없다.

문 블라디보스토크 어디에 무슨 일을 하였는가.
답 개척리에서 약국을 하였다.

문 그대는 블라디보스토크의 신문사에 아는 사람이 있는가.
답 이강·김학만(金學万)·최봉준·차석보·유진률이라는 사람은 알고 있다. 이강은 대동공보의 주필이고 유진률은 발행인이다.

문 장지연이라는 자를 알고 있는가.

답 그 사람도 알고 있다.

문 이강·유진률·장지연이라는 자는 어떠한 당파에 속하는 자인가.

답 그것은 모른다.

문 대동공보는 평소 어떤 풍의 논설을 게재하고 있는가.

답 실업과 지방교육 등의 발달을 꾀하는 내용을 늘 게재하고 있다.

문 일본은 한국의 적이라고 하는 기사도 게재하는가.

답 그런 기사가 있는 것도 보았다.

문 대동공보의 사주는 누구인가.

답 내가 있을 때는 최재형이라는 사람이고 지금 러시아인이다.

문 지금 그 신문사는 합자인가.

답 그렇다.

문 박인엽(朴仁燁)·현기환(玄基煥)이라는 자는 그대가 있을 때 신문사에서 무엇을 하였는가.

답 박인엽은 회계를 하였다. 현기환은 전혀 모른다.

문 그대가 하얼빈으로 와서 이강·유진률·장지연 등과 편지를 주고받았는가.

답 그런 일은 없다. 나는 사람이 구독하고 있는 신문을 빌려 보고 있었던 것이다.

문 그대의 처는 일본인인가.

답 한국인이다.

문 김학만(金學万)·최봉준·차석보는 신문사에서 무슨 일을 하고 있는가.

답 모두 신문사를 위해 서로 확장을 꾀하고 있는 사람들이다.

문　이번 이토 씨를 죽인 자는 어떠한 곳에 관계를 맺고 있는지 그대는 모르는가.
답　나는 집에 그다지 없으므로 그런 것은 모른다. 또 풍설도 들은 적은 없다.

문　그대는 자택에서 붙잡혔는가. 또는 약을 사러가는 도중에 붙잡혔는가.
답　나는 아침 약을 사러 가는 도중에 붙잡혔다.

문　우덕순 또는 우연준이라는 이름을 못 들었는가.
답　이름은 들은 적은 없다.

문　그대가 블라디보스토크에 있을 때 그 사람은 신문사에 출입을 하고 있지 않았는가.
답　그런 사람은 모른다.

문　안응칠 또는 조도선은 어떠한가.
답　내가 블라디보스토크에 있었을 때 그곳에 그런 사람은 없었다.

문　조도선은 전 블라디보스토크에 있었던 자로 이번에 하얼빈 김성옥 집에 와서 붙잡힌 자인데 모르는가.
답　그것은 더욱이 모른다.

문　그대는 붙잡혔을 때 소지품은 무엇인가.
답　지갑과 러시아 관헌에게서 받은 신분증을 갖고 있었다.

문　지갑에는 돈이 얼마나 들어 있었는가.
답　2루블 12코페이카가 들어 있었다.

피고인 탁공규

위의 내용을 읽어 들려주었더니 틀림없음을 승낙하고 자서하다.
그날 앞에서 언급한 영사관에서

단, 출장 중이므로 소속관서의 도장을 못 사용하다.

관동도독부 지방법원
서기 기시타 아이분(岸田愛文)
고등법원 검찰관 미조부치 타카오(溝淵孝雄)
촉탁 통역 소노키 스에키(園木末喜)

17 홍시준 신문기록

피고인 신문조서

피고인 홍시준(洪時濬)

위의 자를 살인피고사건에 대해 1909년(명치 42) 10월 31일 하얼빈 일본제국 영사관에서 검찰관 미조부치 타카오(溝淵孝雄) 서기 기시타 아이분(岸田愛文)이 열석하여 통역 촉탁 소노키 스에키(園木末喜)의 통역으로 검찰관은 다음과 같이 피고인으로 신문하였다.

문 성명, 연령, 신분, 직업, 주소, 본적지, 출생지는 무엇인가.
답 성명은 홍시준
연령은 28세
직업은 담배말이
신분은
주소는 하얼빈 프리스탄 사도가(四道街) 박문순(朴文順) 집
본적지는 한국 함경남도 단천군(端川郡) 남문내 하서리(南門內 下西里)
출생지는 위와 같음.

문 그대는 부모 처자가 있는가.
답 모두 있다.

문 그대는 러시아 관헌에게 어디서 붙잡혔는가.
답 사도가를 지나가다가 붙잡혔다.

문 붙잡힌 날은 언제인가.
답 음력 9월 13일 정오 지나서였다.

문 어디로 가는 도중에 붙잡혔는가.

답　일터에서 밥 먹으러 돌아가는 도중이었다.

문　일은 어디로 가고 식사는 어디서 하는가.
답　러시아인의 집으로 일 가고 내가 있는 곳으로 식사하러 돌아온다.

문　그 러시아인의 이름은 뭐라고 하는가.
답　「프루로 우사스키」라는 사람이다.

문　그 사람의 집은 어디인가.
답　러청은행의 옆 십자로 쪽에 있는 은행 근처의 여관이다.

문　그날 아침 이토 공작이 정거장에서 저격당한 것을 들었는가.
답　그것은 모른다.

문　그대는 붙잡히고서 처음으로 어디로 갔는가.
답　처음에 정거장으로 끌려갔다.

문　하수인은 누구라고 하는 것을 들었는가.
답　그런 것은 모른다.

문　안응칠이라는 자를 아는가.
답　모른다.

문　조도선은 아는가.
답　그런 사람은 모른다.

문　우연준은 어떠한가.
답　모른다.

문　김려수를 아는가.

답 알고 있다.

문 이진옥·방사첨을 아는가.
답 알고 있다.

문 정대호를 아는가.
답 모른다.

문 탁공규는 어떠한가.
답 모른다.

문 장수명·김성엽을 아는가.
답 모른다.

문 유강로·김택신은 어떠한가.
답 김택신은 알고 있다. 유강로는 모른다.

문 이자를 알고 있는가.

이때 피고 안응칠의 사진을 보이다.

답 모른다.

문 조선인의 묘지를 개장한 적이 있는가.
답 있다.

문 그것은 언제인가.

답 음력 9월 11일[1] 일요일이다.

문 어디에 개장했는가.
답 한국인 부락과 청국인의 부락에 산재해 있던 묘를 한곳에 모았다.

문 묘지는 몇 기가 있었는가.
답 17기 있었다.

문 탁공규도 갔는가.
답 갔다. 개장하는 데 안 가는 사람은 1루블씩 내게 되어 있었다. 그 돈으로 마차를 빌렸다.

피고인 홍시준

위의 내용을 읽어 들려주었더니 틀림없음을 승낙하고 자서하다.
그날 앞에서 언급한 총영사관에서
단, 출장 중이므로 소속관서의 도장을 못 사용하다.

관동도독부 지방법원
서기 기시타 아이분(岸田愛文)
고등법원 검찰관 미조부치 타카오(溝淵孝雄)
촉탁 통역 소노키 스에키(園木末喜)

1 1909년 10월 24일.

18 강봉주 참고인 신문기록

신문조서

이토공(伊藤公) 살해사건에 관하여 참고인으로 한국인 강봉주(姜鳳周)를 와타나베 햐쿠바(渡辺百馬)의 통역으로 아래와 같이 신문하였다.
씨명, 연령, 국적, 주소, 직업 등을 생략한다.

문 김성백(金成伯)과 안응칠(安應七)이 사건에 뭔가 관계가 있다고 여기지 않는가.

답 유강로(柳江露, 東夏)와 안은 블라디보스토크를 동시에 출발하여 안이 먼저 왔지만 또한 장춘(長春)에 일시에 도착했을 것이다. 유(柳)는 늦게 와서 김성백(金成伯) 집에 머물고 안은 정거장에 머물었다고 들었다.

문 안은 늘 정거장에 있는가.

답 아니다. 블라디보스토크에서 와서 정거장에 머물고 일시 장춘(長春)으로 갔다가 돌아와 다시 정거장에 머물었다고 들었다.

문 그대는 하얼빈시 공립회(共立會) 회장인 적이 있는가.

답 탁공규(卓公圭)가 블라디보스토크에서 와서 김성백(金成伯)·김성옥(金成玉) 등에게 말하여 설립하려고 하여 나를 회장으로 추대하였다. 하지만 그와 동시에 영사관의 명에 의해 민회가 설립되었다.[1] 이에 반하여 공립회에 가입할 수 없으므로 이를 거절하였다.[2] 그들과 의견을 처음으로 달리하였다.

---

1 일제에 의해 설립된 민회(한인회)는 1907년 8월달이고 하얼빈공립회의 설립는 1910년 2월달이다(국가보훈처, 「在哈爾賓韓國人ノ狀況ニ關シ報告ノ件」, 『안주제일의협 안중근』 3, 1995, 513쪽).

2 이와 같은 강봉주의 주장은 사실과 거리가 멀다. 강봉주가 하얼빈공립회의 회장을 맡은 것은 신한민보(『신한민보』 1909년 10월 13일자, 「국민회보-哈爾賓地方會設立」) 등에서 보듯이 분명한 사실이다.

문 그 후 누가 회장이 되었는가.
답 50여 명이 회원으로 가입하였으나 모두 그 후 회의 무익함을 알고 해산하여 회장은 정하지 않은 채 없어졌다.[3]

문 그대가 공립회 회장이고 윤성근(尹根成)이 부회장인 것을 듣고 있는데 어떠한가.
답 사실이 아니다. 윤근성은 내가 민회장이었을 때 부회장이었고 김성백은 민회를 그만두라고 하였다. 그래서 우리 일파는 민회를 그만두면 공립회도 그만두겠다고 주장하였다.[4] 그 후에는 회라는 것은 없다. 탁공규와 김성백은 늘 의견을 같이하고 있다.

문 그렇다면 지금은 이곳에 공립회라는 것이 없는가.
답 없다. 5·6개월 전이다.

문 동흥학교(東興學校)의 성립은 어떠한가.
답 김성백은 많은 돈을 내고 김형재(金衡在)·탁공규는 그 교원이 되고 김성백이 교장이 되었다. 기부자도 있었으나 나는 돈을 내지 않았다. 300루블 정도 강제로 모금하였다고 들었다.

문 동흥학교와 공립회의 관계는 어떠한가.
답 공립회 개설운동은 그만두고 학교가 설립되었다. 공립회가 학교라고 할 것이다.

문 김형재와 공립회의 관계는 어떠한가.
답 관계 없다.

문 블라디보스토크에서 간행되는 대동공보(大東共報)를 아는가.

---

3 국가보훈처, 「在哈爾賓韓國人ノ狀況ニ關シ報告ノ件」, 『안주제일의협 안중근』 3, 1995, 513쪽).
4 강봉규를 중심으로 하는 일제의 지시로 성립된 민회(한인회)파와 김성백을 중심으로 중심으로 하얼빈공립회간의 대립은 국가보훈처, 「在哈爾賓韓國人ノ狀況ニ關シ報告ノ件」, 『안주제일의협 안중근』 3, 1995, 513~515쪽 참조.

답　본 적이 있다.

문　대동공보는 누가 경영하는가.

답　최봉준(崔鳳俊)이다. 그 사람이 돈을 내고 있었다. 나중에 매상이 많은 상황이므로 이를 양도하였다. 그 후에는 다수의 사람들이 출자하여 경영한다고 한다.

문　이강(李剛)이라는 자를 아는가.

답　사람은 몰라도 그 이름은 들었다. 신문사의 주필이다.

문　유진률이라는 자를 아는가.

답　이름을 들은 적이 있다. 무엇을 하는지는 모른다. 러시아에 귀화하였다고 한다.

문　안 등과 대동공보사는 전혀 관계가 없는가.

답　모른다.

문　블라디보스토크에 청년회(靑年會)라는 것이 있는가.

답　있다고 들었다.

문　블라디보스토크에 독립회(獨立會)라는 것이 있는가.

답　있다고 들었다.

문　그 두 회는 명칭이 같은가.

답　아마 다를 것이다.

문　그렇다면 청년회의 목적은 무엇인가.

답　아마 청년을 모아 교육하는 것일 것이다.

문　종교상의 의미는 없는가.

답　모른다.

문 독립회의 목적은 무엇인가.
답 모른다. 블라디보스토크에는 오래 가 있은 적이 없다.

문 청년회는 주로 누가 맡고 있는가.
답 자산가 20명 정도가 돈을 모아 만든 것이다.

문 그 주된 사람들은?
답 이강이다.

문 이강은 자산이 있는가.
답 돈은 없지만 상당한 일을 하여튼 할 수 있는 사람이다.

문 동의회(同義會)라는 것을 아는가.
답 모른다.

문 창의회(倡義會)를 알겠지.
답 모른다. 신문에도 나와 있지 않다.

문 어떠한 회(會)의 이름이 신문에 보이는가.
답 최초로 청년회이다. 그 후에는 어떤 회의 이름도 보이지 않는다.

문 공립회의 이름은 신문에 나오지 않는가.
답 나온 적이 없다.

문 청년회는 여전히 있는가.
답 있다. 오늘에도 신문에 이름이 보인다.

문 누가 그 회를 맡고 있는가.

답 회장은 차석보(車石宝)[5]이다. 러시아에 귀화하였고 재산이 있다.

문 부회장은 누구인가.

답 이강이고, 탁공규도 작년 그 회의 부회장이었다.

문 그 이외에 그 회에서 세력이 있는 사람은 누구인가.

답 그 이외에는 모른다.

문 유진률(兪眞津)[6]은 입회하지 않았는가.

답 모두 입회하였다.

문 이범윤(李範允)을 아는가.

답 이름은 자주 들었다. 4·5백의 병사를 오늘날에도 거느리고 있다. 연추(煙秋), 니코리스크, 추풍(秋豊) 등의 사이를 왕래하고 있다.

문 이위종(李瑋鐘)이라는 자를 알고 있는가.

답 이범윤(李範允)의 형 이범진(李範晉)의 아들이다. 프랑스어를 하고 프랑스인을 처로 삼았다. 3년 전에 4만 루블을 갖고서 블라디보스토크로 와 이범윤(李範允)에게 의지하였다.

문 이위종은 무엇 때문에 블라디보스토크에 왔는가.

답 모른다. 얼마 안 있어 러시아 본국으로 돌아갔다. 블라디보스토크에는 겨우 3·4개월 있었다.

문 블라디보스토크에 공립회가 있는가.

답 올봄경까지 신문에 보였다.

---

5 차석보(車錫甫).

6 유진률(兪鎭律).

문 공립회는 누가 맡고 있는가.
답 모른다.

문 공립회의 본부는 어디에 있는가.
답 아마 블라디보스토크에 있을 것이다.

문 안응칠과 블라디보스토크 신문사는 관계가 있지 않는가.
답 이전에 안은 신문사와 관계가 있다고 들었다. 하지만 이는 사건 후에 나온 이야기이다. 포그라니치나야에 두 달 정도 있다가 하얼빈으로 왔다고 들었다.

문 사건에 대해 안과 신문사가 관계있다고 생각하지 않는가.
답 그렇게 생각하지 않는다.

이상의 내용을 녹취하여 통역을 통하여 읽어들려 준 바 틀림없다고 하므로 모두 아래에 서명날인하다.

1909년(명치 42) 12월 29일
참고인
강봉주

검사사무취급
외무성 경부 오카지마 쇼기(岡島初己)
통역 와타나베 햑쿠바(渡辺百馬)

19 김성옥 참고인 신문기록

신문조서(사본)

이토공(伊藤公) 살해사건에 관하여 참고인으로 한국인 김성옥(金成玉)을 와타나베 하쿠바(渡辺百馬)의 통역으로 아래와 같이 신문하였다.
씨명·연령·국적·주소·직업 등을 생략한다.

문 9월 초순 밤 조도선(曺道先)은 김형재(金衡在) 기타 3명을 데리고 밤에 내방하지 않았는가.

답 김형재가 안응칠(安應七)·우연준(禹連俊) 두 사람을 데리고 왔다.

문 유동하(柳東夏)는 오지 않았는가.

답 오지 않았다.

문 안·우는 무엇 때문에 왔는가.

답 김형재의 말에 의하면 두 사람은 블라디보스토크에서 신문대금을 받으러 왔을 것이라고 하였다.

문 술을 마셨는가. 그대도 참석하였는가.

답 조도선이 술을 샀다. 나도 나가서 만났으나 중도에 자리를 떠났다. 만난 것은 그들이 돌아갈 때이다.

문 그 후 그들은 오지 않았는가. 김영환(金永煥)은 그 후 그들이 왔다고 분명히 말하는데 어떠한가.

답 김영환의 말은 믿을 것이 못 된다는 것은 유명하다. 그 후 그들은 온 적이 없다.

문 블라디보스토크에서 온 사람이 헤어질 때 울었다고 하지 않았는가.

답 그 후 그들이 김형재를 방문하고 헤어질 때 다시 만나기를 기대할 수 없다며 헤어진 것을 김형재에게서 들었다. 김형재는 이를 이상하게 여겼고 나도 이를 기묘하게 생각하여 다음날 세수를 할 때 김영환에게 이야기했다.

문 그렇다면 두 번째에는 안·우는 김성옥 집에 온 것이 아니고 김형재(金衡在) 집에 간 것인가.

답 아니다. 조도선이 술을 사서 안·우를 대접하다가 밤이 되었다. 김영환의 말이 거짓인 것은 누구나 안다.

문 유강로(柳江露)를 알겠지.

답 모른다.

문 그대는 김성백(金成伯) 집에 출입하겠지.

답 출입은 하지만 유라는 사람이 있을 때에는 간 적이 없다.

문 그대 집에서 술을 마신 날밤에 왜 조도선(曺道先)은 술을 샀는가.

답 왜 술을 대접했는지 모른다.

문 조와 우·안은 이전부터 아는 사이일 터인데.

답 그것은 모른다.

문 그대는 일가의 주인으로 조가 밖에서 데리고 온 자를 대접하도록 허락하였는가.

답 조가 당초 왔을 때에는 이틀 정도 신세를 지겠다고 하였다. 그 후 이틀이 지나도록 나가지 않았다. 나는 조금도 이를 상관하지 않았다. 다른 사람에게 술을 내는 것도 나는 전혀 관계하지 않았다.

문 안·우와 같은 죄인을 그대의 집에서 향응을 베푸는 것을 오늘 후회하지 않는가.

답 조도선을 우리 집에 머물게 한 것은 오늘 후회한다. 자손에게도 모르는 사람을 머물게 하지 않도록 하라고 전하겠다.

문 안 또는 조가 돈을 빌려달라고 한 것은 없는가.
답 그런 적은 없다. 처음 만난 사람이므로 그런 일은 없다. 한 번 만났을 뿐 다시 만난 적이 없다.

문 그대의 진술과 김영환의 진술이 전혀 다른 것은 내가 의심스럽게 여기는 바인데 어떠한가.
답 그것은 나에게 물어보기보다도 이곳 한인에게 물어보면 저절로 명백해질 것이다. 김영환의 거짓말은 유명한 것이다.

문 그대는 김영환과 어디에서 아는 사이가 되었는가.
답 길림(吉林)에서 좀 알았지만 이곳에서도 친하다.

문 길림에서 그대는 무슨 일을 하였는가.
답 음식품 판매업을 하였다.

문 김영환은 길림에서 무슨 일을 하였는가.
답 아무런 일도 하지 않았다. 하루 이틀 우리 집에 왔을 뿐으로 그 소식을 자세히 모른다.

문 조가 술을 안·우에게 대접했을 때 누가 술을 사러 갔는가.
답 조 자신이 사러 갔다. 아무도 사러 간 사람이 없다.

문 밥하는 사람도 통역도 없었는가. 김영환도 없었는가.
답 조가 대접하는 것이므로 아마 자신이 사러 갔을 것이라고 하였다.

문 그날 안·우·조·김형재 네 명이 무슨 이야기를 하였는지 알 터인데.
답 나는 약국에서 조제를 하였으므로 아무 것도 모른다. 다른 사람의 손님이면 나는 술을 마시지 않으므로 술자리에는 앉지 않았다.

문 그날 밤 안·우·조·김형재 네 명만은 아닐 것이다. 다른 사람도 있었을 터인데.

답 다른 사람은 오지 않았다.

문 지금 김영환은 블라디보스토크에서 모르는 세 사람이 왔다고 분명히 말하지 않았는가.
답 그럴 리 없다.

문 분명히 유강로는 오지 않았는가.
답 오지 않았다.

문 조도선은 그대 집에서 어디로 갔는가.
답 실종되었다. 괘씸한 놈이라고 생각한다. 만약 그 사람이 조금이라도 의심스러운 행동을 했다면 내가 신고를 하여 필시 이번 사건은 일어나지 않았을 것이다.

문 김영환의 말에 의하면 조가 동생을 맞으러 장춘(長春)에 간 것을 그가 떠난 후에 그대에게서 들었다고 하는데 어떠한가.
답 그 이야기는 이전에 간접적으로 들었다. 조가 김영환 등에게 말한 것 같이 조 자신은 나에게 일찍이 아무런 말도 않고 완전히 실종되었다.

문 조가 동생을 맞이하러 장춘에 간 것이 진실이라면 아무런 말없이 떠난 것은 이상한 일이라고 생각하는가. 어떠한가.
답 동생을 데리러 간 것이라면 그다지 이상한 일이 아니다.

문 그렇다면 사건 후에는 어떻게 생각하는가.
답 (답변이 분명하지 않아 이해하기 어렵다).

문 명백히 답하라.
답 특별한 생각은 없다.

문 그대의 방을 빌려주었을 때 조가 아무런 말도 없이 실종된 후 곧 이토공의 사변이 일어났다. 조의 행동에 대해 의심스럽게 생가하지 않았는가. 분명하게 진술해라.

답 실종당시는 아무런 생각도 하지 않았다. 나중에 체포되고서 나는 두렵게 여겼다. 그런 사람을 머물게 한 것을 두렵게 생각했다.

문 그렇다면 그대는 조가 사건에 관계가 있다고 믿는가.

답 물론 죄가 있다고 생각한다.

문 그런 죄인을 그대의 집에 머물게 하였으므로 그대에 혐의가 있음은 지당할 것인데 어떠한가.

답 지당하다.

문 조가 권총을 갖고 있는 것을 그대는 아는가.

답 전혀 몰랐다. 여순(旅順)법원에서도 진술하였는데 조가 우리 집에 왔을 때에는 담뱃대 하나도 갖고 있지 않았다. 그 사람이 권총을 누구에게서 얻었는지 취조하기를 바란다고 세 번 정도 진술했다.

문 권총의 출처는 그대는 전혀 모르는가.

답 전혀 모른다.

문 조의 실종까지 그 사람은 아무런 소지품이 없었는가.

답 전혀 없었다.

문 조는 그대 집에서 평소 무엇을 하고 있었는가.

답 여러 곳에 놀러 갔을 뿐으로 식사를 다하고 나면 나가서 돌아오지 않았다. 무엇을 하고 있었는지 잘 모른다.

문 조는 돈을 갖고 있었는가.

답 당초 왔을 때는 나도 돈을 다소 갖고 있을 것이라고 믿었으나 그 후의 모양으로는 돈이 전혀 없는 것 같았다.

문 조는 어디에서 하얼빈으로 왔는가.

답 이르쿠츠크에서 왔다.

문 조는 러시아 본국에 간 적이 없는가.

답 전혀 모른다.

문 조는 블라디보스토크와 편지를 보내고 받은 적이 없는가.

답 보고들은 적이 없다.

문 신문대금을 받으러 일부러 두 사람이나 블라디보스토크에서 와야 할 일이 있는가.

답 단순히 김형재에게서 들었을 뿐으로 아무런 생각이 없다.

문 김형재와 안·우는 친한가.

답 잘 모른다. 헤어질 때 울었다고 들었을 뿐이다.

문 그대의 의견으로는 김형재는 안·우·조 등과 사건에 대해 관계가 있다고 여기지 않는가.

답 사건 후에는 안 등과 김형재 사이에 관계가 있을 것이라고 생각한다. 하지만 이는 생각뿐으로 증거는 없다.

문 안·우는 블라디보스토크에서 왔는가.

답 그들과 처음 만났을 때 김형재에게서 들었다.

문 이강(李剛, 李崗)이라는 자를 아는가.

답 처음 듣는 이름이다.

문　유진률(兪智律)[1]을 아는가.
답　모른다.

문　이강·유진률(兪眞律)[2]의 이름은 여순에서 들었을 텐데?
답　들은 적이 없다. 처음 듣는 이름이다.

문　안·우와 블라디보스토크 신문사는 어떠한 관계가 있는가.
답　모른다. 다만 블라디보스토크에서 신문대금을 받으러 왔다고 들었다.

문　조는 김성백과 친한가.
답　잘 모르나 친밀할 터가 없을 것이라고 생각한다.

문　안과 우는 어떻게 김성백 집에 머물었는가.
답　어떠한 관계인지 모른다.

문　그대는 김성백과 친하지 않는가.
답　친하지 않다.

문　그대는 처를 김성백 집에 맡기고 있지 않는가.
답　따로 의뢰한 바 없다. 김성백에게 부탁한 것은 같은 나라 사람이기 때문이다.

문　그대의 처는 스스로 김성백 집에 갔는데 그대의 의뢰에 의한 것이 아니라는 것은 평생 친한 사이라는 증거가 아닌가.
답　같은 나라 사람이라고 하여 따로 의뢰한 바 없다. 처는 김성백 집에 갈 수 있는 것이다.

문　처 자신이 갈 정도이므로 평생 왕래하는 것이 틀림없다. 그렇다면 안·우가 왜

1　유진률(兪鎭律).
2　유진률(兪鎭律).

김성백 집에 있는지 모를 리가 없는데 어떠한가.

답 처는 아무 것도 모른다. 어쩔 수 없이 김성백 집에 간 것이다. 평생 친한 사이는 아니다.

문 청년회, 독립회를 아는가.

답 모른다. 사회는 전혀 모른다.

문 공립회를 알 터인데?

답 모른다.

문 공립회는 하얼빈에도 있는 것을 알 터인데?

답 회의 이름은 들은 적이 있다.

문 회장은 누구인가.

답 강봉주(姜鳳周)가 조직하였다고 들었으나 회장은 누구인지 모른다.

문 윤근성(尹根成)을 아는가.

답 얼굴만 안다.

문 공립회와 관계가 있는가.

답 모른다.

문 본건에 관계가 있다고 생각되는 조도선을 머물게 한 그대가 사건에 관계가 없다는 것은 그대 스스로 입증할 필요가 있을 터인데 어떠한가.

답 영사관의 은혜로 면허장을 받아 약업을 하고 있다. 그러므로 만약 사건 전에 조라는 사람에게 조금이라도 의심스러운 점이 있었다면 곧바로 아뢸 작정이었다. 이런 점을 잘 살펴보기 바란다.

문 영사관의 은혜에 감사하고 있다면 사건에 관해 그대가 아는 것을 숨기지 말고 진술하는 것이 좋지 않는가.

답 알고 있는 것은 모두 진술하였다. 모르는 것은 실제로 모르므로 모른다고 하는 것이다.

문 그렇다면 인정할 수 없다. 지금 판명된 사실도 감추고 있는 것이 아닌가.
답 결코 감춘 적이 없다. 나는 오래도록 이곳에 살 작정이므로 만약 숨긴다면 앞으로 드러날 것이므로 결코 숨기고 말하는 것이 아니다.

이상의 내용을 녹취하여 통역을 통하여 읽어들려 준 바 틀림없다고 하므로 모두 아래에 서명날인하다.

1909년(명치 42) 12월 28일
재하얼빈 일본제국 총영사관에서

참고인
김성옥

검사사무취급
외무성 경부 오카지마 쇼기(岡島初己)
통역 와타나베 학쿠바(渡辺百馬)

20 김영환 참고인 신문기록

신문조서(사본)

이토공(伊藤公) 살해사건에 관해 참고인으로 한국인 김영환(金永煥)을 와타나베 햑쿠바(渡辺百馬)의 통역으로 다음과 같이 신문하였다.

문 씨명은.
답 김영환(金永煥).

문 연령은.
답 56세.

문 국적은.
답 한국 함경도 홍원(洪原) 우동리(右東里).

문 주소는.
답 하얼빈 부두구 구도가(九道街) 청국인 이(李)의 집.

문 러시아에 귀화하지 않았는가.
답 아니다.

문 하얼빈에는 언제 왔는가. 그 후 무슨 일을 하고 있는가.
답 작년 8월 이곳에 왔다. 돈을 100원(円) 정도 갖고서 있었으나 잃어버려서 곤란하므로 김성옥(金成玉)집에서 기식하며 연초 행상을 하고 있다. 김성옥과는 길림(吉林)에 있을 때 알게 되었다.

문 김성옥은 길림에서 무슨 일을 하고 있었는가.

답 김성옥은 길림에서 러시아사람들에게 식료품을 팔았고 나는 빵을 팔았다.

문 김성옥은 길림에 오래 있었는가 그 이전에는 어디에 있었는가.
답 그는 3년 정도 길림에 있었다. 그 이전에는 어디 있었는지 모른다. 길림에서 알게 되어 길림에서 곧바로 이곳으로 왔다고 그 스스로 말한 적이 있다.

문 안응칠(安應七)이라는 자를 아는가.
답 모른다. 이토공 사건 후 그 이름을 들었다.

문 우덕순이라는 자를 아는가.
답 모른다.

문 조도선(曺道先)을 아는가.
답 조는 20일 이상 김성옥 집에 있어 잘 알고 있다.

문 언제부터 언제까지인가.
답 음력 8월경이라고 기억하고 있다.

문 이토공 사건 전에는 김성옥 집 있지 않았는가.
답 음력 8월 말부터 9월 5일경까지 김성옥 집에 있었다. 그 후에는 어디로 갔는지 모른다.

문 조도선은 무슨 일을 하고 있었는가.
답 매일 외출하였고 늘 밤에 돌아왔다.

문 유강로(柳江露, 柳東夏)를 아는가.
답 모른다.

문 김형재(金衡在, 김봉추(金鳳雛))를 아는가.
답 교장이다. 얼굴은 잘 기억나지 않으나 만난 적이 있다.

문 김성옥·김형재·조도선 세 사람이 밀담을 나누는 것 같은 일은 없었는가.
답 잘 모른다. 나의 거실은 떨어져 있다.

문 블라디보스토크에서 김성옥 집에 온 자가 있을 터 진술해라.
답 사건 전에 블라디보스토크에서 온 사람은 없다.

문 온 사람이 있을 터인데 진술해라.
답 본 적이 없다.

문 확실히 온 사람이 있을 터인데.
답 어느 날 아침 부엌에 술병이 있으므로 다른 고용인에게 물었더니 어젯밤 김형재·조도선·김성옥 세 사람이 술을 마셨다고 들었다.

문 세 사람이 아닐 터인데.
답 그 이외는 모른다.

문 술을 마신 날은 며칠인가.
답 조도선이 출발하기 3·4일 전으로 음력 9월 초이다.

문 친척을 마중하러 장춘(長春)으로 간 자가 있을 터인데.
답 조가 동생을 맞이하러 장춘으로 간 것을 그가 출발하고 나서 들었다.

문 조 혼자서 출발했는가.
답 나중에 들었으므로 모른다.

문 조가 출발한 것은 누구에게서 들었는가.
답 김성옥과 그 사람의 처에게서 들었다.

문 블라디보스토크 신문사에서 한인이 온 것은 확실히 모르는가.
답 9월 6·7일경 밤 조와 김형재 그리고 모르는 세 사람이 와서 김형재가 차를 달라고 김성옥에게 청하였다. 김성옥이 누구냐고 하니 블라디보스토크 신문사에서 왔다고 대답하였다. 김성옥은 그렇다면 차 말고 술로 하자고 하여 다른 고용인에게 술을 사오도록 하였다. 그 후 나는 취침하였으므로 아무 것도 모른다.

문 그 후 또 온 적이 없는가.

답 조는 김형재 이외 한 사람을 데리고 다음날인가. 다다음날 밤에 늦게 왔다. 헤어질 때 블라디보스토크에서 온 사람이 다시 만나기 어렵다며 울었다고 다음날 김성옥에게서 들었다. 김성옥은 이상하게 생각하고 있는 듯하였다. 나도 이상하게 생각하였다. 나중에 며칠이 지나지 않아 사건이 일어났다. 그때를 생각하니 안응칠이 운 것이 추측이 되었다.

문 안응칠이라는 이름은 언제 알았는가.

답 김성옥이 러시아 관헌에게 끌려갔을 때 나는 걱정이 되어 따라갔는데 도중에 김성옥이 안응칠사건으로 인해 끌려가는 것이라고 하였다.

문 블라디보스토크에서 손님이 왔을 때 그 손님은 김성옥에게 소개장을 보이지 않았는가.[1]

답 모른다.

이상의 내용을 녹취하여 통역을 통하여 읽어들려 준 바 틀림없다고 하므로 모두 아래에 서명날인하다.

1909(명치 42년) 12월 25일
재하얼빈 일본제국 총영사관에서

참고인
김영환

---

1 이는 일제의 첩보(국사편찬위원회, 「憲機 第一四七號」, 『한국독립운동사』 자료 7, 264쪽)를 근거로 한 질문이다. 하지만 이는 전혀 사실이 아닐 가능성이 높다(신운용, 「안중근의거와 대동공보사의 관계에 대한 재검토」, 『한국사연구』 150, 한국사연구회, 2010, 190쪽).

검사사무취급
외무성 경부 오카지마 쇼기(岡島初己)
통역 와타나베 와타나베 학쿠바(渡辺百馬)

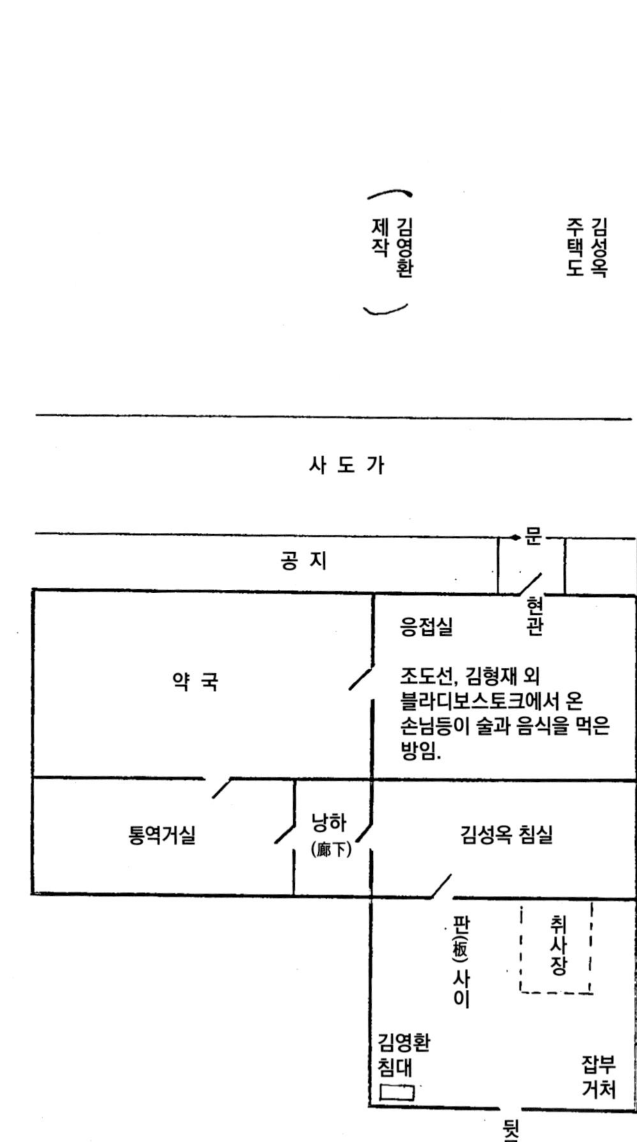
김성옥
주택도
(김영환
제작)
사 도 가
문
공 지
현관
응접실
약 국
조도선, 김형재 외
블라디보스토크에서 온
손님등이 술과 음식을 먹은
방임.
통역거실
낭하
(廊下)
김성옥 침실
판(板) 사이
취사장
김영환
침대
잡부
거처
뒷문

21 박문순 제1회 참고인 신문기록

신문조서(사본)

이토공(伊藤公) 살해사건에 관해 참고인으로서 와타나베 학쿠바(渡辺百馬)의 통역으로 다음과 같이 신문하였다.

문 씨명은.
답 박문순(朴文順).

문 연령은.
답 36세.

문 출생지는.
답 함경북도 명천군 아윤어전(阿潤漁佃).

문 직업은
답 담배말이이다.

문 언제 하얼빈시에 왔는가.
답 4년 전에 왔다.

문 어디에서 왔는가.
답 한국에서 곧바로 왔다.

문 러시아에 귀화하지 않았는가.
답 아니다.

문 김성백(金成佰)과는 아는 사이인가.
답 알지만 친하지는 않다.

문 김성옥(金成玉)과는 어떠한가.
답 그다지 친하지 않다.

문 조도선(曺道先)이라는 자를 아는가.
답 모른다. 이름은 들었다.

문 조도선은 무슨 일을 하고 있는가.
답 일에 쫓겨 모른다. 조도선의 이름은 그 사람이 여순(旅順)으로 보내졌을 때 들었다.

문 우덕순을 아는가.
답 모른다. 그 사람의 이름은 여순으로 보내진 후에 들었다.

문 안응칠(安應七)을 아는가.
답 모른다. 그 사람이 오래 이곳에 머물었다면 만날 기회가 있었겠지만 결국 못 만났다.

문 유강로(柳江露)라는 자를 아는가.
답 이름을 들었으나 모른다. 부친은 「포그라니치나야」에 있다고 전해 들었다.

문 유의 부친에 대해 사건 후에 들었는가 전에 들었는가.
답 사건 전이다.

문 어떻게 듣게 되었는가.
답 유의 부친은 포그라니치나야시에서 약국을 하므로 약을 구하러 온 사람의 이야기로 들었다.

문 그 사람의 씨명은.

답 유초시(柳初試)라고 하며 본명은 모른다. 초시란 옛날의 벼슬 이름이다.

문 유강로가 하얼빈시에 온 것을 아는가.

답 들었다.

문 그대는 확실히 유강로를 알 터인데.

답 모른다.

문 유강로와 함께 장춘(長春)에 간적이 있을 터인데.

답 나는 처자를 먹여 살릴 필요가 있어 그럴 여가가 없다.

문 그대는 담배말이를 업으로 하므로 다른 직업은 없는가.

답 없다.

문 러시아인 누구에게 담배 재료를 받고 있는가.

답 프리스탄 십이도도가(十二道街) 「로바아토코프」이다.

문 그 러시아인 집에 매일 다니는가.

답 통근한다.

문 상점의 이름은?

답 「코바로프」이다.

문 그대는 최근 병이 난 적이 없는가.

답 없다.

문 병 이외의 사고로 통근을 쉰 적이 없는가.

답 제삿날 이외에 쉰 적이 없다.

문 그대와 일본인 부인이 동거한다고 들었는데 누구인가.
답 일본인 부인 두 사람이 있다. 한 사람은 김려수(金麗水)와 동거하고 다른 한 사람은 김수경(金守京)의 부인이다.

문 김수경은 누구인가.
답 김은 러일전쟁 때 러시아로부터 일을 받아서 하고 석재 등을 운반하였다. 그 일본인 부인이 그 이전부터 동거하였다.

문 대동공보(大東共報)라는 것을 아는가.
답 안다. 신문지상에서 이강(李剛)이라는 사람이 있는 것을 알고 있다.

문 이강은 대동공보에서 무슨 일을 하고 있는가.
답 확실히 모른다.

문 유진률(兪眞律)[1]을 아는가.
답 신문에서 이름을 알았으나 일면식도 없다. 대동공보의 편집인 또는 발행인이다.

문 대동공보의 발행인은 유가이라는 자가 아닌가.
답 「유가이」와 유진률(兪眞律)은 같은 사람이다.

문 어떻게 그것을 아는가.
답 음력으로 올해 1월경 개명 광고가 있었으므로 알고 있다.

문 (안응칠(安應七)의 사진을 보이고 단지한 점을 지시하였을 때) 누구인지 아는가.
답 모른다.

문 그대는 신문을 읽고 있으므로 이 사진의 단지한 사람이 누구인지 상상이 갈 터

1 유진률(兪鎭律).

인데.

답 모른다.

문 일반에 판명된 사실은 숨기지 않는 것이 그대에게 유리할 것이다.

답 그것도 모른다.

문 그대는 안응칠이 이토공을 저격한 사실을 알고 있는가.

답 신문에서 알았다.

문 그렇다면 안응칠의 이력을 알겠지.

답 그 신문은 본 적이 없다. 이토공(伊藤公)의 이력은 본 적이 있다.

문 그대는 이곳 공립회를 아는가.

답 공립회가 있는 것은 알지만 관계한 적이 없다.

문 그대와 관계가 있는지 없는지를 묻는 것이 아니다. 공립회를 말하는 것이다.

답 관계자의 이름은 신문에 나왔다. 나는 관계한 적이 없다.

문 어떤 신문인가.

답 신한민보(新韓民報)이다.

문 언제쯤인가.

답 올 음력 10월경의 신문이다.[2]

문 그대는 신한민보를 구독하고 있는가.

답 아니다. 다른 사람의 것을 빌려 읽는다.

---

2 『신한민보』 1909년 10월 13일자, 「국민회보-哈爾賓地方會設立」.

문 그대가 말하는 것은 미국에 있는 공립회를 뜻하는 것이겠지.
답 공립회는 하얼빈시에 오직 하나 있을 뿐이다.

문 그렇다면 어떻게 하얼빈 공립회의 역원(役員)의 일을 미국에 있는 신한민보에 기재하는가.
답 모른다. 아마 회장 등이 통신했을 것이다.

문 회장은 누구인가.
답 강봉주(姜鳳周)이다.

문 지금도 회장인가.
답 회장이다.

문 부회장은 누구인가.
답 확실히 모른다.

문 윤근성(尹根成)이 아닌가.
답 회에는 관계가 있으나 부회장인지 아닌지 모른다.

문 회에는 그 사람은 어떠한 관계가 있는가.
답 윤은 우리들과 함께 담배말이를 업으로 하고 있지만 어떠한 관계가 있는지 모른다.

문 김형재(金衡在)를 아는가.
답 안다.

문 김은 무엇을 하고 있는가.
답 여순(旅順)에서 돌아오는 길에 장춘(長春)에서 헤어져 무엇을 하는지 모른다. 그것은 김성옥(金成玉)에게서 들었다.

문 김형재와 공립회의 관계는 어떠한가.
답 김은 공립회와 관계 없다.

문 공립회는 김형재가 설립에 관계하지 않았는가. 사실을 숨기는 것은 그대에게 불리한 것을 모르는가.
답 당초부터 오늘까지 전혀 관계가 없다. 그런 사실 없다.

문 그대는 공립회와 관계가 없는데 어떻게 그것을 아는가.
답 이곳에 공립회는 오래되었으므로 잘 알고 있다.

문 그렇다면 윤근성과 공립회의 관계도 알 터인데.
답 모른다. 다만 윤은 매월 1회 공립회에 가므로 관계가 있음을 알고 있다.

문 공립회는 어디에 있는가.
답 하얼빈 신시가 신시장 강봉주의 집에 있다.

문 공립회는 무슨 일을 하고 있는가.
답 매월 1회 집회를 열지만 무슨 일을 하는지 모른다.

문 공립회의 목적은 무엇인가.
답 나는 관계하지 않으므로 모른다. 그러나 아편흡입을 금하는 것, 근면을 권하는 것, 음주를 금하는 것 등을 목적으로 한다고 들었다.[3]

문 김성백과 공립회의 관계는 어떠한가.

---

3 국가보훈처, 「在哈爾貧韓國人ノ狀況ニ關シ報告ノ件」, 『안주제일의협 안중근』 3, 519~522쪽.

답　김성백은 공립회와는 관계가 없다.[4]

문　유장춘(柳長春)이라는 자를 아는가.
답　알고 있다. 그 사람은 러시아의 통역이다. 삼도가(三道街)에 산다. 일정한 직업이 지금은 없다.

문　유는 러시아에 귀화하지 않았는가.
답　모른다.

문　유는 공립회에 가입하였는가.
답　관계하였다. 이름도 있다.

문　어디에 이름이 있는가.
답　신한민보에 있다.[5]

문　이곳 공립회는 언제 성립하였는가.
답　올 음력 2월이다(1909년).

문　어떻게 성립하였는가.
답　나는 관계하지 않았으므로 모른다.

문　그대에게 가입을 권한 자가 없었는가.
답　있었지만 거절하였다.

4　강봉주가 공립협회본부에 하얼빈공립협회의 설립을 신청하였을 무렵의 회원명부에는 김성백의 이름이 없다(『신한민보』 1909년 10월 13일자, 「국민회보-哈爾賓地方會設立」). 하지만 김성백의 이름은 1910년 2월 20일에 입회하여 1910년 2월 29일에 작성된 하얼빈 공립회의 회원명부에는 있다(도산안창호선생기념사업회·도산학회, 「哈爾賓地方會員名簿」, 『미주 국민회 자료집 제1권 공립협회 1』, 경인문화사, 2005, 231쪽). 또한 공립회가 대동공보에서 파견된 탁공규가 김성백·강봉주 등에게 건의하여 설립되었다는 사실을 비추어 보아 박문순의 주장과 달리 김성백이 하얼빈공립협회의 설립에 처음부터 적극적으로 관여하였을 가능성이 높다.

5　『신한민보』 1909년 10월 13일자, 「국민회보-哈爾賓地方會設立」.

문 누가 그대에게 권했는지 기억하겠지.

답 회장 강봉주 등이다. 하지만 꼭 가입하라고 권하지 않았다.

문 왜 가입하지 않았는가.

답 모여 술 등을 마시고 사람들을 미혹시켜서는 안된다고 생각하였다.

문 동의회(同義會)라는 것이 있는가.

답 모른다. 장연회(藏煙會)라는 것이 하얼빈에 있다.

문 장연회란 무엇인가.

답 담배말이를 하는 직공 등의 모임으로 서로 경쟁하여 임금을 싸게 하는 것을 막기 위한 것이다.

문 창의회(倡義會)를 아는가.

답 모른다.

문 이범윤(李範允)을 아는가.

답 이름은 알고 있다. 옛날에 본국의 관리로 지금 어디에 있는지 모른다.

문 지금 하얼빈 한인 사이에 안응칠의 변호를 위해 돈을 모으고 있지 않는가.

답 그런 일은 없다. 이야기도 못 들었다. 다만 요전에 김려수·김성옥 등이 돈을 내라고 하였으므로 처가 송금하였다. 하지만 추렴하여 보낸 것은 아니다.

문 그대는 안응칠을 훌륭하다고 생각하는가.

답 나는 모르겠다.

문 그대는 무엇 때문에 신문을 읽고 있는가.

답 나는 선악의 판단이 서지 않는다.

문 그대는 블라디보스토크의 청년회를 아는가.

답 청년회가 있는 것은 들었으나 잘 모른다.

문 청년회의 목적은 무엇인가.
답 모른다.

문 독립회를 아는가.
답 모른다. 샌프란시스코에 있는 국민회는 이름을 들었다.

문 정재관(鄭在寬)이라는 자를 알겠지.
답 신한민보의 발행인이지만 그만두어 그 뒤를 최광익(崔鑛益)라는 사람이 맡고 있다.

문 20일 정도 전에 블라디보스토크에서 이곳으로 온 자가 있을 터인데.
답 김진성(金振聲)이 왔다. 러시아 관헌이 압송하여 왔다고 한다.

문 또 있을 것인데.
답 모른다.

이상의 내용을 녹취하여 통역을 통하여 읽어들려 준 바 틀림없다고 하므로 모두 아래에 서명날인하다.

1910년(명치 43)년 1월 3일
재하얼빈 일본제국 총영사관에서

참고인
박문순

검사사무취급
외무성 경부 오카지마 쇼기(岡島初己)
통역 와타나베 와타나베 햑쿠바(渡辺百馬)

22 박문순 제2회 참고인 신문기록

제2회 신문조서(사본)

이토공(伊藤公) 살해사건에 관해 참고인으로 와타나베 햑쿠바(渡辺百馬)를 통역으로 다음과 같이 신문하였다.

문 그대가 한국에서 왔을 때 블라디보스토크에서는 누구의 집에서 1박하였는가.
답 개척리 서준명(徐俊明) 집에서 1박하였다. 그 사람은 여관을 하였다.

문 서와는 이전부터 아는 사이인가.
답 모른다.

문 서는 지금 어떻게 하고 있는가.
답 모른다. 그 사람의 집에 1박했을 뿐이다.

문 그대는 한국을 나올 때 하얼빈시로 올 생각이었는가.
답 이전 일찍이 이곳에 있었고 러일전쟁 때 귀국하였다가 다시 4년 전에 왔다.

문 그렇다면 그 왕복할 때 서의 집에 머물렀겠지.
답 처음 왔을 때 소를 팔 작정으로 블라디보스토크까지 왔으나 소가 죽었으므로 다른 일을 알아보기 위해 하얼빈시에 왔다.

문 그때 블라디보스토크 누구의 집에서 머물었는가.
답 10년 전 일이므로 기억나지 않으나 장(張)모로 알고 있다.

문 그 후 하얼빈시에서 귀국하였을 때는 누구의 집에 머물렀는가.
답 진술한 서준명의 집이다. 두 번 그 사람의 집에 머물렀다.

문 최근 그 사람의 집에 간 적이 있을 터인데.

답 아니다. 젊은 처가 있으므로 다른 지방으로 왔다 갔다 할 수 없었다.

문 대동공보(大東共報)는 1개월 대금이 얼마 정도인가.

답 1개월에 60코페이카, 1년에 4루블 50코페이카이다.

문 그대는 그 신문을 구독하고 있는가.

답 그렇다.

문 그 대금을 지불하고 있는가.

답 그렇다. 이곳에서 김성백(金成伯)·한봉주(韓鳳周)[1] 등에 부탁하여 보낸다. 따로 모으는 사람이 없으나 각자 돈이 생길 때 그 두 사람의 집에 보내고 있다.

문 한봉주[2]는 신문대금을 대신 받지 않을 터인데.

답 그렇지만 나는 신문대금을 그 사람에게 지불하였다.

문 김성백·한봉주[3] 등은 그 신문대금을 어떻게 블라디보스토크로 보내는가.

답 아마 러시아 우편환으로 보낼 것이다.

문 그대 자신이 블라디보스토크 신문사에 보내겠지.

답 나는 간 적이 없다. 다만 1회 60코페이카를 냈을 뿐이다.

문 김형재(金衡在, 金鳳雛)가 신문대금을 대신 받고 있는 것은 아닌가.

답 아마 그렇지 않을 것이다. 신문이 오면 김성백 또는 강봉주(姜鳳周) 두 사람의 집으로 오므로 배부 받았다. 신한민보는 강의 집으로 오는 것 같다.

---

1 강봉주(姜鳳周).

2 강봉주.

3 강봉주.

문 그대는 두 사람 중 누구에게서 배부 받는가.
답 김성백이다.

문 안웅칠·우연준(禹連俊) 두 사람은 신문대금을 받으러 블라디보스토크에서 왔다고 한다. 만약 김·강 두 사람이 대금을 받고 있다면 안·우 두 사람이 이곳에서 그런 말을 해도 일반 한인이 신용하지 않을 터인데 어떠한가.
답 나는 모른다.

강봉주 출두.

문 (강봉주에게) 그대는 신문대금을 대신 받고 있는가.
답 작년 봄 대략 30매 정도의 신문이 블라디보스토크에서 왔으므로 이를 참아 버릴 수 없어 60코페이카의 대금을 받고 나누어 주었다. 이런 일은 딱 한 번 있었다. 유지가 곤란하므로 신문사에서 구독자를 구하러 왔다. 동정을 하여 도와주었다. 여러 사람에게 60코페이카씩을 모아서 송금하였다. 그 후에는 신문은 한 장도 오지 않았다. 이는 내가 민회장이었을 때의 일이다.

문 (강봉주에게) 그 후 누가 신문 일을 맡았는가.
답 올해 봄, 회장을 그만 두었으므로 그 후의 일은 전혀 모른다. 하긴 미국에서 신문이 두 번 온 적이 있다. 이를 블라디보스토크에서 누군가가 갖고 왔다.

문 (강에게) 누가 갖고 왔는가.
답 하바로프스크 오지에 「비얀코」금광이 있다. 그곳에서 다수의 한인이 노동을 하고 있다. 러시아 관헌은 이들을 내쫓았는데 그 까닭을 블라디보스토크에서 다음과 같이 들었다. 안(安)모·이(李)모 두 사람이 블라디보스토크로 가서 그곳에서 이곳으로 왔다. 그때 미국의 신문이라고 하여 갖고 왔다는 것이다.

문 (강에게) 김성백은 지금 이곳에서 신문의 일을 맡고 있지 않는가.
답 모른다. 오래 이곳에 함께 있었으나 친하지 않다.

문 (강에게) 그대는 지금 블라디보스토크의 신문을 갖고 있는가.

답 구독하지 않는다. 이곳 한인은 일반적으로 가난하므로 신문을 구독할 여유가 없다.

문 (박문순에게) 그대는 신문을 구독하고 있는가.

답 그렇다.

문 (강에게) 그대는 박문순과 친한 사이인가.

답 오래 함께 이곳에 있으므로 알고 있다.

문 (강에게) 박은 블라디보스토크에 여러 번 간 적이 없는가.

답 모른다. 들은 적이 없다.

문 (강에게) 박은 최근 장춘에 간 적이 있을 터인데.

답 모른다.

문 (강에게) 그대는 공립회의 회장인가.

답 아니다.

문 (박에게) 강은 공립회의 회장인가.

답 그렇다.

문 (강에게) 박의 대답을 들었는가.

답 전에 진술한 대로 탁공규(卓公圭)가 와서 공립회 설립 이야기를 하였다. 하지만 회(會)라는 것이 어떠한 것인지 이곳에서는 전혀 몰랐다. 그런데 다수의 한인은 이곳에서 살다가 죽는 사람도 있지만 매장 등의 일을 맡을 사람이 없으므로 하나의 회를 만드는 것이 좋을 것이라고 하여 설립하였다. 매월 15일에 20코페이카를 걷기로 하였다. 회원이 50명 정도 있었으나 회비를 내는 사람도 없었다. 때문에 회는 없어졌다. 당시 나는 회장이었다. 회의 목적은 주검을 매장하는 것, 병자에게 의자 등을 제공하는 것, 무직자에게 일을 주는 것, 본국으로 돌아

가는 사람에게 여비를 보조하는 것 등 대략 네 가지이었다.[4]

문 (강에게) 그대 집에 매월 한인 등이 모이는가.
답 내가 회장이었을 때 매월 대략 2회 모였지만 회장을 그만두고서 최근에는 전혀 그런 일이 없다.

문 (박에게) 강의 답변을 어떻게 듣고 있는가. 그대가 앞서한 진술과 다르지 않는가.
답 아니다. 매월 1회 한인 강의 집에서 모였다. 나는 간 적이 없으나 회원이 가는 것을 보았다. 대략 2개월 전까지는 모였다. 신문에도 강이 회장인 것이 기재 되어 있다. 그 후 회장을 그만둔 이야기를 들었다.

문 (강에게) 공립회 설립의 이야기가 있었던 것은 몇월이고 회장을 그만둔 것은 몇월인가.
답 양력으로는 작년 구정월(旧正月)이다(1909년). 공립회을 설립하고 내가 회장을 그만둔 것은 같은 해 2월이다. 일반에 회장이라고 불렸으나 진정한 회장은 아니었다. 이미 그만두었기 때문이다.

문 (강에게) 그렇다면 회원이 그대 집에 모인 것은 한 번에 그치는가.
답 두 번 정도이다. 기타는 돈을 모으기 위해 「프리스탄」에 모인 적이 있을 뿐이다.

문 (박에게) 그대의 말에 의하면 2개월 전까지는 강의 집에서 매월 회원이 모였다고 하는데 그러한가. 앞서 진술한 강의 말과 다르지 않는가.
답 나는 간 적이 없으나 사람들에게 들었다. 강은 4개월 전부터 병이 난 것을 들었으나 확실히 나의 친구가 강의 집에서 있었던 모임에 간 것을 알고 있다.

문 (강에게) 어떻게 답변할 것인가.
답 김춘초(金春草, 김봉추)·김성백·박문순·김성옥·조흥명(趙興明) 등은 같은 파(派)이

4 국가보훈처, 「在哈爾貧韓國人ノ狀況ニ關シ報告ノ件」, 『안주제일의협 안중근』 3, 519~522쪽.

어서 늘 우리에게 반항하고 있다. 나는 없는 사실을 말하지 않는다. 또 박은 일찍이 술에 빠져 내 집에 온 적이 있으므로 그를 쫓아낸 일도 있다. 그래서 나를 좋게 생각하지 않으므로 영사관과 나의 사이를 이간시키려고 생각하고 있다.

문 (강에게) 그 일파와 안응칠·우연준의 사이에 뭔가 수상하다고 생각되는 일은 없는가.

답 별로 없으나 유강로와 김성백은 인척으로 유가 안과 함께 왔을 때 김성백 집에서 머물게 하였으므로 김성백은 사실을 알고 있을 것이라고 믿는다.

문 (강에게) 박문순은 최근 블라디보스토크에 간적이 없는가.

답 올 여름 황제의 단(壇)을 학교에 만들기 위해 블라디보스토크에 가려고 하였으나 돈이 없어서 갈 수 없었다.

이상의 내용을 녹취하여 통역을 통하여 읽어들려 준 바 틀림없다고 하므로 모두 아래에 서명날인하다.

1910년(명치 43)년 1월 4일

참고인
강봉주
참고인
박문순

재하얼빈 일본제국 총영사관에서
검사사무취급
외무성 경부 오카지마 쇼기(岡島初己)
통역 와타나베 와타나베 햐쿠바(渡辺百馬)

23 김성백 증인 신문기록

증인 신문조서

증인 김성백(金成白)

위의 자를 정서우(鄭瑞雨)·김배근(金培根)·안응칠(安應七)·우연준(禹連俊)·조도선(曺道先)·유강로(柳江露)·정대호(鄭大鎬)·김성옥(金成玉)·김형재(金衡在)·탁공규(卓公圭)·김려수(金麗水)·장수명(張首明)·김택신(金澤信)·홍시준(洪時濬)·이진옥(李珍玉)·방사첨(方士瞻)에 대한 살인 피고사건에 대하여 1909년(명치 42) 11월 8일 하얼빈 일본제국 총영사관에서 검찰관 미조부치 타카오(溝淵孝雄) 서기 기시타 아이분(岸田愛文)이 열석하여, 통역 촉탁 소노키 스에키(園木末喜)의 통역으로 검찰관은 다음과 같이 증인으로 신문을 하였다.

문 성명, 연령, 신분, 직업, 주소는 무엇인가.

답 성명은 김성백(러시아 이름 티혼 이바노비치 김)
연령은 32살
신분은 모름
직업은 청부업
주소는 하얼빈 프리스타니.

문 위 피고인과 친척 후견인 피후견인 고용인 동거인 등의 관계는 없는가.

답 없다.

문 그대의 한국 원적은 어디인가.

답 함경도[1] 종성읍(鏡城邑) 28번지이다.

문 그대의 부모는 있는가.

---

1 국편본: 함경북도.

답 있다.

문 이름은 무엇이라고 하는가.
답 한국 이름은 없다. 러시아에서 「이반 미하이로비치 김」이라고 부르고 있다.

문 지금 어디 있는가.
답 「몬고가이」촌(연해주)이라는 곳에 있다.

문 김성엽은 그대의 동생인가.
답 나의 셋째 동생이다.

문 그 사람의 러시아 이름은 무어라고 하는가.
답 「미하이 이바노비치 김」이라고 한다.

문 그대의 다음 동생의 이름은 무엇인가.
답 「알렉산드르 이바노비치 김」[2]이라고 한다.

문 그대의 종교는 무엇인가.
답 러시아의 종교이다.

문 그대의 국적은 어디인가.
답 러시아인이다.

문 언제부터 러시아인이 되었는가.
답 29년 전부터 가족이 다 귀화하였다.

문 그대는 어느 교회에서 세례를 받았는가.

---

2 김성백의 넷째 동생.

답 러시아 「몬고가이」라는 곳에 있는 교회이다.

문 그대의 처는 어느 나라 사람인가.
답 한국 사람이다.

문 성은 뭐라고 하는가.
답 성은 김이다.

문 그대는 한국민회의 회장인가.
답 그렇다.

문 러시아의 국적으로 한국민회장이 된 까닭은 무엇인가.
답 한국 사람들이 이곳의 사정을 모르니까 편의상 내가 회장되었다.

문 민회에는 회장 아래에 총무가 있는가.
답 그런 사람은 없다. 또 위원도 없다.

문 민회의 회비를 거두는 자가 있을 터인데 어떻게 하는가.
답 그것은 한 사람 있다.

문 그 돈을 거두는 자는 이자인가.

이때 김성엽의 사진을 제시하다.

답 그렇다. 이 사람이다

문 이자를 「삼손」이라고 하는가.

이때 홍시준의 사진을 제시하다.

(답 자(字)를 「삼손」이라고 한다.)[3]

문 이 「삼손」도 돈을 거두는 자인가.
답 이 사람은 외부에서 거두어 온 돈을 받아서 회계(를 보고 있다).[4]

문 한국인의 묘소개장을 음력 9월 11일에 하였는가.
답 러시아력(曆) 11일[5]에 개장하였다.

문 왜 개장하였는가.
답 토지가 침수되고 또 개가 황폐시켰기 때문이다.

문 묘소개장의 의논이 일어난 것은 언제인가.
답 올 봄경이다. 내가 주창자다.

문 이들 중에 그대의 친척이 없는가.

이때 피고일동의 사진을 제시하다.

답 전혀 친척은 없다.

문 그대는 이자를 알고 있는가.

이때 정대호 정서우의 사진을 제시하다.
정대호의 사진을 지시하면서

답 이 사람은 「포그라니치나야」의 세관에 있던 사람이다. 또 한 남자는 모르는 사

---

3 국편본: ( ).
4 외무성본: ( ).
5 1909년 10월 24일.

람이지만 정대호와 내 집에 함께 왔던 사람이다.

문 정대호는 27일 밤 그 사람의 누이·모·처자를 데리고 그대 집에 왔는가.
답 그렇다.

문 정대호가 「포그라니치나야」로부터 처를 데리러 왔을 때 그대 집에 들렀는가.
답 그때 내 집에서 이틀 밤 머물렀다.

문 그때 정은 이번에 가족을 데리고 오므로 오면 신세를 지겠다고 하였는가.
답 그렇게 말하였다. 가족을 데리고 내 집에 와서 일본 여관에 숙박료가 부족하므로 머물게 해달라고 하였다.

문 이자는 알고 있는가.

이때 피고 유강로의 사진을 제시하다.

답 「포그라니치나야」로부터 약을 사기 위하여 내 집에 와 있었는데 약을 사러 가는 도중에 체포되었다.

문 그 사람의 부친은 뭐라고 하는 자인가.
답 잘 모른다. 올 여름 나는 「포그라니치나야」에 가서 이 사람 집에서 신세를 지고 또 나의 셋째 동생이 지금 그 집에서 병으로 신세를 지고 있다. 그 사람의 성은 유라고 하나 이름은 모른다.

문 그대의 동생이 돈이 필요하다고 한 적이 있는가.
답 있다. 그러나 그것은 약을 보내 달라고 한 것이지 돈 이야기는 있었는지 잊었다.

문 그대의 셋째 동생은 이곳에 올 때 무슨 전언이 있었는가.
답 정대호에게 약을 보내 달라는 말이 있었다.

문 누구인가 장가 드는 일에 대하여 의논하여 온 일이 있는가.

답 나의 넷째 동생인 「알렉산드르」가 장가 드는 건에 대하여 의논이 있었다.

문 언제 한다고 하는 의논이 있었는가.

답 있었다. 또 나에게는 형이 하나 있는데 지금 부친과 같이 있다.

문 그대의 형의 이름은 무엇이라고 하는가.

답 한국 이름은 「손고이」라고 한 듯이 생각되나 확실히는 모른다. 러시아 이름은 「바실리」라고 한다.

문 「윤다이키」 또는 「유단포」[6]라고 하는 자가 그대의 집에 숙박한 적이 있는가.

답 없다.

문 그대 집에 있는 「유단포」 앞으로 25일 채가구로부터 전보가 온 것을 모르는가.

답 그것은 모른다.

문 그대가 집을 비웠을 때 집에서 식사를 같이 하고 있는 제본가게의 처가 전보를 받아서 그것을 그대의 처에게 준 것을 모르는가.

답 그것은 모른다.

문 러시아 관청의 취조에 의하면 그대가 집을 비웠을 때 제본가게의 처가 전보를 받아서 그대의 처에게 주어 그대의 처도 받았다[7]고 하는데 어떠한가.

답 나는 전혀 모른다.

문 「유단포」라는 사람은 그대가 짐작이 가는 자가 아닌가.

답 내 집에는 많은 사람이 출입하므로 모른다.

---

6 유동하.

7 신운용 편역, 「보고서(폰큐 겔겐)」, 『러시아 관헌 취조문서』(안중근 자료집 2), (사)안중근평화연구원, 2014, 65쪽.

문　정대호에게 누이가 있는 것을 알고 있는가.
답　그것은 모른다.

문　이자는 아는가.

이때 피고 안응칠의 사진을 제시하다.

답　나는 더욱이 모르는 사람이다.

문　이자와 같이 온 자가 아닌가.

이때 피고 유강로의 사진을 제시하다.

답　같이 온 일은 없다.

문　이자를 아는가.

이때 조도선의 사진을 제시하다.

답　전혀 모른다.

문　이자와 같이 온 적이 없는가.

이때 유강로의 사진을 제시하다.

답　같이 온 적은 없다.

문　이자가 이번에 정거장에서 이토 공작을 저격하였는데 심증이 가는 곳은 없는가.

이때 안응칠의 사진을 제시하다.

답　이토의 조난은 러시아 신문으로 알았다. 그때에 하수인은 안이라는 것을 알았다.

문　이자는 채가구로부터 그대 집의 「유단포」 앞으로 전보를 친 자라는데 모르는가.

이때 조도선 우연준의 사진을 제시하다.

답　그것은 모른다. 또 그 사람도 모른다.

문　안응칠이라는 이름을 일찍이 들은 일이 없는가.
답　러시아 신문에서 처음으로 안 성명이다.

문　이자가 부친에게 보낸 편지에 의하면 응칠은 숙부가 되는데 어떠한가.

이때 피고 유강로의 사진을 제시하다.

답　그것은 전혀 모른다.

문　이토공이 저격되던 전날 밤 또는 전전날 밤 그대 집에 4명을 데리고 와서 잔 사람은 없는가.
답　그러한 일은 전혀 없다.

증인 KIM

위의 내용은 증인과 동행한 하얼빈 러시아 영사관 통역 「게오르기 곤스탄틴 노비치 포포프」의 승낙을 얻어 신문하고 이 조서를 증인에게 읽어 들려주었더니 틀림없음을 승낙하고 자서하다.

그날 앞에서 언급한 영사관에서
단, 출장 중이므로 소속관서의 도장을 못 사용하다.

관동도독부 지방법원
서기 기시타 아이분(岸田愛文)
고등법원 검찰관 미조부치 타카오(溝淵孝雄)
통역 촉탁 소노키 스에키(園木末喜)

在哈爾賓 韓人 訊問記錄

日本語本

金麗水 第一回 訊問記錄

被告人 訊問調書

被告人 金麗水

右者ニ對スル殺人被告事件ニ付キ明治四十二年十月三十一日哈爾賓日本帝國總領事館ニ於テ檢察官溝淵孝雄書記岸田愛文列席通譯囑託園木末喜通譯
檢察官ハ被告人ニ對シ訊問スルコト左ノ如シ

問　氏名、年齡、身分、職業、住所、本籍地及出生地ハ如何
答　氏名ハ 金麗水
　　年齡ハ 三十歲
　　職業ハ 煙草卷職
　　住所ハ 露領水淸(スイチヨン)
　　本籍地ハ 韓國咸鏡北道 明川邑
　　出生地ハ 同所

問　其方ハ妻子父母ハアルカ又何處ニ居ルカ
答　母ト弟ガアリマス目今母ト弟ト共ニ水淸ニ居リマス

問　母ト弟ハ何業カ
答　農業デス

問　財産ハアルカ
答　財産ハアリマセヌ

問　其方ハ哈爾賓ヘ何日頃來タカ
答　八ケ年前カラ當地ニ來テ居リマス

問　哈爾賓ハ何處ニ居住シテ居ルノカ

答　四道街ニ居リマス

問　八ケ年前カラ四道街ノ同一ノ宿屋ニ居住シテ居ルノカ

答　家ハ時々轉ジマシタ

問　然ラハ最モ永ク居住シテ居タ所ハ何處カ

答　初メ六道街ニテ三年許リ居リマシタガ後「コルボス、 ナコルド」ヘ轉シ同所ニテ一年又五道街ヘ轉宅シテ一年許リ居ル中ニ日露戰爭ノ爲メ「ニコリスク」ヘ避難シ同所デ一ケ年許リ居リマシタ後又當地ニ來リ現在ノ所デ二年許居リマス

問　目今居ル四道街ノ家主ハ何ト云フカ

答　露國人デスガ氏名ハ知リマセヌ家ハ二十ト云フ番號デアリマス

問　其方ハ安應七ト云フ者ヲ知ルヤ

答　其姓名ハ聞キマシタルモ見タ事ハアリマセヌ

問　氏名ヲ知ルヤ

此時被告安應七ノ寫眞ヲ示ス

答　知リマセヌ

問　其方ハ浦汐ニテ宿屋ヲシテ居ル金基連ト云フ者ヲ知ルヤ

答　宿屋テ金ト云フ者ハアリマセヌ又朴寬玉ト云フ宿屋[1]ハアリマス

問　其方ハ禹連俊ト云フ者ヲ知ルヤ

1　者。

答　知リマセヌ

問　其禹ハ今日其方ト一所ニ當所ヘ來テ居ルガ全ク知ラヌカ
答　知リマセヌ

問　此帳面ハ其方宅ニ在ツタノカ

此時四十二年領特第一号ノ廿六ノ手帖ヲ示ス

答　左様デアリマス

問　何用ニ使用シテ居タカ
答　「チーハ」ノ事ヲ記スル帳面デアリマス

問　其方ハ「チーハ」ヲシタ事ガアルカ
答　私ガ露國人カラ預カツテ居ル家ヲ支那人ニ貸シマシタガ私ノ不在中デ支那人等ガ「チーハ」ヲ致シテ露國官憲ニ捕ヘラレ私迄モ連レテ行カレマシタ事ガアリマシタルモ私ハ「チーハ」ハ致シマセヌ
今御示シノ帳面ハ私ノ所有デハアリマセヌ

問　帳面ハ九月十六日迄ノ事ヲ記シテアルガ知ツテ居ルカ
答　私ハ知リマセヌ

問　其方ハ禹德順ヲ知ルヤ
答　知リマセヌ

問　今示シタ帳面ニ禹德順、安應七ト記シタノハ誰レガ書イタカ
答　私ガ書キマシタルモ全ク知ラヌ人デス

問　知ラヌ者ノ名前ヲ何故帳面ニ記シタカ

答　私ハ五道街ノ支那人ノ宅ヘ遊ヒニ行キタレハ仝家ニ韓國人ガ五六名居合ハセテ伊藤サンヲ殺シタノハ安應七ト禹德順ノ兩人デアル様話シテ居リマシタカラ夫レヲ記シタノデアリマス

問　其支那人ノ宅ハ何業カ
答　孫ト云フ飮食店デアリマス

問　其方ガ孫ノ宅デ伊藤公ヲ殺シタハ禹ト安デアルトノ事ヲ聞イタノハ何日カ
答　一昨日ノ午后一時頃デアリマシタ

問　帳面ニ安應七ト禹德順ノ名前ハ何處デ書イタカ
答　孫ノ宅デ書キマシタ

問　伊藤公ヲ殺シタノハ安應七ト禹德順ナル事ハ如何ニシテ判ツタノカ
答　如何ニシテ判ツタカ知リマセヌ話ヲ聞イタ丈ケデス

問　然ラハ禹德順、安應七ハ哈爾賓ニ居ル韓國人ノ中ニ名ノ知レテ居ル者カ
答　一向聞イタ事ノナイ名前デス孫ノ宅デ話ヲシテ居タ韓國人ハ其事ヲ支那人カラ聞イタト云フ事ヲ後デ聞キマシタ

問　此寫眞ハ安應七ノ寫眞ナルガ其方ハ知ラヌカ

此時被告安應七ノ寫眞ヲ示ス

答　私ハ哈爾賓ニ居ル朝鮮人ハ皆知ツテ居リマスガ此様ナ人ハ知リマセヌ

問　金成玉ト云フ者ハ其方ハ知ルヤ
答　知ツテ居リマス同人ハ瘡ノ醫師デアリマス

問　其方ノ親屬デハナイカ

答　同姓デアリマスモ親類デハアリマセヌ

問　伊藤公ヲ殺シタノハ安禹ノ兩人ナル事ヲ聞キタル後其方ハ金成玉ノ宅ヘ行キ同人ニ會ツタカ

答　私ハ行キタル事ハアリマセヌ同家ヘハ年ニ一回位シカ參リマセヌ

問　安應七ハ右醫者ノ宅ニ泊ツタ事ハ聞カサリシカ

答　左樣ナ事ハ聞キマセヌ

問　伊藤公カ先般哈爾賓ヘ來ラルル事ハ先方モ當時知ツテ居タカ

答　其事ハ聞キマセヌ道ノ掃除ヲシテ居ルカラ尋ネマシタレバ露國、日本、支那ノ各大臣ガ來ルト聞キマシタルモ其何人カ知リマセナンダ

問　其大臣ノ乘ラレテ居ル汽車ハ何時着スルト聞イタカ

答　日時ハ知リマセヌ

問　廿六日朝其方等ハ大官ガ來タ爲メ當停車場ヘ迎ヒニ行キタル事ハナイカ

答　アリマセヌ其日ハ煙草ヲ卷イテ居リマシタ

問　廿六日朝當停車場ニテ日本ノ大官ガ銃擊セラレタ事ハ聞カサリシヤ

答　其事ハ聞キマシタ

問　其方ハ何日露國ノ官憲ニ捕ヘラレタカ

答　昨日デアリマス

問　其前ニ何レカノ官憲ニ捕マツタ事ハナカリシヤ

答　其樣ナ事ハ更ニアリマセヌ然シ前ニ申シマシタル通リ本年春「チーハ」ヲシタト云フ事デ當領事館ヘ捕ヘラレテ來マシタ

問　其時罰セラレタカ

答　科料拾圓ニ處セラレマシタ

問　金成燁ト云フ者ヲ知ルヤ
答　知リマセヌ

問　蔡家溝ヘ來ルト云フ鄭大鎬ト云フ者ヲ知ルヤ
答　知リマセヌ又蔡家溝ト云フ所モ知リマセヌ

問　金澤信ヲ知ルヤ
答　知ツテ居リマス同人モ煙草卷デス
哈爾賓ニ居ル朝鮮人ハ殆ント皆煙草卷デス

問　鄭大鎬ト云フ者ハ知ルヤ
答　知リマセヌ

被告人 金麗水

右讀聞ケタルニ承諾ノ上自署セリ
卽日前記總領事館ニ於テ
但出張先ニ係ルヲ以テ所屬官署ノ印ヲ用フル能ハス

關東都督府地方法院
書記　　岸田愛文
高等法院檢察官　　溝淵孝雄
囑託通譯　　園木末喜

金麗水 第二回 訊問記錄

被告人 第二回 訊問調書

被告人 金麗水

右ノ者ニ對スル殺人被告事件ニ付明治四十二年十一月二十日關東都督府監獄署ニ於テ檢察官溝淵孝雄書記岸田愛文列席通辯囑託園木末喜通譯
檢察官ハ前回ニ引續キ前記被告人ニ對シ訊問ヲ爲スコト左ノ如シ

問　其方ノ妻ハ日本人カ
答　左樣デアリマス

問　名前ハ何ト云フカ
答　松尾ヨネ子ト云ヒマス

問　妻ノ年ハ幾歲カ
答　三十歲デアリマス

問　何年頃夫婦ニ爲ツタカ
答　二年前夫婦ニ爲リマシタ

問　子ハアルカ
答　一人アリマシタルモ死ニマシタ今ハ妻ハ姙娠三、四ヶ月デアリマス

問　哈爾賓ノ日本領事館ハ其方等ノ世話ヲシテ吳レルカ
答　種々世話ヲシテ貰フテ居リマス

問　如何ナル世話ヲシテ貰フテ居ルカ

答　私ハ煙草巻デアリマスカラ別般世話ヲ受クル様ナ事モアリマセヌガ郵便杯ヲ出ス時ニハ領事館ヘ頼ンデ送ツテ貰フテ居リマシタ

問　郵便ハ差出人カ受取人カ何レカ一方ガ日本人デナクバ領事館ニハ取扱フテ呉レヌノデハナイカ

答　私ハ澤山郵便ハ出シマセヌガ是迄ニ二度手紙ヲ出シマシタ夫レハ差出人モ受取人モ韓國人デアリマシタガ矢張日本ノ領事館ヘ頼ンデ送ツテ貰ヒマシタ

問　其郵便物ハ日本民會デ取扱フテ貰ツタノデハナイカ

答　領事館ヘ直接頼ンテ出シテ貰ヒマシタ

問　其方ハ安應七、禹連俊ト云フ者ヲ知ツテ居ルカ

答　其人ハ知リマセヌ然シ先般伊藤サンガ殺サレタノデ其下手人ハ朝鮮人デアルト聞キマシタガ 私ハ妻ト共ニ一度日本ヘ行ク積リヲシテ居リマシタノデ若シ人ニ聞カレテ其下手ノ名前ヲ知ラヌカト云フノモ愚デアリマスカラ朝鮮人ノ集マツテ居ル處ヘ其名前ヲ聞キニ行キマシタレハ其所ニ支那人ガ居ツテ下手人ハ安應七ト云フ者デ尙ホ禹連俊ト云フ者モ共犯人デアルト聞キマシタカラ忘レヌ樣ニ私ノ手帳ニ兩人ノ名前ヲ書イテ置キマシタ次第デアリマス

問　其方ガ其事ヲ支那人カラ聞イタノハ何日カ

答　十六日デアリマシタ

問　支那人ハ何故安ヤ禹ノ名前ヲ知ツテ居ツタカ

答　支那人ハ其日停車場ヘ行キテ安ヲ見タト申シマシタ

問　禹ト云フ者ハ如何

答　禹ハ見タトハ申シマセヌ私ハ安ト云フ者ガ殺シタカト尋ネマシタレハ外ニ禹ト云フ者モ同類デアル事ヲ韓國人カラ聞イタト話シマシタ其支那人ハ今モ哈爾賓ニ居リマス

問　今其支那人ハ哈爾賓ノ何處ニ居ルカ

答　同地ノ姜鳳周方ニ居ル金益智ト云フ者デアリマス

問　金衡在ト云フ者ハ日本反對ノ者カ又親日派ノ者カ

答　私ハ知リマセヌ只同人ハ學校デ無報酬テ教師ヲシテ傍ラ新聞ノ飜譯ヲシテ居ルト云フ事ヲ聞キマシタ

問　先般伊藤サンヲ殺シタ者ハ哈爾賓又ハ浦潮ヘ氣脈ヲ通シテ居ルト云フ事ハ聞カサリシカ

答　其事ハ知リマセヌ安ト云フ者ハ平壤ノ者デ禹ハ慶尙道ノ者ト丈ケ聞キマシタ

問　鄭大鎬ト云フ者ヲ知ルヤ

答　知リマセヌ

問　卓公圭ヲ知ルヤ

答　知ツテ居リマス

問　卓公圭ハ排日ノ者カ親日ノ者カ

答　名前ヲ聞イテ居ル丈ケデ昨年浦汐カラ來タ人デアルト聞キマシタ

問　其方ハ浦汐ノ新聞社ノ者ヲ知ルヤ

答　一人モ知ツタ者ハアリマセヌ

問　其方ハ前ニ義兵ニ這入ツテ居ラサリシカ

答　哈爾賓ヘ來テ私ハ九年ニ爲リマスノデ義兵等ニハ更ニ關係ハアリマセヌ

被告人 金麗水

右讀聞カセタルニ相違ナキコトヲ承諾シ自署セリ

卽日前記場所ニ於テ

但出張先ニ係ルヲ以テ所屬官署ノ印ヲ用フル能ハス

關東都督府地方法院
書記　岸田愛文
高等法院檢察官　溝淵孝雄
囑託通譯　園木末喜

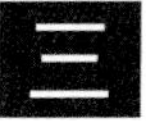

金成玉 第一回 訊問記錄

被告人 訊問調書

被告人 金成玉

右ノ者ニ對スル殺人被告事件ニ付キ明治四十二年十月三十一日哈爾賓日本帝國總領事館ニ於テ檢察官溝淵孝雄書記岸田愛文列席通譯囑託園木末喜通譯
檢察官ハ被告人ニ對シ訊[1]スルコト左ノ如シ

問　氏名年齡身分職業住所本籍地出生地ハ如何
答　氏名ハ 金成玉
　　年齡ハ 四十九歲
　　職業ハ 藥鋪
　　身分ハ—
　　住所ハ 哈爾賓 四道街八百四十六番
　　本籍地ハ 韓國京城北署沙洞
　　出生地ハ 同所

問　其方ハ妻子ハアルカ
答　アリマス

問　何處ニ居ルカ
答　當地ニ居リマス

問　父母ハアルカ

---

1 訊問。

答　死亡シテ在リマセヌ

問　其方ハ資産アルカ

答　更ニアリマセヌ賣藥業デ生計シテ居リマス

問　哈爾賓ヘハ何年來タカ

答　三年前ニ來マシテ引續住ンデ居リマス

問　哈爾賓ニ於ケレル韓國人ノ民長ハ誰レカ

答　金成白ガ民長デス

問　同人ハ其方ノ親屬カ

答　何ン關係モアリマセヌ幾十年前カラ同人ハ當地ヘ來テ居リマス

問　此者ヲ知ルヤ

此時被告安應七ノ寫眞ヲ示ス

答　此樣ナ人ハ知リマスセヌ又哈爾賓ニハ居ラヌ人デス

問　其方ハ金麗水ト云フ者ヲ知ルカ

答　顔ヲ見レハ知ツテ居ルカモ知レマセヌモ氏名ハ知リマセヌ

問　曹道先ヲ知ルヤ

答　私ノ宅デ泊ツテ居リマシタ私ノ宅ハ廣イノデ殊ニ賄ヲ致シテ居リマスカラ數十日間モ私宅ニ居リマシタ

問　同人ハ其方宅ヘ何日來タカ

答　八月十幾日頃私ノ宅ヘ來マシタ

問　何人ノ紹介デ同人ヲ宿泊セシメタカ
答　別ニ紹介者ハアリマセヌ

問　其方宅デ一切ノ賄ヲスルノカ
答　左様デアリマス然シ時ニハ他デ食事ヲシテ來タ事モアリマス

問　同人ハ何日其方宅ヲ出テ以來歸ラヌカ
答　今ヨリ十五日許前ニ出テ行キマシテ何レヘ行キタカ知リマセヌ

問　曹道先ハ何業カ
答　夫レハ知リマセヌ

問　同人ノ友人ガ何人カヲ連レテ其方宅ヘ來タ事ハイナカリシカ
答　人ヲ連レテ來タ事ハアリマセヌ

問　其方ハ禹連俊ト云フ者ヲ知ルヤ
答　知リマセヌ私ノ宅ヘ來タ事モナシ又哈爾賓ニモ居ラヌ人ト思ヒマス

問　其方宅ニハ住所氏名ノ知ラヌ浮浪者ヲ宿泊セシメテ居ルカ
答　知ラヌ者モ來テ頼メバ金ガナクトモ食事ヲサセテ世話ヲシテヤリマス

問　此者ハ其方ガ先刻宿泊サセタル事ガアルト云フタ男カ

此時被告曹道先ヲ被告ニ示ス

答　此男ニ相違アリマセヌ

問　其方宅ニ人ヲ賄ヒタリ又宿泊人ガ去來シタ事ヲ記シタ帳簿又ハ日記類ハナイカ
答　其様ナモノハ更ニアリマセヌ

問　其方宅ハ宿屋ヲシテ居ルノカ

答　宿屋ガ業デハアリマセヌ只タ厚意的デ宿泊サセテヤルノデス又官署ノ許可モ受ケテ居リマセヌ

問　其方ハ禹德順ト云フ者ヲ知ルヤ

答　知リマセヌ

問　此名ハ知ツテ居ルヤ

此時禹連俊ヲ被告ニ示ス

答　知ラヌ人デアリマス

問　宿屋業ニモアラサルニ其方ノ知ラヌ者ガ如何ナル關係デ宿泊ヲ賴ンデ行クノカ

答　私ノ方テハ金ノ無キ者ニモ賴マルレバ食事ヲサセテ遣ルノデ皆カラ聞キ傳ヘテ來ルノデス

問　其方ハ小供ハ幾人アルカ

答　三人アリマス

問　賣藥ヲ賣ツテ[2]月何程ノ收入ガアルカ

答　一ケ月百二三十兩[3]位收入ガアリマス

問　其方宅ノ家賃ハ何程カ

答　一ケ月ニ五拾兩デアリマス

問　營業ニ關スル稅ハ何程納メテ居ルカ

2　藥ヲ賣ツテ。
3　留。

答　税金ハ一ツモ納ムル事ハアリマセヌ

問　家賃ヲ拂フテ五人ノ家族ガ生活セハ收入ニ比シ餘リ餘裕ハナイ様思フガ夫レニ人ニ只食事ヲサセテ差支ガナイカ

答　金ガナイカラトテ追出ス事ハ出來マセヌカラ養フテ居リマス

問　其方ハ外ニ何カ收入ガアルノデハナイカ

答　他ニ收入ハ何モアリマセヌ

問　伊藤公爵ガ哈爾賓デ狙撃セラレタル事ハ知ツテ居ルカ

答　聞イテ知ツテ居リマス

問　何日聞イタカ

答　三日許前ニ聞キマシタ

問　狙撃シタ者ハ何國ノ者ト聞イタカ

答　韓國人デアルト聞キマシタ

問　其者ノ名前ヲ聞イタカ

答　名前ハ聞キマセヌ

問　幾人デアツタカ

答　幾人デアツタカ知リマセヌ

問　其方ハ安應七ト云フ者ヲ知ツテ居ルカ

答　更ニ知リマセヌ又名前モ曾テ聞イタ事ハアリマセヌ

問　朝鮮人側デハ伊藤公ヲ狙撃シタハ安應七デアルトノ評判ガアルトノ事ナルガ其方ハ知ラサリシカ

答　一向知リマセヌ

問　今一人ノ下手人ハ禹德順ト云フ者ナリトノ事ナルガ夫レモ知ラヌカ
答　夫レモ知リマセヌ

答　其方ト一所ニ露國官憲カラ送ラレ居ル者ノ中ニ其方ノ知ツテ居ル者ハアルカ
問　アリマス夫レハ金澤信、金チンテクト云ヒマスガ其方ノ文字ハ知リマセヌ又名不詳ノ洪ト云フ者及ビ方士瞻卓公「ク」[4]金鳳照(ポンチョ)等デス其他ニハ顔ハ知ツタ者ガアリマスガ氏名ハ知リマセヌ

被告人 金成玉

右讀聞ケタルニ承諾ノ上自署セリ
卽日前記總領事館ニ於テ
但出張先ニ係ルヲ以テ所屬官署ノ印ヲ用フル能ハス

關東都督府地方法院
書記　竹內愛文
高等法院檢察官　溝淵孝雄

4 卓公圭。

四 金成玉 第二回 訊問記錄

被告人 第二回 訊問調書

被告人 金成玉

右ノ者ニ對スル殺人被告事件ニ付明治四十二年十一月二十日關東都督府監獄署ニ於テ檢察官溝淵孝雄書記岸田愛文列席通譯囑託園木末喜通譯
檢察官ハ前回ニ引續キ前記被告人ニ對シ訊問ヲ爲スコト左ノ如シ

問　其方ガ露國官憲ニ取押ヘラレタノハ十三日カ十四日カ
答　十三日ノ夕方デアリマス

問　何處デ捕ヘラレタカ
答　自宅デ捕ヘラレマシタ

問　其方ノ原籍ハ京城北沙洞ノ何ト云フ處カ
答　私ハ國ヲ出テ十二年ニ爲リマスカラ家ノ番號杯ハ其時ハアリマセナンダカラ判リマセヌガ沙洞ノ四ツ辻ノ所デ商業ヲ致シテ居リマシタ

問　其方ノ父ノ名ハ何ト云フカ
答　金光前ト云ヒマシテ忠淸道ノ江景ニ住ンデ農業ヲ致シテ居リマシタ

問　父ハ今モ存生カ
答　私ノ十五歲ノ時死ニマシタ私ハ兄弟モナイ者デス

問　其方ハ十二年前北沙洞ヲ出テ何處ニ居ツタカ
答　小王嶺ヲ經テ吉林ニ行キテ居リマスタ

問　哈爾賓ヘ來テ幾年ニナルカ
答　三年ニ爲リマシタ

問　其方ハ浦潮ニ居ツタ事ハナイカ
答　小王嶺ニ行ク時同所ヲ通リシタ丈ケデ住ンデ居ツタ事ハアリマセヌ

問　其方ノ妻ハ露國人カ韓國人カ
答　韓國ノ者デアリマス

問　子供ハ幾人アルカ
答　女子ガ三人アリマス

問　子供等ハ哈爾賓四道街デ同居シテ居ルカ
答　左樣デス

問　其方宅ヘ曹道先ガ來テ宿泊シテ居ツタカ
答　左樣デアリマス

問　曹ハ其方宅ヘ何日來タカ又何ケ月程居ツタカ
答　八月十日ニ來テ十數日間滯在シテ居リマシタ

問　同人ハ九月九日頃迄居ツタノデハナイカ
答　確カニハ覺ヘマセヌモ九月初頃マデ居ツタカト思ヒマス

問　同人ハ哈爾賓デ商業デモスルト申シテ居ツタカ
答　初メテ來タ時洗濯屋デモスル樣申シテ居リマシタガ其後洗濯屋ハ始メマセナンダ

問　資本ハ持ツテ居ツタカ又其方ニ出シテ吳レトハ申ササリシカ
答　資本ノ事ハ何トモ聞キマセナンダ

問　同人ハ貯蓄金デモ持ツテ居ツタ風デアツタカ

答　夫レハ知リマセヌ

問　曹ガ始メ其方宅ヘ來タ時携帶品ヲ澤山持ツテ來タカ

答　何モ持ツテ居リマセヌ体丈ケデス

問　食料費ハ其方宅ヘ支拂フタカ

答　拂ヲ受ケタモノモアリマスシ又受取ラヌモノモアリマス同人ハ他デ泊ツテ來タ事モ時々アリマシタ

問　同人ハ妻「イルクシク[1]」カラ呼ブト申シテ居ツタカ

答　左様申シテ居リマシタ

問　其前ニ其方宅ヘ曹道先宛テヘ「イルクシク[2]」ニ居ル妻カラ電報ガ來タ事ガアルカ

答　夫レハ知リマセヌ

問　曹ガ其方宅ニ居ル頃安ト云フ者ト禹ト云フ者トガ同人ヲ尋ネテ[3]事ハナイカ

答　左様ナ事ハアリマセナンダ

問　其方ハ東興學校ノ校長カ

答　左様デアリマス

問　其學校ノ經費ハ如何ニシテ集メテ居ルカ

答　夫レハ生徒カラ月ニ一円宛徵收シテ夫レデ維持シテ居リマス

問　哈爾賓日本領事館ハ其方等ノ爲メ又韓國民會等ノ世話ヲシテ吳ルルカ

1　イルクツク。
2　イルクツク。
3　尋ネテ居タ。

答　申スマデモナク能ク世話ヲシテ吳レマス

問　如何ナル世話ヲ受ケテ居ルカ
答　韓人ノ間ニ罪人等ガアラハ取調ヲ致シテ吳レマスシ又私ノ醫術ノ免許狀モ日本ノ領事館カラ下付シテ吳レテ居リマス

問　其方ノ賣藥許可證モ日本領事館カラ下付セラレテ居ルカ
答　左樣デアリマス

問　露國ノ領事館カラ下付セラレテ居ルノデハナイカ
答　左樣デハアリマセヌ

問　其方ハ朝鮮ヘ手紙杯ヲ出スニハ如何ニシテ居ルカ
答　日本居留民會ト書イテ夫ヲ日本民會ヘ持チ行キ取扱フテ貰フテ居リマス

問　差出人、受取人何レカ一方ガ日本人デナケレハ取扱フテ吳レヌノデハナイカ
答　左樣ナ事ハアリマセヌ又差出人受取人共ニ韓國人デモ日本ノ民會ニ取扱フテ吳レテ居リマス

問　日本居留民會ト書クカラ日本居留民會デ取扱フノデ若シ居留民會トセズニ韓人間ノ郵便ハ日本郵便デハ取扱フテ吳レヌノデハナイカ
答　其辺ノ事ハ委敷知リマセヌ哈爾賓ノ韓人ガ日本居留民會ヘ賴ンテ居ルノハ他ノ郵便デヤレヌカラデアロウト思ヒマス

問　其方ハ党派ニ關係シテ居ルカ
答　何等其樣ナ關係ハアリマセヌ小供ガ學校ニ通フテ居リマスカラ學校ニハ關係シテ居リマス

問　哈爾賓ニハ日本人ヲ排斥スル樣ナ会ガアルカ
答　其樣ナ会アル事ハ知リマセヌ同地ハ煙草卷ガ多イカラ其等ノ者ノ間ニ共立會ト

云フ会ガアツテ煙草巻ニ關スル事ヲヤツテ居ルトノ事ハ聞キマシタ
尚ホ申上ケマス私ハ哈爾賓ノ日本領事サンニ種々御世話ニ爲ツテ私ノ一家ガ生計ガ出來マスノデ私ハ日本ニ對シテ大イニ感謝シテ居リマス次第デ夫レヲ御考ヘ下サツタレハ今回ノ事件ニ關係シテ居ラヌ事ハ判ルト思ヒマス私ハ知ツテ居ル事ハ何事モ隱サズ事實ヲ申立テマス

問　其方ハ金衡在ヲ知ルヤ
答　知ツテ居リマス

問　同人ハ教師ノ傍ラ新聞ノ通信ヲ業トシテ居ル者カ
答　左様デス

問　浦潮ノ新聞社ノ社員デハナイカ
答　浦潮ノ大東共報杯ニハ關係シテ居ラヌ様思ヒマス哈爾賓ニアル遠東報其他露國ノ新聞ニ關係シテ居ル様ニ聞キマシタ

問　支那新聞又ハ韓國內地ノ新聞ニ關係シテ居ラヌカ
答　遠東報ハ支那ノ新聞デアリマス韓國ノ新聞ニハ關係シテ居リマセヌ

問　其方ハ金麗水ヲ知ルヤ
答　知ツテ居リマス

問　同人ハ何ノ職業カ
答　煙草巻デ博奕ヲスル男デス

問　金麗水ハ東興學校生徒カ
答　左様デス時々學校ニ來マス

問　同人ニ妻ガアルカ
答　日本人ノ妻ヲ持ツテ居リマス

問　同人ハ日本反對ノ者デハイカ

答　其樣ナ事ハナイ樣ニ思ヒマス

問　金麗水ハ學問ガアルカ

答　自分ノ姓名ヲ書キ得ル位デス

問　卓公圭ヲ知ルヤ

答　知ツテ居リマス

問　同人モ東興學校ニ關係シテ居ルカ

答　朝鮮ノ讀文[4]ノ教師ニ來マシテ五六日ニシカ爲リマセナンダ

問　同人ハ日排派[5]カ又親日ノ者カ

答　余リ親密デハアリマセヌカラ知リマセヌカ初メ同人ハ余リ心懸ケガ能クナイカラ學校ニ入レヌ事ニ爲ツテ居リマシタガ私ノ宅杯ヘモ來マシテ終ニ入レル事ニ爲ツテ間モナク捕ヘラレタノデス

問　鄭大鎬ト云フ者ヲ知ルヤ

答　其樣ナ人ハ知リマセヌ

問　其方ハ浦潮ノ新聞社ノ李岡ト柳智律ト云フ者ヲ知ツテ居ルカ

答　其樣ナ人ハ更ニ知リマセヌ初メテ聞ク名前デス

問　今度韓國人ガ伊藤サンヲ殺シタ事ニ關シ其方ノ聞込ミ又ハ予想ハ如何

答　私ハ二ケ月許リ前カラ病氣デ商業モ人ニ任セテ在ツタ次第デ現ニ捕ヘラレタ時モ病氣デ寢テ居ツタノデアリマス故ニ今回ノ事ハ何トモ予想ハ付キマセヌ然シ哈爾賓ニ居ルモノノ企デハアリマスマイ私ハ韓國本國デ企テタノデハアルマイカ

4　諺文。
5　排日派。

ト思フテ居リマス

哈爾賓ニ居ル者ノ中デ金成白ハ外國ニ國籍ヲ置イテ居ル者デ平素日本ニ對シ穩カナラヌ事杯ヲ申ス男デアリマスカラ若シ哈爾賓ニ居ル者ガ關係シテ居ルトセハ同人位デ其他ニハアリマスマイト思ヒマス

被告人 金成玉

右讀聞カセタルニ相違ナキコトヲ承諾シ自署セリ
卽日前記場所ニ於テ
但出張先ニ係ルヲ以テ所屬官署ノ印ヲ用フル能ハス

關東都督府地方法院
書記　　岸田愛文
高等法院檢察官　　溝淵孝雄
囑託通譯　　園木末喜

五 金培根 訊問記錄

被告人 訊問調書

被告人 金培根

右者ニ對スル殺人被告事件ニ付キ明治四十二年十月三十一日哈爾賓日本帝國總領事館ニ於テ檢察官溝淵孝雄書記岸田愛文列席通譯囑託園木末喜通譯
檢察官ハ被告人ニ對シ訊問スルコト左ノ如シ

問　氏名年齢身分職業住所本籍地及出生地ハ如何
答　氏名ハ 金培根(金成燁事)
　　年齢ハ 廿九歲
　　職業ハ 煙草卷職
　　住所ハ 哈爾賓プリスタニ韓人李白順方
　　本籍ハ 韓國忠淸南道定山郡赤面北室
　　出生地ハ 同所

問　其方ハ妻子ハアルカ
答　アリマス

問　妻子ハ今何處ニ居ルカ
答　本籍地ニ居リマス

問　其方ノ父母ハアルカ
答　アリマス皆原籍地ニ居リマス

問　其方ハ日本語ヲ解スルカ
答　私ハ哈爾賓ヘ來ル迄ハ長春ノ郵便局ニ居リマシタガ其以前ハ遼陽西門外百廿

四番ニ居ル第十師團御用商人後藤伊太郎ト云フ人ノ宅ニマシタノデ[1]少々日本語ヲ知ツテ居リマス

問　其方哈爾賓ヘハ何日來タカ
答　本年三、四月頃ニ來マシタ

問　其方ハ何處デ煙草巻ヲシテ居ルノカ
答　人ノ宅テハ巻キマセヌ私ノ宅ヘ取ツテ來テ賃巻ヲシテ居リマス

問　其方ハ何日露國ノ官憲ニ捕ヘラレタカ
答　陰暦本月十三日午后七時頃捕ヘラレマシタ

問　如何ナル場所デ捕ヘラレタカ
答　當地四道街ヘ遊ヒニ行キタ時捕ヘラレマシタ

問　四道街ノ捕ヘラレタ處ニハ何カ目標ハナイカ
答　外國四道街路上テ捕ヘラレマシタノデ目標ハ何ニモアリマセヌ

問　其日ノ朝其方ハ何處カヘ行キタカ
答　其日ニハ煙艸三十本ヲ巻カネハナラヌノテ何處ヘモ行キマセヌ三十本ヲ巻イテ仕舞テ遊ヒニ行キ懸ケタ途中デ捕ヘラレマシタ

問　其三十本ノ煙艸ハ何人カラ巻ノヲ頼マレタカ
答　露西亞人デアリマス其ノ氏名ハ知リマセヌ然シ五道街ノ角ノ宅カラ八九、軒目ノ宅デアリマス

問　其家ノ主人ヤ妻君ノ顔ハ知ルヤ

1　マシタノデアリ。

答　知リマセヌ

問　三十本ノ煙草ヲ巻イテ賃錢ヲ貰フタカ
答　露貨デ九拾哥貰ヒマシタ

問　其日伊藤サンガ狙撃セラレタル事ヲ聞イタカ
答　后テ聞キマシタ

問　誰レカ狙撃シタト聞イタカ
答　誰レカ知リマセヌモ韓國人ガ撃ツタト聞キマシタ

問　其方ハ李珍玉、鄭瑞雨、金麗水、張首明、金成玉、金澤信、柳江露、卓公圭、洪時濬、鄭大鎬、禹連俊、曹道先、方士瞻ヲ知ルヤ
答　禹連俊、曹道先、鄭瑞雨ハ全ク知ラヌ人デ又柳江露、 鄭大鎬ハ私ト一所ニ捕ヘラレテ獄屋デ知リマシタ其他ノ者ハ皆知ツテ居リマス

問　此者ハ知ラヌカ

此時安應七ノ寫眞ヲ示ス

答　知リマセヌ

問　安應七ト云フ者ヲ知ルヤ
答　全ク知ラヌ人デアリマス

問　朝鮮人ノ墓ヲ移轉シタ事カアルカ
答　アリマス陰暦九月十一日ニ拾七筒所移轉シマシタ

問　墓ノ移轉ニ付キ回章ガ來タカ
答　來マシタ若シ行カネハ金ヲ一圓出セトノ事故私モ行キマシタ

問　此時卓公圭、洪時濬其他尚ホ同所ヘ行キテ居タ者カアルカ

答　百幾十人集マリマシタカラ一々覺ヘマセヌカ洪時濬、李珍玉ノ兩人ハ見受ケマシタ金ノ無キ者カ仕事ニ行キ金ノ在ル人ハ金ヲ出シタノガ多少御座イマス

問　其方ハ長春郵便局又ハ遼陽ニ居タ時モ金成燁ト云フテ居タカ

答　私ハ其時金培根ト云フテ居リマシタ私ハ金成燁ト云フノハ字テアリマス

被告人 金培根 字成燁

問　其方ハ今何ト云フテ居ルカ

答　當地テハ金成燁ト云フテ居リマス又露國官憲デ取調ヘラレタル時モ金成燁ト申シマシタ

被告人 金培根

右讀聞カセタルニ承諾ノ上自署セリ
卽日前記場所ニ於テ
但出張先ニ係ルヲ以テ所屬官署ノ印ヲ用フル能ハス

關東都督府地方法院
書記　　岸田愛文
高等法院檢察官　　溝淵孝雄
囑託通譯　　園木末喜

六 金澤信 訊問記錄

被告人 訊問調書

被告人 金澤信

右者ニ對スル殺人被告事件ニ付キ明治四十二年十月三十一日哈爾賓日本帝國總領事館ニ於テ檢察官溝淵孝雄書記岸田愛文列席通譯囑託園木末喜通譯
檢察官ハ被告人ニ對シ訊問スルコト左ノ如シ

問　氏名年齡身分職業住所本籍地及出生地ハ如何
答　氏名ハ 金澤信
　　年齡ハ 三十五歲
　　職業ハ 煙草卷職
　　住所ハ 哈爾賓六道街
　　本籍地ハ 韓國咸鏡南道端川邑北門內城洞
　　出生地ハ 同所

問　其方ハ人ニ雇レテ居ルノカ
答　淸國人ノ家ヲ人ト一所ニ借ツテ住ンテ居リマス賄ハ朴官玉ト云フ者ガシテ居リマス

問　其方ノ同居者ノ氏名ハ如何
答　皆仕事ニ出テ飯ヲ食ヒニ歸ル丈ケテスカラ氏名ハ知リマセヌ

問　金麗水ト云フ者ヲ知ルヤ
答　知リマセヌ

問　同人ハ朴官玉ノ宅ニ居ル者ナルガ知ラヌカ

答　其様ナ者ハ朴ノ宅ニハ居リマセヌ

問　本日其方ト一所ニ捕ヘラレテ來テ居ル者ノ中ニ其方ノ知ツタ者ガアルカ
答　洪時濬ハ同郷ノ者故知ツテ居リマス

問　其外ニ知ツテ居ル者ハナイカ
答　外ニ知ツタ者ハアリマセヌ

問　其方ハ妻子父母ハアルカ
答　父母ハアリマスモ妻子ハアリマセヌ

問　父母ハ何處ニ居ルカ
答　原籍地ニ居リマス

問　其方ハ禹連俊、禹德順、鄭大鎬、鄭瑞雨ナル者ヲ知ルヤ
答　皆知リマセヌ

問　方士瞻ハ知ルヤ
答　知ツテ居リマス

問　李珍玉ハ知ルヤ
答　知ツテ居リマス

問　卓公圭ハ知ルヤ
答　知ツテ居リマス

問　金成玉ハ如何
答　知リマセヌ

問　此者ハ知ツテ居ルカ

此時被告安應七ノ寫眞ヲ示ス

答　更ニ知リマセヌ

問　其方ハ安應七ト云フ名前ヲ聞イタ事ガアルカ

答　聞イタ事ハアリマセヌ

問　陰暦九月十一日韓國人ノ墓ヲ改葬シタル事ガアルカ

答　其事ハ聞キマシタルモ私ハ行キマセナンダ

問　改葬ニハ行カヌデモヨイノカ又行カズシテ何カ其償ヒデモシタカ

答　改葬ノ日マテ知リマセヌデシタ私ハ日本人ノ宅ヘ煙草ヲ卷キニ行ク途中皆韓國人ガ改葬ニ出懸ケテ居ツテ私ニモ行カヌカト申シマシタルモ斷リマシタ若シ行カネハ一円ノ償金ヲ出セト申シマシタルモ私ハ出シマセナンタ

問　其方ガ煙草卷キニ行ク日本人ノ居所氏名ハ如何

答　プチヨイ、ウイルチエニテ料理屋ヲシテ居ル人デ名前ハ知リマセヌ其宅ニ尙旣ニ韓人ノ李莩「クワ」ト云フ者カ居リマス主人ハ下髭ガ澤山アル人デス

問　今度其方ハ何處デ捕ヘラレタカ

答　町名ハ知リマセヌモ支那人ノ料理店ノアル處デ捕ヘラレマシタ私ノ捕ヘラレタル現場ハ料理店カラ橋ヲ渡ツタ便所ノアル處デ全ク支那市場デアリマス

問　何日何時頃捕ヘラレタカ

答　陰暦九月十三日午前十時頃デシタ

問　何處ヘ行ク途中ナリシカ

答　日本人ノ宅ヘ煙草卷ノ仕事ヲ聞キ合セニ行ク途中デシタ

問　捕ヘラレテ何處ニ連レテ行カレタカ

答　初メ金成白ノ宅ヘ同行セラレマシタ同家ニハ露國ノ將校ガ澤山來テ居リマシタ

問　廿六日ノ朝伊藤公爵ガ哈爾賓ヘ來着セラルル事ヲ知ツテ居タカ
答　知リマセナンタ

問　伊藤公ガ狙撃セラレタル事ヲ知ツテ居ツタカ
答　知リマセナンダカ捕ヘラレテ居ル間韓國龍巖浦カラ來テ居ル者ガ[1]伊藤サンガ殺サレタト申シテ居ルノヲ聞キマシタ

問　其者ヲ露國官憲ニ[2]捕ヘテ居タカ
答　左様デアリマス

被告人 金澤信

右讀聞セタルニ相違ナキコトヲ承諾シ自署セリ
卽日前記總領事館ニ於テ
但シ出張先ニ係ルヲ以テ所屬官署ノ印ヲ用フル能ハス

關東都督府地方法院
書記　岸田愛文
高等法院檢察官　溝淵孝雄
囑託通譯　園木末喜

1　ニ。
2　露國官憲ガ。

七 金衡在 第一回 訊問記錄

被告人 訊問調書

被告人 金衡在

右者ニ對スル殺人被告事件ニ付明治四十二年十月三十一日哈爾賓日本帝國總領事館ニ於テ檢察官溝淵孝雄書記岸田愛文列席通譯囑託園木末喜通譯
檢察官ハ被告人ニ對シ訊問スルコト左ノ如シ

問　氏名年齢身分職業住所本籍地及出生地ハ如何
答　氏名ハ 金衡在
　　年齢ハ 三十歲
　　職業ハ 夜學校教師及新聞飜譯
　　住所ハ 哈爾賓プリスタニ外國三道街四十七番東興學校內
　　本籍地ハ 韓國慶尙北道安東郡豊西面九潭
　　出生地ハ 同所

問　其方ハ妻子ガアルカ
答　アリマス

問　父母モアルカ
答　久敷前國ヲ出マシタカラ今ハ生死モ判リマセヌ

問　東興學校ハ何人ガ校主カ
答　設立者ハ金成白デアリマシタカ今ハ金成玉カ校長ニ爲ツタ[1]居リマス

1　爲ツテ。

問　其方ハ何ノ受持カ

答　夜學校デスカラ算術ト韓國ノ國文トヲ受持ツテ居リマス

問　外ニ如何ナル科目ヲ教ヘテ居ルカ

答　外ニ書取リ等モヲヤラセマス

問　露國語ハ如何

答　露國語モ教ヘテ居リマス

問　露語ノ教員ハ誰レカ

答　元露國軍隊ノ中隊長ヲシテ居リマシタ正尉(日本ノ大尉)「ワシリ、ラサラビ-チ、エレベチキン」ト云フ人デス

問　韓國人ノ教員ハ其方一人カ

答　韓國人ノ教員ハ私ニ外ニ卓公圭モ居リマス同人ハ國文ヲ教ヘテ居リマス

問　世界歷史又ハ東洋歷史ヲ教ヘテ居ルカ

答　教ヘテ居リマス

問　夫レモ其方ガ教テ居ルカ

答　科目ハ置イテアリマスガ今ハ未ダ發音位シカ教ヘテ居リマス[2]

問　韓國ノ歷史ハ無論教ヘテ居ルカ

答　教ヘル爲メ浦汐カラ本ヲ二冊買ヒ入レマシタカ未タ[3]教ヘテハ居リマセヌ

問　生徒ハ如何様ナ人カ

答　人夫ト稼人デアリマス

2　居リマセヌ。
3　未ダ。

問　其學校ノ生徒ニ柳江露ト云ウ者ハナイカ
答　其様ナ者ハアリマセヌ

問　夜學生徒ノ中ニ李珍玉、金麗水、張首明、金沢信、洪時濬、金成燁、禹連俊、曹道先、方士瞻ナル者ガアルカ
答　金澤信ノ弟金澤俊ハ生徒デス又洪時濬、金成燁、李珍玉モ皆生徒デアリマス又方士瞻モ時々聽講ニ來マス禹、曹ハ生徒デハアリマセヌ

問　鄭大鎬ト云ウ者ヲ知ツテ居ルカ
答　知ツテ居リマス

問　同人ハ何ヲシテ居ルカ
答　ポブラニノ稅關ノ主事デ英語ノ通譯デアリマス

問　禹連俊、曹道先ハ共ニ知リ合ノ者テハナイカ
答　禹連俊ハ知リマセヌ曹道先ハ名ハ聞イテ居リマシタカ先頃自宅ト金成玉ノ宅トデ會フタ事ガアリマス

問　同人ハ韓國ノ義兵デハナイカ
答　左様ナ事ハ聞キマセヌ

問　禹德順ト云ウ者ハ知ラヌカ
答　知リマセヌ

問　其方ハ新聞ノ飜譯ヲシテ居ルト云フカ韓字ヲ何國ノ語ニ譯スノカ
答　露語又ハ淸語ニ譯シマス

問　然ラハ露國又ハ淸國ノ新聞カラ委托ヲ受ケテ居ルカ
答　委托ヲ受ケテハ居リマセヌモ反譯料ハ貰フテ居リマス

問　其反譯料ヲ貰フテ居ル新聞ハ何處ノ新聞カ
答　露國ノ「ローバイ、シシン」ト「ハルピン」ト二新聞ト支那ノ遠東報デアリマス

問　其方ハ政治上如何ナル党派ニ屬シテ居ルノカ
答　党派ニハ關係ハアリマセヌ元當地ニ共立會其他ノ會ガアリマシタカ私ハ入會シテ居リマセヌ

問　此男ハ知ツテ居ルカ

此時被告安應七ノ寫眞ヲ示ス

答　一向知ラヌ人デアリマス

問　其方ハ安應七ト云フ名前ヲ聞イタ事ハナイカ
答　新聞デ安ト云フ名前ヲ見マシタ

問　何日發行ノ新聞カ
答　近日「ローバイ、シシン」ニ出テ居リマシタ

問　夫レハ伊藤サンノ遭難以后カ
答　遭難后三四日經テ遭難ノ記事中ニ安ト云フ名前ガ出テ居リマシタ

問　伊藤サンノ歡迎ニ付キ韓國人間ニ何カ企テガアツタノカ
答　別ニ其事ハ聞キマセナンダ實ハ伊藤サンハ韓國ノ統監ト爲ラレテ韓國ノ爲メニ大イニ儘サレテ居ルノデ若シ伊藤サンガナクバ韓國ハ亡ブルト迄韓人間ニ噂ヲシテ居ルテ歡迎セヌノハ私ハ遺憾ニ想フテ居リマシタ

問　然シ哈爾賓ニ於テ官民合同ニテ伊藤サンノ歡迎ヲ爲ス機ガアツタノデハナイカ
答　其樣ナ事ハ聞キマセナンダ

問　其方ハ何日露國官憲ニ捕ヘラレタノカ
答　昨日夕方捕ヘラレマシタ

問　自宅ニテ捕ヘラレタノカ
答　外出シテ居ツテ歸ツタ處デ連レテ行カレマシタ

問　家內モ捜カサレタカ
答　私ガ內ヘ這入ツテ見タ時物品ガ散亂シテ居リマシタカラ家內ヲ捜シタモノト思ヒマス

問　其方ハ廿六日朝伊藤サンヲ迎ヒニ出タカ
答　私ハ行キマセナンダ

問　何故行カザリシカ
答　夜分遲ク迄新聞ノ飜譯ヲ致シマスノデ朝寢シテ行キマセナンダ

問　伊藤サンハ韓國ノ爲メ大イニ儘サレテ居ルコトト思ヒ且其方ハ歡迎セヌノハ遺感[4]ト思フタト云フテ居ルカ其位ナラハ新聞ノ方ガ多忙ノ爲メ歡迎ニ出ヌノハ申出ト相違スル樣思フガ如何
答　朝寢過キマシテ歡迎ニ出マセナンタ

問　朝寢過キテ歡迎セヌトハ不禮デナイカ
答　夫レハ何供申上樣ガアリマセヌ實ハ外國ノ新聞ニ韓國ニ對スル日本ノ施政ガ誤ツテ居ル記事ガ折々出マシテ韓國ノ者ハ夫レヲ直チニ信スル者ガアルノテ私ハ其誤信ナル事ヲ常ニ憂ヒテ居リマスルモ其樣ナ人々ノ手前モアリ歡迎ニ出憎イ点モアリマシタ然シ私ハ日本ニ對シテハ大イニ敬意ヲ表シテ居ル者デアリマス

4　遺憾。

問　其方ガ夫程ニ日本ヲ信シテ居テ其恩人トモ思フ人ガ來ルノニ右ノ如キ事情デ歡迎ニ出ヌトハ少シ理由ガ乏イ様思フガ如何

答　私ハ昨年十一月當地ニ來マシタガ學校ヲ設立スルニ付テハ相當ノ教員ヲ雇フ迄私ニ教員ノ代リヲヤツテ呉レトノ事デ之ニ應シテ居リマスガ當地ノ風習トシテ僅カノ誤報ニテモ直チニ信用シテ八ケ敷[5]云フノデ私ハ素ニ之ヲ慰撫シテ居リマシタガ此頃皆ガ私ヲ餘リ良ク申シマセヌノデ私ハ諸事謹シンデ居リマス歡迎ニ出ヌノハ之モ一ノ原因デアリマス

問　其方ハ露國へ歸化シテ居ルノカ

答　未ダ歸化シテ居リマセヌ私ハ韓國人デス

問　其方ノ宅ノ番地ハ如何

答　外國三道街四十七號デアリマス

問　廿四日夜其方宅へ蔡家溝カラ電報ガ來タ事ハナカツタカ

答　私ノ宅へ電報ノ來タ事ハ更ニアリマセヌ

被告人 金衡在

右讀聞セタルニ承諾ノ上自署セリ
即日前記場所ニ於テ
但出張先ニ係ルヲ以テ所屬官署ノ印ヲ用フル能ハス

關東都督府地方法院
書記　岸田愛文
高等法院檢察官　溝淵孝雄
囑託通譯　園木末喜

5　八ヶ間敷。

八 金衡在 第二回 訊問記錄

被告人 第二回 訊問調書

被告人 金衡在

右ノ者ニ對スル殺人被告事件ニ付明治四十二年十一月十九日關東都督府監獄署ニ於テ検察官溝淵孝雄書記岸田愛文列席通辯囑託園木末喜通譯
検察官ハ前回ニ引續キ前記被告人ニ對シ訊問ヲ爲スコト左ノ如シ

問　其方ハ金成玉ノ宅ニ泊ツテ居ツタ曹道先ト云フ者ハ何日頃カラ知リ合ヒニ爲ツタカ

答　同人ハ哈爾賓ニ三四ケ月間居リマスカラ私ノミナラス哈爾賓ニ居ル韓國人ハ皆知ツテ居リマス

問　曹ハ何處カラ哈爾賓へ來タカ

答　露境カラ來タト聞キマシタ

問　何ノ職業ヲシテ居ル者カ

答　私ハ餘リ懇意デアリマセヌカラ職業ハ聞キマセヌガ時々途中杯デ會フタ事ガアリマスガ甚ダ粗末ナ風体ヲシテ居リマシタ

問　同人ハ哈爾賓テ何ノ職業ヲスルト云フテ居タカ

答　夫レハ聞キマセヌ

問　妻ハ持ツテ居ルト申シタカ

答　人ノ話ニ依レハ露國人ヲ妻ニ持ツテ居ルトノ事デアリマシタ

問　妻ト同居シテ居ルカ

答　同居カ別居カ知リマセヌ

問　妻ヲ露境カラ呼寄セル話ヲ聞カサリシヤ
答　夫レモ知リマセヌ

問　同人洗濯業ニ經驗ガアルカラ哈爾賓デ洗濯業ヲスルト云フ事ヲ聞カサリシカ
答　私ハ同人ト接シテ話ヲ致シマセヌカラ其事ハ知リマセヌ

問　其方ハ鄭大鎬ト云フ者ヲ知ルヤ
答　本年七八月頃本國へ歸ル途中カラ引返シテ來テ哈爾賓ノ學校へ尋ネテ來テ初メテ会ヒマシタ

問　同人ハ何ノ職業カ
答　稅關デ勤メテ月給百円程取ツテ居ルト聞キマシタ

問　鄭ハ何用ニ郷里へ歸ルト聞イタカ
答　妻子ヲ迎ヒニ歸ルト聞キマシタ

問　其方ハ金成玉ヲ知ツテ居ルカ
答　知ツテ居リマス

問　同人ハ何ノ職業カ
答　醫師デアリマス

問　金成玉ノ宅デハ種々ナル者ガ寢泊リヲシテ居ルカ
答　左樣デアリマス同人トハ私ハ本年四月頃カラ懇意ニナリ同人ハ家モ廣シ又金持故韓國人ガ澤山出入シテ居リマス

問　同人ハ醫師ノ爲メデ財産カアルカ

答　患者ガ非常ニ大イ[1]ノデ收入ガ澤山アルト聞キマシタガ何程財産ガアルカ知リマセヌ

問　曹道先ハ三四ケ月ノ間金成玉ノ宅テ引續キ寢泊リヲシテ居ツタカ
答　曹ハ折々他ヘ出懸ル事モアリマシタカラ私ハ何程ノ間金ノ宅ニ居ツタカ委敷知リマセヌ

問　其方ノ居ル學校ト金成玉ノ宅ト距離ハ如何
答　一韓里(我四丁)位ノモノデアリマス

問　同人ハ東興學校ニモ關係シテ居ルカ
答　同人ハ親切ナ人テ內外(人)共ニ世話シマスノデ學校ノ方デモ金ノ足ラヌ時ニハ出シテ貰フノデ其辺カラ關係ガアリマス

問　同人ハ校長デハナイカ
答　校長ト云フ事ニ為ツテ居リマス然シ同校長ハ他ノ校長トハ異ツテ居リマス學校ガ出來タ時金持ヲ校長ニスルト云フノデ皆ノ意見カ一致シテ校長ニシタノデアリマス

問　學校ノ事務ハ誰レカ執ツテ居ルカ
答　學校ノ事務ト申シテハ別ニアリマセヌ月給ノ不足杯ハ金成白ニ相談シテ出シテ貰フテ居リマス

問　同人ハ日本人ヲ妻ニシテ居ルカ
答　露國人ヲ妻ニシテ居リマス

問　金成白ハ如何ナル男カ何カ党派ニ干係[2]シテ居ルカ

1　多イ。
2　關係。

答　同人ハ無學ナ人デ幼少ナ時カラ露領ニ居リ露國人モ同様テ全ク國家思想ハナイ人デアリマス

問　然シ金成白ノ宅ヘハ澤山人ガ出入スルノハ如何ナル譯カ
答　是迄ハ出入ノ人モアリマセナンタガ本年ハ澤山人ガ出立シテ居ル様子デアリマシタ夫レハ金カ在ルカラデアロート思ヒマス

問　同人ハ金ノ無イ人ヲ世話シテ無料テ宿泊サセテヤルノカ
答　同人ハ金ノ無イ者デモ世話ヲ能クシテ居リマシタ然シ金杯ヲ遣ツタ事ハキキマセヌ

問　金成白ハ其方ハ平素カラ知ツテ居ル人カ
答　本年頃カラ學校ノ關係デ懇意ニ致シテ居リマス

問　露暦九月十日ニ其方ハ金成白ノ宅ヘ行キタル事ガアルカ
答　私ハ數ケ月間以前ヨリ行キタ事ハアリマセヌ

問　十日ノ夜其方ハ金成白ノ宅テ酒ヲ飲ンダ事ハナイカ
答　本年七月頃誕生日ニ行キテ酒ヲ飲ミマシタ

問　其方ハ安應七ヲ知ツテ居ルカ
答　私ハ一向知ラヌ人デアリマス

問　安應七ハ九日金成玉ノ宅デ其方ガ酒ヲ飲ンデ居タト申シテ居ルガ如何
答　左様ナ事ハ更ニアリマセヌ
私ハ元來酒ハ嗜ミマセヌ

問　酒ヲ飲マヌトスルモ金ノ宅デ安應七ニ会フタ事ハナイカ

答　左様ナ事ハアリマセヌ私ハ金成白ノ宅へ行ク事ハ謹ンデ居リマス亓[3]ハ同人ハ金持デ私ハ貧乏デスカラ先方カラ呼ビニデモ來ネバ行キマセヌ

此時 安應七ヲ入廷セシメ金衡在ト對質訊問ヲ爲ス左ノ如シ

安應七ヘ

問　其方ハ此者ヲ知ルカ
答　哈爾賓へ着シタ夜私ト一所ニ金成白ノ宅デ酒ヲ飲ミマシタ其時ニ初メテ会ヒマシタ人デス

金衡在へ

問　安ハ今聞ク通リ申スガ如何
答　私ハ金成白ノ宅へハ數ケ月間行キマセヌ人違ヒデアロウト思ヒマス

安應七へ

問　金衡在ハ今聞ク通リ其様ナ事ハナイト云フガ如何
答　私ハ此人ト思ヒマス當地へ送ラルル時モ此人ヲ見テ金成白ノ宅デ酒ヲ飲ムダ[4]人デアルト自分デ思フテ居ツタ程デアリマス

問　其方ハ其時金衡在ト話ヲシタカ
答　別ニ話シヲ致シマセヌ

問　挨拶ハシタカ
答　其事モドウデアツタカ知リマセヌ

3　其。
4　飲ンダ。

金衡在へ

問　其方實際会フタノナラハ隠ス必要ハナイ殊ニ十一日ハ韓人ノ墓ノ改葬日デアルカラ韓人ノ會長タル金成白ニ会フテ話ヲスル必要モアルノデアロウカラ或ハ行キタノガ事實デナイカト思フガ如何

答　改葬ノ事ハ他ノ家デ相談シタノデ金成白ノ宅へ行ク必要ガナイノデ行キタ事ハアリマセヌ

問　金成白ハ韓人ノ會長デアルカラ同人ノ宅へ集合シテ話シヲスレハ纏リモ早ク又順序トシテ同人方へ集會スル様思フガ如何

答　金成白ノ宅ハ美麗デアルカラ人ガ澤山集ツテハ部屋ヲ汚シマスカラ同人方デハ集會ハ致シマセヌ

被告人 安重根

右安應七ニ關係スル部分ヲ讀聞カセタルニ承諾ノ上自署シタルヲ以テ退廷セメタリ

金衡在へ

問　其方ハ禹連俊ヲ知ルカ

答　知ラヌ人デス

問　金成玉ノ宅ニハ種々ナル人ガ出入シテ居ルカ

答　左様デス

問　何故澤山ナ人ガ出入シテ居ルノカ

答　同人ハ金持デスカラ自然人ガ澤山出入スルノテアリマス

問　金成玉ハ何カ党派ニ屬シテ居ル人物カ

答　同人モ元來無學ノ者デアリマスカラ党派ノ觀念ニハ乏シキ者テアリマスガ始終

日本ノ領事館ニ出入シテ居リマスカラ先ツ同人ハ日本派ノ者デアロートト思ヒマス

問　其方ハ先キニ取調ヘタル時哈爾賓ニ於ケル韓國人ハ概シテ日本ニ對シ心能ク思フテ居ラヌノデ現ニ其方ハ伊藤サンノ到着ノ時モ韓人ノ手前ヲ慮リ停車場ヘ歡迎ニモ行カナンタト申シタガ金成白、金成玉ノ樣ナ大頭樣ガ排日トカ親露トカノ觀念ガナイトセハ哈爾賓デ如何ナル人ガ排日派デアルト云フノカ

答　韓人ノ手前ヲ憚リテ行カザリシト云フノハ單ニ哈爾賓ノ韓人ノミナラス直ク其事ガ浦汐ノ新聞杯ニ出マスカラ夫レヲ憚ツテ行キマセナンダ

問　然ラハ浦汐ハ韓國人ノ排日派ノ居ル根據地デアルカ

答　排日党ト云フハ知リマセヌモ仝所ニ居ル韓人ハ排日ノ思想ノアル者ガ多少御座イマス又大東共報杯ニハ時々其樣ナ記事ガ出マス

問　大東共報ニハ日本ニ關シテ如何ナル記事ガ出ルカ

答　始終日本ニ關スル事ガ出テ居リマスカラ一々申立テル事ハ出來マセヌモ仇敵ノ日本ニ對シ云々デアルトカ又青年者ハ日本ニ對抗スヘシ杯ト教唆的ノ記事ガ論說杯ニ時々出テ居リマス

問　其方ハ大東共報ノ記者ニ知合ガアルカ

答　一昨年頃ハ京城ノ皇城新聞社ニ居ツタ張志淵ト云フ者ヲ知ツテ居リマシタルモ其外記者ニ知合ノ者ハアリマセヌ

問　張志淵ハ今モ記者ヲシテ居ルカ

答　同人ハ慶尙南道晉州慶南日報ニ居ル事ヲ新聞デ見マシタ

問　其新聞ハ今モ發行シテ居ルカ

答　私ガ今回引致セラルルマデハ私ノ所デ購讀シテ居リマシタ

問　大東共報ニ柳智律ト云ウ者ハ居ラヌカ

答　同社ニ柳鎭律ト云ウ者ガ居ル事ヲ新聞デ見マシタ

問　同人ハ記者カ
答　發行人デアリマス

問　大東共報ノ編輯人ハ何人カ
答　露國人デアリマス

問　記者ハ李剛ノ外ニハナイカ
答　能ク知リマセヌカ新聞デ見レハ同人ノ外ニハ無イ様デス

問　張志淵、李剛、柳鎭律杯ハ排日党ノ主ナル者デハナイカ
答　排日党ト云フ事ハ知リマセヌモ排日思想ノアル事ハ相違アリマセヌ新聞社ニ居ル者デ排日思想ノナイモノハアリマセヌト思ヒマス

問　排日思想ガ新聞社ニ居ル者ニハ必スアルトセハ義兵ニハ新聞社カラ金杯ヲ出ス様ナ事ハアルカ
答　其様ナ事ハ知リマセヌ

問　新聞社ハ義兵ヲ世話スルトカ又或ル場合ハ金デモ与フル様ナ風説ハ聞カヌカ
答　其様ナ噂ハ聞キマセナンダ其様ナ事ガアツテモ秘密ノ事デ私等ニハ判リマセヌ

問　露國ノ虚無党杯ガ其新聞ニ關係シテ居ル事ハ聞カヌカ
答　露國ノ革命黨ノアル事ハ知ツテ居リマスカ其様ナ者ノ關係シテ居ル事ハ聞キマセヌ

問　其方ガ哈爾賓デ逮捕セラレタノハ陰暦十七日カ
答　左様デス

問　伊藤サンノ遭難日卽チ十三日カラ其方ガ捕ヘラルル迄ノ間ニ大東共報ノ李剛、柳智律杯ガ哈爾賓ヘ來タ事ハ聞カザリシカ
答　其事ハ聞キマセヌ

停車場附近ハ露國兵ガ警戒ヲシテ居リマシタカラ來ルニモ來ラレヌ事デアロート思ヒマス

問　然シ其後旅客トシテ來レハ差支ナキ様思フカ如何
答　夫レハ差支ガアリマセヌガ私ハ來タ事ハ聞キマセヌ

問　安應七カラモ李剛ニ手紙ヲ宛テテ居ルノデアルカラ李剛杯ハ出テ来ル筈デアロウト思ハルルガ如何
答　私ハ同人杯ガ來ル事ハ一切聞キタタル事ハアリマセヌ

問　其方ハ一切知ツテ居ル事ハ云フトノ事ヲ上申シテ居ル位デアルカラ事實ハ決シテ隱ス事ナク申立テヨ
答　今日ハ私ノ生死ニ關スル場合デアリマスカラ人ノ事ハ仮令如何デアロウトモ決シテ事實知ツテ居ル事ハ隱シマセヌ

問　其方ハポブラニチヤノ醫師ノ悴ノ柳東夏ト云ウ者ヲ知ツテ居ルカ
答　同人ハ知ラヌ人デアリマスカ一度學校ヘ夜分來タ事ガアリマシタガ私ハ別ニ話シモ致シマセナンタ

問　十日夜柳東夏ハ金成白ニ用事ガアツテ學校ヘ尋ネテ行キタ事ガアツタカ
答　金成白ニ用事ガアツタカ學校ヲ見ニ行タカハ知リマセヌモ一度學校ヘハ來マシタ事ハ相違アリマセヌ

問　夫レハ十日デアツタカ
答　其日ハ確ニ覺ヘマセヌ

問　柳東夏ガ學校ヘ來タ時ハ金成白ハ學校ヘ來テ居ツタカ
答　金成白ハ露國語ヲ學ンデ居ルノデ毎夜欠カサス學校ヘ來テ居リマス

問　同人ニハ其方ガ露語ヲ教ヘテ居ルカ

答　露國人ノ教員ト私ガ手伝ヒノ姿デ二人デ教ヘテ居リマス

問　今度伊藤公ヲ殺シタノハ安應七デアルガ夫レハ如何ナル處ニ聯絡ガアルヤ其方ハ夫レヲ知ラヌトスルモ何カ其辺ノ聞込ミハナイカ
答　私ハ風説ハ聞キマセヌガ哈爾賓ニアラズ他ノ地デ企テヲシテ來タノデアロウト思ヒマス

問　其企ヲシタ地ト云フノハ何處カ
答　私ハ浦汐デアロウト考ヘマス

問　義兵ト聯絡シテ居ルト思フカ又新聞社ト關係シテ居ルト思フカ
答　義兵ト關係ハ無論アルデアロートト思ヒマスカ新聞社トハ關係ハアルマイト思ヒマス

問　其關係シテ居ルト思フ義兵ハ如何ナル種類ノモノカ
答　私ハ義兵ノ内容ガ判リマセヌカラ如何ナル部類ノ義兵カ判リマセヌ又風説ニモ聞キマセヌ只ダ聯絡ガアルデアロウカト思フ丈ケノ考ヘテアリマス

問　其方ノ考ヘル義兵ノ頭目ハ何ト云ウ者カ知ツテ居ルカ
答　私ノ聞キマシタノハ洪範道ト云ウ者ナル事ヲ本年三四月頃聞キマシタ同人ハ昨年江原道デ義兵ヲ起シテ糧食杯ヲ集メテ常ニ「ホバルポ」ト「ソアンミ」トノ間ヲ往來シテ居ルト聞キマシタ

問　其方ハ玻璃、雙城ト云フ處ヲ知ラヌカ
答　玻璃トハ支那語デス夫レガ「ホバルポ」デ雙城ハ「イルクシク[5]」ノ事デアリマス

問　其方ガ義兵ヲ起シタ事ヲ聞イタノハ其方ガ捕ヘラレタルヨリ三、四ケ月前カ
答　捕ヘラルルヨリ三ケ月程前デアリマス

5　イルクツク。

問　其方ハ崔都憲ト云フ義兵ノ大將ノ名ヲ聞イタカ
答　同人ハ義兵ノ大將カドウカハ知リマセヌモ義兵デアルトノ事ヲ聞キマシタ

問　安應七ハ崔都憲、洪範道ノ部下者デハナイカ
答　其事ハ知リマセヌ

問　平素浦汐ノ新聞社カラ哈爾賓ヘ出テ來ル時ハ如何ナル所デ宿ヲ取ツテ居ルカ
答　金持ノ人ハ露國旅館デ泊リ金ヲ澤山持タヌ人ハ自國ノ人ノ所ヘ行キテ泊リマス

問　自國ノ人ト云フノハ會長ノ宅カ又友人ノ宅ヘデモ行クノカ
答　此會長ノ宅ハ余リ宿ハ致シマセヌ普通韓國人ノ宿ガリマス

問　露國人ノ旅館ハ哈爾賓ニ澤山アルカ
答　四五十戶位アリマス

問　其方ハ金麗水ヲ知ルヤ
答　知ツテ居リマス

問　同人ハ東興學校ノ生徒カ
答　學校ヘ來テ露語ヲ學ナンデ居リマシタ

問　同人ハ排日親日何レニ屬シテ居ル者カ
答　同人ハ日本人ヲ妻ニ持ツテ居リマスカラ先ツ親日ノ者ト思ヒマス殊ニ平素會杯ヘ出ルノヲ嫌イナ人デス

問　同人ノ職業ハ何カ
答　多分煙草卷ヲシテ居ルト思ヒマス

問　卓公圭ヲ知ツテ居ルカ
答　知ツテ居リマス

問　同人ハ學校ノ教員カ生徒カ
答　時々國文ノ方ヲ教ヘテ居リマシタ

問　同人ハ排日親日何レノ者カ
答　親密デアリマセヌカラ委敷事ハ判リマセヌ

此時柳東夏ヲ入廷セシメ左ノ如ク金衡在ト對質訊問シタリ

柳東夏ヘ

問　九日夜禹ト安ガ金成白ノ宅ヘ着イタ時此金衡在ト云ウ者ハ金成白ノ宅ニ居ツタカ
答　此人ハ來テ居リマセナンダ

問　其夜金成白ノ宅デ酒ヲ飮ンテ居ツタ事ハナイカ
答　左樣ナ事ハアリマセヌ

問　其方ガ十日夜學校ヘ金成白ヲ尋ネテ行キタル時同人ハ本ヲ學ンテ居ツタカ
答　左樣デアリマス

問　夫レハ露語カ
答　授業室ニ這入ツテ教員カラ習フテ居リマシタ

問　其時此金衡在ハ學校ニ居ツタカ
答　居リマシタ

問　其方ハ金成白ヘ金ノ話ハ何處デシタカ
答　室外ヘ呼出シテ話ヲ致シマシタ

被告人 劉東夏
被告人 金衡在

右讀聞セタルニ相違ナキコトヲ承諾シ各自署セリ
卽日前記場所ニ於テ
但シ出張先ニ係ルヲ以テ所屬官署ノ印ヲ用フル能ハス

關東都督府地方法院
書記　　岸田愛文
高等法院檢察官　　溝淵孝雄
囑託通譯　　園木末喜

九 方士瞻 第一回 訊問記錄

被告人 訊問調書

被告人 方士瞻

右者ニ對スル殺人被告事件ニ付明治四十二年十月三十一日哈爾賓日本帝國總領事館ニ於テ検察官溝淵孝雄書記岸田愛文列席通譯囑託園木末喜通譯
検察官ハ被告人ニ對シ訊問スルコト左ノ如シ

問　氏名年齡身分職業住所本籍地及出生地ハ如何
答　氏名ハ 方士瞻
　　年齡ハ 三十四歲
　　職業ハ 齒醫師
　　身分ハ一
　　住所ハ 哈爾賓朝鮮町
　　本籍地ハ 咸鏡北道富寧東面石巨里
　　出生地ハ 同所

問　其方ハ妻子ガアルカ
答　アリマス

問　同居シテ居ルカ
答　妻子ハ露本國ニ歸ツテ居リマス

問　父母ハアルカ
答　父母ハアリマセヌ私ノ兄ガ今原籍地ニ居リマス

問　兄ノ名ハ何ト云フカ

答　方士汝ト云ヒマス

問　本月廿六日朝伊藤公爵ガ當停車場へ着セラレタル時其方ハ見ニ行キタルヤ
答　日本居留民會カラ通知ニ依リ歡迎ニ行キマシタ又歡迎寄附金モ出シマシタ

問　然ルニ伊藤公ハ狙撃セラレタルヤ
答　左様デアリマス

問　其狙撃ヲシタ者ハ如何ナル者カ
答　私ノ知リマセヌラヌ者テアリマス

問　下手人ハ一人カ二人カ
答　私ノ見タノハ一人デアリマシタト思ヒマス

問　犯人ハ現場デ捕ヘラレタルヤ
答　捕ヘラレテ戸口ノ所ヘ來タ時私ハ見マアシタ

問　其者ハ此者テアツタカ

此時被告安應七ノ寫眞ヲ示ス

答　慥カ此者ト思ヒマス

問　捕ヘラレタル者ノ名前ハ聞カサリシカ
答　日本人デアルトノ事ヲ當時聞イタ位テ何人カ知リマセヌ

問　其后下手人ノ名前ハ聞イタカ
答　新聞デ安ト云フ姓デアル事ヲ見マシタ

問　其安ト云フ者ハ知ラヌ者カ

答　一切知ラヌモノデス

問　其方ハ曹道先、禹連俊ナル者ヲ知ルカ
答　曹道先ハ知ツテ居リマスモ禹連俊ト云フ者ハ知リマセヌ

問　禹德順ト云フ者ハ知ラヌカ
答　名前モ聞イタ事ハアリマセヌ

問　曹道先ハ何ヲスル者カ
答　何業カ知リマセヌ

問　同人ハ韓國ノ義兵テハナイカ
答　韓國ノ義兵デアルト云フ事ハ聞イテ居リマス

問　鄭大鎬ナル者ハ知ラヌカ
答　其者ハ知リマセヌ或ハ顔ヲ見レバ知ツテ居ルカモ知レマセヌ

問　同人ハ今日來テ居ルカ如何
答　其人ナラハ初メテ會フタ人デアリマス

被告人 方仕瞻[1]

右讀聞セタルニ相違ナキ事ヲ承諾自署セリ
即日前記總領事館ニ於テ
但出張先ニ係ルヲ以テ所屬官署ノ印ヲ用フル能ハス

關東都督府地方法院

1　方士瞻。

書記	岸田愛文
高等法院檢察官	溝淵孝雄
囑託通譯	園木末喜

方士瞻 第二回 訊問記錄

被告人 第二回 訊問調書

被告人 方士瞻

右者ニ對スル殺人被告事件ニ付明治四十二年十一月二日哈爾賓日本帝國總領事館ニ於テ檢察官溝淵孝雄
書記岸田愛文列席通譯囑託園木末喜通譯
檢察官ハ前回ニ引續キ前記被告人ニ對シ訊問ヲ爲スコト左ノ如シ

問　其方ハ本年春浦潮ニ行キタ事カアルカ
答　本年ノ初メニ行キマシタ

問　何ノ用向テ行キタカ
答　私ハ十八歲ノ時母ヲ一人残シテ國ヲ出テ已來歸リマセヌカラ一度歸國スル積リデ近路ノ浦潮ノ方ヘ行キマシタガ韓國ハ革命黨ガ起ツテ居ル事ヲ聞キマシタ日本人ノ側カラ見レハ私ヲ党員ト思ヒ又韓國人ノ側デハ私ヲ探偵ト思ヒ誤ラレ危険デスカラ浦潮デ二周許シテ歸リマシタ

問　歸ツタ月日ハ
答　三月頃ト思ヒマス朝鮮ヘ行ク積リニテ浦潮ノ領事館ヘ旅行免狀下付ヲ願ヒマシタカ下ラヌ內ニ見合セマシタ

問　何程ノ余程デ歸ル積リデ出發シタカ
答　一ケ月ノ豫定ヲシテ出マシタ

問　家ノ取計ハ如何ニシテアツタカ
答　私ノ當地ノ宅ハ妻ガ留守シテ居リマシタ私カ歸宅后妻ヲ露國本國ニ歸シマシタ

問　浦潮デハ何人ノ宅ニ泊ツテ居タカ

答　宿屋デハアリマセヌ韓國人ノ金成燁ト云フ者ノ宅ニ居リマシタ

問　其金成燁ハ此者デハナイカ

此時被告金成燁ノ寫眞ヲ示ス

答　此人デハアリマセヌ私ノ云フ金成燁ハ當民團長ノ弟デス

問　今回韓國人ノ墓場改葬ノ議ノ起ツタノハ何日頃ノ事カ

答　本年陰曆七月末カ八月ノ初メ頃デアリマシタ

問　如何ナル譯テ改葬スル事ニ爲ツタカ

答　韓國人ノ墓ヲ打捨テテ置クノハ見苦シイカラ露國人ノ土地ヲ買フテ移スコトニ爲リマシタ

問　其時支那人ノ墓ハ移轉セザリシカ

答　支那人ノ墓ノ事ハ知リマセヌ

問　改葬ニ付テハ委員デモ設ケタカ

答　私ハ韓國人デアリマスルモ韓國人ニ餘リ交際シマセヌカラ委敷事ハ知リマセヌ何事モ韓國人ニ關スル事ハ其結果丈ケ私ニ知ラセテ來マス

問　韓國人全體ニ係ル事柄ニ付キ民人ヲ助ケ何事ニモ顔出シテ世話スル人ガアルデアロウ如何

答　民長ハ無論能ク世話ヲ致シマスガ當地ニ居ル韓國人ハ無學無資産ノ者ガ多イノデスカラ資産アリ又世話ヲスル様ナ人ハ餘リ見マセヌ

問　當地ニ居ル韓國人中能ク文章ヲ作リ又辯ノ達者ナ[1]者ハ誰カ
答　學問ノアル者ハ卓公圭デ其外ニハアリマセヌ

問　金衡在ハ如何
答　同人ハ卓公圭ニ次グ人デス

問　金衡在ハ此人カ

此時被告金衡在ノ寫眞ヲ示ス

答　左様デアリマス

問　其方手許ヘ此樣ナ回文ガ來タカ

此時韓人墓地改葬ニ關スル回文ヲ示ス

答　回文ガ廻ツテ居ル話ハ聞キタルモ私ノ宅ヘハ來マセヌ

問　此回章ハ誰カ書イタカ
答　知リマセヌ

問　六道街ノ朴寬玉ヲ知ルヤ
答　知ツテ居リマス同人ハ宿屋デス

問　同人ハ學問ガアルカ
答　學問ハ餘リアリマセヌ

1　達者ナル。

問　今示シタ回章ニ依ラハ評議員會デ定ムルト云フ事ヲ書イテアルガ評議委員ガ必スアツタニ相違ナイガ夫レハ何人カ

答　評議會ノ如キモノハアリマセヌ様思ヒマス民長ノ下ニ只タ雇員丈ケデス

問　其雇員ハ幾人位居ルノカ

答　人數ハ知リマセヌ

問　民團ニ副會長ガアルカ

答　夫レモ知リマセヌ

問　書記ハ居ラヌカ

答　書記モ居リマセヌ

問　副會長ノ名前モ傳聞シタ事ハナイカ

答　副會長ガアルカナイカモ知リマセヌノデ無論名モ知リマセヌ昨年金成白ガ民長ヲ止メテ已來今ノ會長ノ名前モ知リマセヌ

問　民團ニ雇員ガ幾人居ルカ

答　夫レモ知リマセヌ

問　金成白ノ前ノ會長ハ何ト云フ者デアツタカ

答　金成白ノ前ノ會長ハ知リマセヌカ其前ハ朴寛玉ト云フ者デ其前ノ會長ハ金ト云フ者デ其名ハ知リマセヌ

問　金成白ハ何日會長ニ爲ツテ何日止メタカ

答　七月頃會長ニ爲ツテ直グ止メマシタ

問　當地ノ會長ハ日本領事館ノ認可ヲ受クルノカ

答　認可ハ受ケマセヌ韓國人ハ日本領事館ニ對シテハ心能ク思フテ居リマセヌ先キ

ニ姜鳳柱[2]ト云フ者ガ領事館カラ命セラレテ會長ニ爲リマシタルモ韓國人間ニ面白ク思フテ居ラヌノデ自ラ止メルト云ヒダシタ時モ皆之ヲ喜ンダ次第デアリマス

問　此地ノ韓國人ハ日本ニ反對ノ者ガ多イカ

答　夫レガ多クアリマス

問　朝鮮本國ニテ義兵ニナツテ居タ人モ無論來テ居ルカ

答　其樣ナ事ハ知リマセヌ

問　日本反對ノ決死隊ヘ加ハツテ居ル樣ナ者ハナイカ

答　左樣ナ者ハ知リマセヌ昨年姜鳳柱ガ會長デアツタ時其樣ナ者カ二三人來タノヲ投逐[3]シタト云フ事ヲ聞キマシタ

問　金成白ハ露國ヘ歸化シテ居ルカ

答　歸化シテ居リマス同人ノ父ハ露領モンユケテ農業ヲ致シテ居ルノテ一家族皆歸化シテ居リマス

問　金成白ガ歸化シタ日ハ

答　未タ歸化シテ間ガナイト思フテ居リマ[4]

問　金成白カ露國ヘ歸化シテ居ルノニ何故韓國會長ニ爲ツテ居ルノカ

答　其程ハ知リマセヌ

問　同人カ露國ニ歸化シテ居ル事ハ他ノ韓國人ハ皆知ツテ居ルカ

答　夫レハ皆知ツテ居リマス

2　姜鳳周。
3　放逐。
4　居リマス。

問　金成白ハ日本ビイキカ知ラヌカ

答　露國へ歸化シテ居ル位テスカラ日本側デハアリマセヌ恐ラク當地ニ居ル韓人ハ日本ビイキノ者ハ更ニアリマスマイト思ヒマス

問　金衡在ハ如何

答　同人ハ學問カアリマスルモ矢張日本ニ對シテハ面白クハ思フテ居リマスマイト思ヒマス

問　同人ハ英國等ノ新聞ヲ譯シテ金ヲ貰フテ居ルカ

答　其様ナ事ハアリマスマイ同人ハ支那ノ遠報ト云フ新聞ヲ書イテ居ルノデ支那政府カラ金ヲ貰フテ居ル様ニモ聞キマシタ

問　其方ハ安順根ヲ知ルカ

答　知リマセヌ

問　其者ハ左ノ手ノ無名指カ一關節カラ切レテ居ルが知ラヌカ

答　知リマセヌ

問　李信化ハ如何

答　知リマセヌ

問　崔東謙ナル者ヲ知ルヤ

答　其者ハ知ツテ居リマス同人ハ崔東顯デス

問　同人ハ如何ナル人物カ

答　夫レハ知リマセヌ

問　金泰根ト云フ者ハ知ラヌカ

答　一向知リマセヌ

問　玄仁錫ハ如何

答　同人ハ知リマセヌモ姓不詳名ハ仁渉ト云フ人ハ知リテ居マス[5]

問　其者ハ何處ニ居ルカ

答　當地ブリスタニデ煙草巻ヲシテ居リマス

問　人ヲモ知ルカ

答　能ク判リマセヌ

問　韓人ノ墓ヲ改葬ヲシタノハ陰暦十一日デアツタカ

答　左様デアリマス

問　其方ハ其改葬ニ行キタカ

答　行キマシタ后ニ皆學校ニ集マツテ其日來タ者ガ三十人アルナラ三十宛打ツト申シテ居リマシタ私ハ學校ヘ行キタノハ同所ニ居ル露國人カ誕生日故遊ヒニ來テ呉レト申スカラ行キマシタ

問　其時張首明モ行キタカ

答　其名前ハ知リマセヌ顔ヲ見レハ知ツテ居ルト思ヒマス

問　李珍玉モ行キタカ

答　同人モ行キテ居リマシタ

問　今回其方ト一所ニ捕ヘラレテ居ル者ノ中デ其時行キテ居タ者ガアルカ

答　夫レハ行キテ居タ者モアルト思ヒマス

問　此者ノ中デ行キテ居タ者ガアルカ

5　知ツテ居マス。

此時被告人一同ノ寫眞ヲ示ス

答　此中テ此者丈ヶハ確カニ來テ居リマシタ

此時被告ハ卓公圭、金澤信、金成燁ノ寫眞ヲ指示シタリ

問　其方ハ誕生日故學校へ遊ヒニ行キタト云フガ何人ノ誕生日デアツタノカ
答　露國人ヲ妻ニ持ツテ居ル柳長春ト云フ韓國人テ娘ノ誕生日デアリマシタ

問　墓改葬ノ回章ニ名日云云トアルガ如何ナル意カ
答　夫レハ日曜日ノ方言デアリマス

問　其方ハ東興學校ノ生徒カ
答　生徒テハアリマセヌ然シ折々聽講ニ行キマス

問　其方ノ知ツテ居ル東興學校ノ生徒ニ知ツテ居ルモノハナイカ
答　李珍玉、金成燁、洪時濬、金澤信ハ皆生徒テス
金麗水ハ元生徒ナリシモ今ハ生徒テハアリマセヌ又金成玉ハ學校ノ敎師デアリマス卓公圭ハ元カラ引續キ敎員ヲシテ居リマス

問　露語ハ何人ガ敎ヘテ居ルカ
答　露國人ガ敎テ居リマス

問　同人ハ元軍人カ
答　夫レハ知リマセヌカ元金成白ガ校長ノ時ニ金衡在卓公圭ヲ敎員ニスルト露國官憲へ届出テタレハ中學校ノ卒業證ヲ持ツテ居ラヌノデ敎員ハ露國[6]カラナルトテ露國人ガ來タノテス[7]然シ右兩人ハ今モ敎員ヲシテ居マス

6　露國人。
7　來タノデ。

問　學校デハ演說会デモヤル事ガアルカ

答　時々演說會ヲヤリマス其時日本ニ反對ノ演說スルノハ有リ勝チノ事デアリマス然シテ金衡在ハ能ク辯ノ達ツ人デス

問　伊藤公ガ來ラルル事ニ付キ日本人ノ会ヘ歡迎方ノ事ヲ申シテ來タ事ガアルカ

答　左樣ナ事ハ知リマセヌ

問　廿六日朝其方モ李珍玉モ歡迎ニ行キタカ

答　私一人デ行キマシタ同人ハ行キマセナンダ

問　伊藤公ガ遭難ニ会フタノデ其方ハ逃ケテ歸ツタカ

答　然ニ逃ケハ致シマセヌ何レ韓國人ノ所爲デアロウ氣ノ毒ナ事ヲシタト思フテ歸リマシタ

問　伊藤公ノ遭難ノ日其方宅ヘ日本人ノ白藤ト佐松ト云フ者カ行キタカ

答　來マシタ

問　兩名ハ其方宅ヘ來テ何ト云フタカ

答　兩人ハ私ニ伊藤サンノ遭難ハ私ニ關係ノナイ事ヲ明カニスル爲メ日本居留民会ヘ弔詞ニ行ケ自分等モ一所ニ行キテヤルト申シマシタ

問　居留民会ヘ行キ弔詞ヲ述ヘタカ

答　別ニ弔詞ヲ述ヘマセナンダガ日本居留民会ノ副會長ヲシテ居ル郡司ト云フ人ニ弔詞ヲ述ベテ歸リマシタ
又私ハ志方ノ宅ヘ行キテ書生ニ会フテ領事館ヘ悔ミニ行キタ方ガヨカロウカト相談シタレハ行ク方ガヨカロートト申シマシタカラ會長ノ宅ヘ行キテ弔詞ヲ述ベ翌朝李珍玉ト一所ニ領事館ノ警部サンニ弔詞ヲ述ヘマシタ

問　其方ハ伊藤公爵歡迎ノ費用ヲ寄付シタカ

答　私ト李珍玉ト相談シテ私ハ八円李ハ五円寄付シマシタ金ハ白藤サンニ渡シマ

シタ

問　夫レハ日本人ヨリ相談ヲ受ケタカ

答　相談ハ受ケマセヌ從來哈爾賓デ何カ事ガアラハ寄付ヲ致シテ居リマシタ干係[8]カラ私ノ方カラ進ンテ[9]寄付シマシタ

問　鄭大鎬ノ名前ヲ聞イタ事ハナイカ

答　聞キマセヌ

問　洪時濬ハ知ルヤ

答　洪時濬ハ知ツテ居リマス

問　同人ハ日本人ニ反對者カ

答　哈爾賓ニ居ル韓人ハ大部分ハ日本ニ反對デス

問　當地ニ居ル韓人ハ日本ニ反對デアルトセハ今回伊藤公カ遭難ニ付イテハ韓國人カ間接ニ干係[10]シタ者カアルナラムアラハ其者ノ氏名ヲ申立テヨ

答　私ハ左樣ナ事ハ一切知リマセヌ若シ左樣ナ事ヲ知ツテ居ラハ私カラ進ンテ領事館ヘ訴ヘテ出マス

問　此帳面ハ其方ノ所有カ

此時連名帳ヲ示ス

答　左樣テアリマス

8　關係。
9　進ンデ。
10　關係。

問　之レハ如何ナル帳面カ

答　盃ヲシテ兄弟分ニナツテ居ルノデ其者カ皆名々ニ持ツテ居リマス

問　韓國ニモ其様ニ兄弟ノ盃ヲシテ帳面ヲ渡ス事ガアルカ

答　內地テハ餘リ澤山アリマセヌが海外ニ出テ居ルカラ盃ヲシタノデス

問　其帳面ヲ書イテアル者ガ皆約ヲシタカ

答　左樣デス其初メニアル韓尙弦ハ一等兄デス

問　韓尙弦ハ今當地ニ居ルカ

答　當地ニ居ラヌノデアロウート思ヒマス

問　此樣ナ帳ヲ拵ヘテ日本ヘ反對スル爲メデナイカ

答　左樣ナ事ハ更ニアリマセヌ

問　此帳面中ヘ李珍玉モ書イテアルカ

答　同人モ加入シテ居リマスカラ無論書イテアルト思ヒマス

問　李珍玉ハ別名ハアルカ

答　韓國ハ幼名ガ皆アリマシテ后ニ變リマス

問　其方宅カラ短銃カ出タカ其方ノ所有カ

答　左樣テアリマス明治三十九年日本人ノ高見ト云フ人ト一年一所ニ居リマシタノデ其時ノ宅ノ要心ガ惡イノデ高見サンノ患者ノ露國人カラ高見サンガ貰ヒ夫ヲ又私ガ貰ヒマシタ
其事ハ高見ノ妻君ガ知ツテ居リマス其人ハ今尙ホ當地ニ居リマス其居所ハ十分知リマセヌ又右ニ申シマシタ高見ト云フ人ハ已ニ死亡シマシタ

問　其方ハ何故伊藤方ト云フ名前ヲ呼ンテ居ルノカ

答　私ハ嘗テ前ニ日本人ノ齒科醫デ山本ト云フ人ニ雇レテ居リマシタガ私ハ其當時

カラ日本語ヲ少々解シテ話シマスノデ其山本ト云フ人ガ韓國人ノ名前ヨリ日本人ノ名前ノ方ヲ用ヒテハドウカト申シマスカラ私ハ當然願ヒマスト申シマシタレハ日本ニハ總理大臣ニ伊藤ト云フ偉ヒ人ガアルカラ其姓ヲ用ヒタラヨカロートト申シテ伊藤ト付ケテ呉レマシタノデス

被告人 方仕瞻[11]

右讀聞カセタルニ相違ナキコトヲ承諾シ自署セリ
即日前記場所ニ於テ
但出張先ニ係ルヲ以テ所屬官署ノ印ヲ用フル能ハス

關東都督府地方法院	
書記	岸田愛文
高等法院檢察官	溝淵孝雄
囑託通譯	園木末喜

11 方士瞻。

十一 李珍玉 第一回 訊問記錄

被告人 訊問調書

被告人 李珍玉

右者ニ對スル殺人被告事件ニ付キ明治四十二年十月三十一日哈爾賓日本帝國總領事館ニ於テ檢察官溝淵孝雄書記岸田愛文列席通譯囑託園木末喜通譯
檢察官ハ被告人ニ對シ訊問スルコト左ノ如シ

問　氏名、年齡、身分、職業、住所、本籍地及出生地ハ如何
答　氏名ハ 李珍玉
　　年齡ハ 三十四歲
　　職業ハ 藥局
　　身分ハ一
　　住所ハ 哈爾賓プリスタニ
　　本籍地ハ 韓國咸鏡南道元山中里ワウバレリ
　　出生地ハ 同所

問　其方妻子ハアルカ
答　アリマセヌ

問　父母ハアルカ
答　今原籍地ニ父母共ニ居リマス

問　父ノ名前ハ何ト云フカ
答　李明水ト云ヒマス

問　其方ハ曹道先ヲ知ルヤ

答　知リマセヌ

問　禹德順ヲ知ルヤ
答　知リマセヌ

問　禹連俊ヲ知ルヤ
答　知リマセヌ

問　鄭大鎬ヲ知ルヤ
答　知リマセヌ私ハ伊藤方ト云フ者ノ外知人二三名アル丈ケデス

問　此者ハ知ルカ

此時被告安應七ノ寫眞ヲ示ス

答　知リマセヌ

問　本月二十六日朝伊藤公爵ガ狙撃セラレタガ其下手人ハ何國ノ者ト聞イタカ
答　下手人ハ韓國人デアルト問キマシタ

問　安應七ト云フ名前ヲ聞イタ事ハナキヤ
答　聞イタ事ハアリマセヌ

被告人 李珍玉

右讀聞カセタルニ相違ナキコトヲ承諾シ自署セリ
卽日前記領事館ニ於テ
但出張先ニ係ルヲ以テ所屬官署ノ印ヲ用フル能ハス

關東都督府地方法院

書記	岸田愛文
高等法院檢察官	溝淵孝雄
囑託通譯	園木末喜

十二 李珍玉 第二回 訊問記錄

被告人 第二回 訊問調書

被告人 李珍玉

右者ニ對スル殺人被告事件ニ付キ明治四十二年十一月二日哈爾賓日本帝國總領事館ニ於テ檢察官溝淵孝雄書記岸田愛文列席通譯囑託園木末喜通譯
檢察官ハ前回ニ引續キ前記被告人ニ對シ訊問ヲ爲スコト左ノ如シ

問　伊藤サンガ狙擊セラレタル朝其方ハ何處ニ居タカ
答　私ノ宅ニ居リマシタ

問　其方ハ方士瞻ノ宅ヘ行キタ事ガアルカ
答　アリマス其時私ノ後カラ同人宅ヘ日本人ガ二人宅ヘ來マシタ

問　其日本人ノ名前ヲ知ツテ居ルカ
答　名前ハ知リマセヌガ其中ノ一人ハ十二街ノ藥屋ノ主人デ一人ハ熊澤ト云フ人ノ宅ニ居ル人デアリマス

問　其時日本人ト如何ナル話ヲシタカ
答　其時私ト方士瞻ト日本人二人トガ伊藤サンノ偉イ人デアル事ヲ話シマシタ
是ヨリ三日許リ前私ハ髦ノ澤山生テ居ル日本人ノ宅ヘ行キタル節同人ガ伊藤サンノ歡迎會ニ付キ金ヲ出シテハ如何ト申スカラ其時三圓出シマシタガ又其日尚ホ貳圓取リニ來マシタカラ夫レモ出シマシタ

問　方士瞻ノ宅ヘ行キタル時間ハ
答　晝十二時頃デアリマシタ

問　其時伊藤公爵ガ狙撃セラレタ話ハナカツタカ

答　無論其話ヲ聞キマシタガ私ハ信シマセナンダカ其日午後志方ト云フ人ノ宅へ行キ愈々事實デアツタ事ノ話ヲ聞キマシタ

問　方士瞻ノ宅デハ伊藤公遭難ノ事ハ誰レガ話シタカ

答　日本人ガ話シマシタ

問　其遭難ニ付キ悔ミニ行キタカ

答　私ハ悔ミニ行カネハ済マヌト思ヒ方士瞻トガ當領事館へ悔ミニ來マシタ

問　伊藤サンガ着カレタル時其方ハ停車場へ行キタカ

答　私ハ宅ニ居ツテ行キマセナンダ

問　方士瞻ハ如何

答　同人ハ其日私ガ同人方へ行キマシタレハ停車場へ行キテ來タト申シ伊藤サンノ狙撃セラレタ事ノ話ガアリマシタルモ信シマセナンダ

問　此帳面ハ其方宅へ在ツタノカ

此時連名帳ヲ示ス

答　私ノ宅ノ帳デス

問　何故其帳ヲ拵ヘタノカ

答　當地デ韓人ガ義兄弟ト云フ事ヲ切リニ申シテ居リマシタカラ私ハ其譯ヲ尋ネマシタレハ韓人六十四名互ニ相助ケル事トシテ盃ヲシテ居ルトノ事故私モ夫レニ加名シ一円出金シテ其盃ヲ致シマシタ其時其帳ヲ一円宛皆ニ呉レマシタ

問　其相助ケル結合ヲシテ居ル事ハ何人カラ聞イタカ

答　名ハ知リマセヌ

問　其者ハ其方ト一所ニ捕ヘラレテ來テ居ル者ノ中ニ居ルカ
答　其人ハ居リマセヌ

問　然ラハ今示シタ帳面ハ六十四人皆持ツテ居ルノカ
答　左様デアリマス

問　誰レカ書イテ渡シテ呉レタノカ
答　其書イタ人ハ知リマセヌ

問　帳面ヲ貰フタノハ六十四名カ六十一名カ
答　六十四名カ六十一名カデアリマシタ

問　帳面ハ何日貰フタカ
答　昨年ノ十二月デス

問　其方ハ當地ニ在ル東興學校ノ生徒カ
答　左様テアリマス

問　其學校ノ生徒ハ皆知ツテ居ルカ
答　知ツテ居リマス洪時濬、金成玉、金澤信、卓公圭、金成燁、方士瞻、金麗水等ハ皆學校ノ生徒ヤ教員デス

問　其中デ教員ハ誰々カ
答　金成玉ガ校長デ卓公圭ハ教員テ其他ノ者ハ生徒デアリマス

問　先刻示シタ帳面ニ其方ノ名前ガナイノハ如何
答　其帳面ノ行三十五ノ所ニ李今龍トアルノガ私デ夫レハ幼名デアリマス

問　浦潮ニ居ル韓國人ハ皆日本反對ノ者カ

答　私ハ同所デ日本人ノ所ニ居リマシタガ同國人ガ之ヲ止メタ程デ日本反對ガ多イ譯デス

問　東興學校ノ者ノ中ニ日本人反對デ學問アリ財産アリ辯舌ノ達者ナノハ誰カ

答　皆日本ニ反對デス其中デ學識ニ富ンダ者ハ金衡在デアリマス

問　當地デ日本領事館ノ認可ノ許ニ韓國人會ヲ設ケタノデ日本人ニ屈伏シタ弱イ奴デアルトテ浦汐デ三名海ニ投セラレタル者ガアルカ

答　左様ナ事ハ知リマセヌ

問　姜鳳周ハ民長ノ職ヲ止メタル事ヲ知ツテ居ルカ

答　知ツテ居リマス

問　其職ヲ止メタ譯ハ如何

答　私ハ當地ヘ近頃來タノテ事情ハ知リマセヌ

問　其方ハ日本人ノ何ト云フ者ニ雇ハレテ居タノカ

答　元山デハ野田ト云フ人浦潮テハ箕浦ト云フ人ノ宅ニ居リマシタ當地テハ志方ト云フ人ノ宅デ數日居ツタ後藥局ヲ始メマシタ

問　朝鮮人ノ墓場ヲ移轉スル議ハ何日頃カラ起ツタノカ

答　陰暦本年七月頃カラ話ガアリマシタ

問　此様ナ書面ガ回ハツテ來タカ

此時韓國人墓地改葬ノ回章ヲ示ス

答　私ノ宅ヘハ來マセヌ人カラ回ハツテ居ル事ヲ聞キマシタ

問　墓ハ十一日ニ移轉シタカ
答　左樣デス私モ行キマシタ

問　其夜學校テ會ガアツタカ
答　アリマシタ私モ行キマシタ

問　何ノ會デ如何ナル會ヲシタカ
答　來タ者ガ何人、 來タ者ガ幾人トノ調ヘデアリマシタ同夜其宅ノ娘ノ誕生日デ馳走ニ爲ツテ歸リマシタ

問　其方ハ安順根ト云フ者ヲ知ルヤ
答　一向知リマセヌ

問　李信化ヲ知ルヤ
答　其樣ナ名ハ聞キマセヌ

問　崔都憲ト云フ者ヲ知ルヤ
答　知リマセヌ

問　金泰根ト云フ者ヲ知ルヤ
答　一向知リマセヌ

問　玄仁錫ナル者ヲ知ルヤ
答　知リマセヌ

問　墓場ヲ改葬スルハ何ノ爲メカ
答　支那人ノ墓ト一所ニ在リ區別ガ出來マセヌ又洪水ガ侵入シ或ハ犬ノ爲メニ害サルルノデ移轉ヲ致シマシタ

問　其移轉ニ付キ其方ハ費用ヲ出シタカ

答　費用ハ出シマセヌ若シ行カネバ費用ヲ出サネバナラヌノデ私不得止行キマシタ

問　當地ノ民長ノ下ニハ何ト云フ役ノ者ガ居ルカ
答　「コンセ、セワン」ト云フ者ガ民長ノ下ニ十二人居リマス

問　其ノ「コンセ、クワン」ノ名前ヲ知ツテ居ルカ
答　洪時濬ト云フ者一人丈ケ知ツテ居リマス其外ノ者ノ名ハ知リマセヌ

問　民團ニ關シテハ露國等カラ下ゲ金ヲ貰フテ設立シテ居ルノデハナイカ
答　其事ハ一向知リマセヌ

問　金成白ハ民團長カ
答　左様デス同人ノ親兄弟ハ露國ヘ歸化シ今豆滿江ノ先ノ露領ニ居ルモノデアリマス

問　何年頃カラ歸化シテ居ルカ
答　廿餘年前カラ一族歸皆化シテ居リマス

問　露國ヘ歸化シタ人ガ何故民長ニ爲ツテ居ルノカ
答　其譯ハ知リマセヌ

被告人 李珍玉

右讀聞カセタルニ相違ナキ事ヲ承諾シ自署セリ
即日前記總領事館ニ於テ
但出張先ニ係ルヲ以テ所屬官署ノ印ヲ用フル能ハス

關東都督府地方法院
書記　　　　　　岸田愛文

高等法院檢察官	溝淵孝雄
囑託通譯	園木末喜

張首明 第一回 訊問記錄

被告人 訊問調書

被告人 張首明

右者ニ對スル殺人被告事件ニ付キ明治四十二年十月三十一日哈爾賓日本帝國總領事館ニ於テ檢察官溝淵孝雄書記岸田愛文列席通譯囑託園木末喜通譯
檢察官ハ被告人ニ對シ訊問スルコト左ノ如シ

問　氏名年齡身分職業住所本籍地及出生地ハ如何
答　氏名ハ 張首明
　　年齡ハ 三十一歲
　　職業ハ 煙草卷職
　　住所ハ 哈爾賓ナバサル
　　本籍地ハ 韓國慶尙北道居昌邑內咸
　　出生地ハ 同所

問　其方ハ妻子父母ガアルカ
答　妻子ハアリマセヌ父母ハ原籍地ニ居リマシタガ私ハ十數年前家ヲ出マシタカラ今ハ生存カドウカ知リマセヌ

問　其方ハ曹道先ヲ知ルカ
答　知リマセヌ

問　禹連俊ヲ知ルヤ
答　知リマセヌ

問　鄭大鎬ヲ知ルカ

答　知リマセヌ

問　方士瞻ヲ知ルカ
答　知ツテ居リマス同人ハ藥局デアリマス

問　金成玉ヲ知ルカ
答　知ツテ居リマス同人ハ醫師デス

問　禹德淳ト云フ者ヲ知ルカ
答　知リマセヌ

問　安應七ト云フ者ハ如何
答　夫レモ知リマセヌ

問　此者ハ知ツテ居ルヤ

此時被告安應七ノ寫眞ヲ示ス

答　知リマセヌ哈爾賓ニ居ラヌ人デス

問　伊藤公爵ガ哈爾賓ニテ狙擊セラレタガ其下手人ハ誰テアルト聞イタカ
答　私ハ知リマセヌ私ハ停車場ノ所ノ橋ノ上ニ立ツテ居リマシタレバ露國兵ニ捕ラヘラレテ來マシタ

問　方士瞻ハ日本語ヲ解スルヤ
答　少少知ツテ居リマス

被告人 장슈명

右讀聞ケタルニ相違ナキ事ヲ承諾ノ上自署セリ

卽日前記場所ニ於テ

但出張先ニ係ルヲ以テ所屬官署ノ印ヲ用フル能[1]

關東都督府地方法院

書記　岸田愛文

高等法院検察官　溝淵孝雄

關東都督府囑託通譯　園木末喜

1　能ハズ。

十四 張首明 第二回 訊問記錄

被告人 第二回 訊問調書

被告人 張首明

右者ニ對スル殺人被告事件ニ付キ明治四十二年十一月五日哈爾賓日本帝國總領事館ニ於テ檢察官溝淵孝雄書記岸田愛文列席通譯囑託園木末喜通譯
檢察官ハ前回ニ引續キ前記被告人ニ對シ訊問ヲスルコト左ノ如シ

問　其方ハ安順根ト云フ名前ヲ聞イタ事ハナイカ
答　知リマセヌ見タレバ知ツテ居ル人カモ知マセヌ

問　李信化、崔都憲ト云フ者ハ
答　知リマセヌ

問　崔都憲ト云フノハ韓國ノ義兵デアルトノ事ナルガ如何
答　知リマセヌ

問　金泰根、玄仁錫ナル者ヲ知ルヤ
答　其者モ知リマセヌ

問　其方ハ何日露國官憲ニ捕ヘラレタカ
答　陰曆九月十三日ノ一二時デアリマシタ

問　何處デ捕ヘラレタカ
答　私ノ宅カラ停車場ヘ行ク途中ニ在ル橋ノ手前ノ四ツ辻ノ所デ捕ヘラレマシタ

此時被告ニ別紙ノ如ク其現場ノ圖面ヲ作ラシメ尚ホ其場所ヲ記セシメタリ

問　「プリスタン」ヘ何ノ用ニ行ク途中ナリシカ

答　其日私ノ宅デ煙草ヲ巻イテ居リマシタガ湯ニ行ク積リデ手拭ヲ持ツテ出ル途中デ捕ヘラレマシタ

問　押ヘラレタル時今着テ居ル衣類ヲ着テ居タカ

答　左様デス

問　其方ノ持ツテ居タ手拭ハ如何ニシタルカ

答　持ツテ來テ居リマス

被告人 장슈명

右讀聞カセタルニ相違ナキ事ヲ承諾ノ上自署セリ

卽日前記場所ニ於テ

但出張先ニ係ルヲ以テ所屬官署ノ印ヲ用フル能ハス

關東都督府地方法院

書記	岸田愛文
高等法院檢察官	溝淵孝雄
囑託通譯	園木末喜

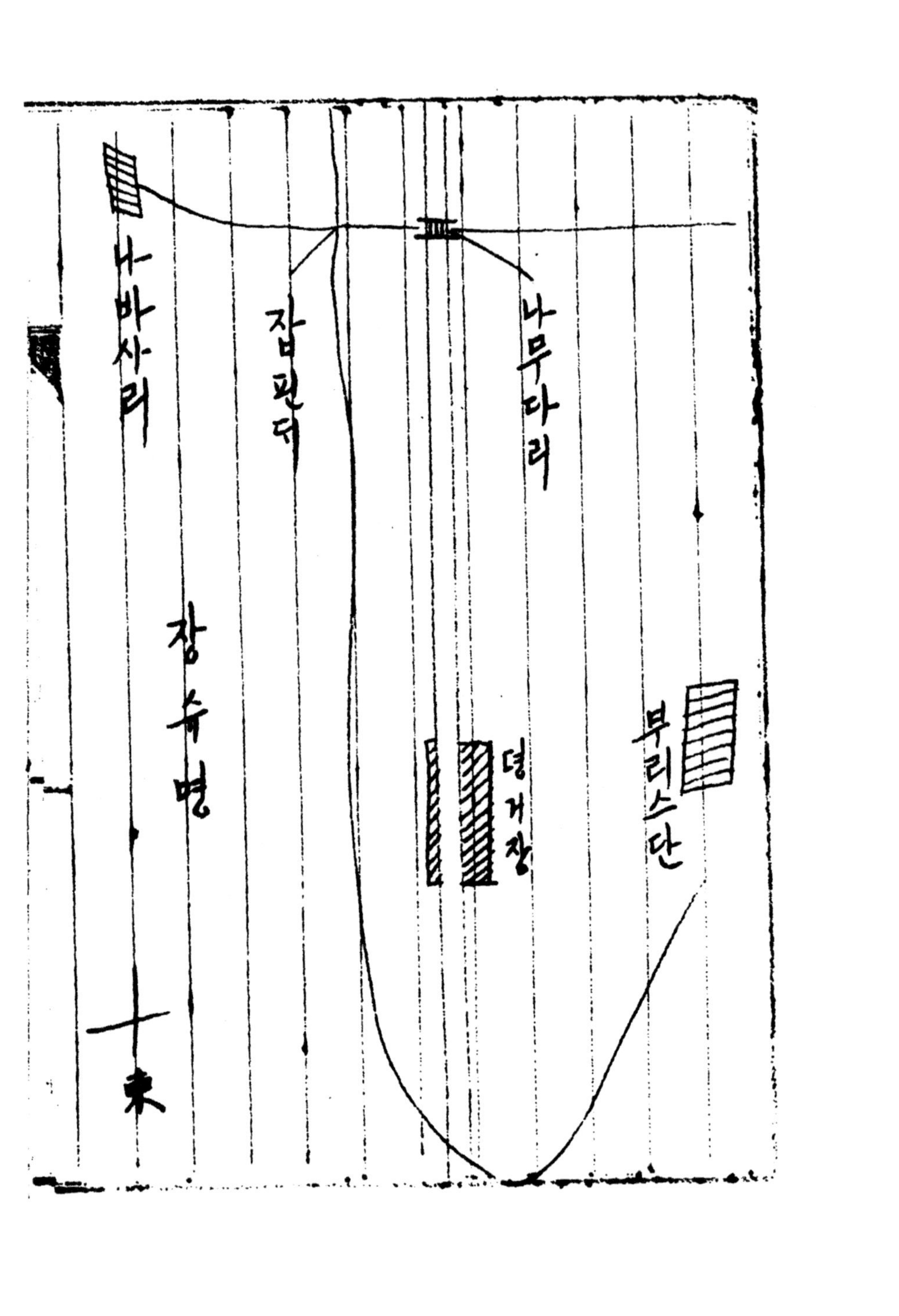
나바사리
잡판디
나무다리
장슈병
뎡거장
부리스단
來

十五　卓公圭 第一回 訊問記錄

被告人 訊問調書

被告人 卓公圭

右ノ者ニ對スル殺人被告事件ニ付キ明治四十二年十月三十一日哈爾賓日本帝國總領事館ニ於テ檢察官溝淵孝雄書記岸田愛文列席通譯囑託園木末喜通譯
檢察官ハ被告人ニ對シ訊問スルコト左ノ如シ

問　氏名、年齡、身分、職業、住所、本籍地、及出生地ハ如何
答　氏名ハ 卓公圭
　　年齡ハ 三十六歲
　　職業ハ 藥局
　　身分ハ—
　　住所ハ 露國モストワヤ、ウリチヱン三十番
　　本籍地ハ 韓國咸鏡南道咸興邑中荷里
　　出生地ハ 同所

問　其方ハ哈爾賓テ寢泊リヲシテ居ルカ
答　モストワヤニ居リマシス

問　其方妻子父母ガアルカ
答　妻子ハアリマスルモ父母ハアリマセヌ

問　妻子ハ今何處ニ居ルカ
答　モストワヤニ居リマス

問　今度其方何處デ捕ヘラレタカ

答　當哈爾賓デ捕ヘラレマシタ

問　其方ハ金成玉ヲ知ルヤ
答　知ツテ居リマス

問　何處ニ住ンテ居ルカ
答　住所ハ京城デアルト聞キマシタ

問　同人トハ何日カラ知合ニ爲ツタカ
答　昨年十一月カラ知合ニ爲リマシタ

問　其方ハ哈爾賓ヘハ何用ニ來タカ
答　藥ノ買入ニ來テ支那人ノ宅テ買フテ歸リ途デ捕ヘラレマシタ

問　其藥ハ如何ニシタルヤ
答　買ヒニ來ル途中デ捕ヘラレマシタ

問　夫レハ何日カ
答　陰曆九月十三日デアリマス

問　其方宅ハ何日出タカ
答　宅ハ朝食ヲシテ直ク七、八時頃出テ其途中テ捕ヘラレマシタ

問　其朝ハ哈爾賓ノ停車場ヘ伊藤公爵ノ來着セラルル事ハ知ツテ居ツタカ
答　一向知リマセナンダ

問　伊藤サンノ歡迎会ヨリ寄附金ヲ出ス事又ハ當地ニ來ル事ヲ何人カヨリ通知ヲ受ケタカ
答　其樣ナ事ハアリマセナンダ

問　其前韓國人ノ金成白ト云フ者ノ宅へ會合シタ事ガアルカ

答　墓ヲ移轉スル仕事ニ出タ事ハアリマスルモ会ニハ出マセヌ

問　其仕事ニ出タ日ハ何日カ

答　陰曆本月十一日ト思シマス

問　幾日ヲ要シタカ

答　其日皆出來マシタ

問　韓國人ノ墓ヲ移轉スル事ニ付テハ民團長ノ宅デ会同シタ様ナ事實ガアツタカ

答　前ニ會同シタ事ハ知リマセヌモ移轉シタ日ハ日曜日デアルカラ學校ニ皆集マルト云フ話ハ聞キマシタ

問　其墓ハ何人ノ墓カ

答　何人ノ墓カ知リマセヌ

問　墓ハ澤山アツタカ

答　十七箇所許リアリマシタ

問　墓ノ仕事ニ其方ト一所ニ行キタ者デ本日其方ト一所ニ當所へ來テ居ル者ガアルカ

答　來テ居リマス

問　日曜日ニ學校ニ集マツタト云フ人モ本日一所ニ來テ居ルカ

答　學校ノ方ヘハ行キマセナンダカラ夫レハ知リマセヌ

問　其方ハ曹道先ト云フ者ヲ知ルヤ

答　存シマセヌ

問　禹德順ヲ知ルヤ

答　知リマセヌ

問　禹連俊ハ知ルヤ
答　知リマセヌ

問　鄭大鎬ハ知ルヤ
答　知リマセヌ

問　金成白ヲ知ルヤ
答　知リマセヌ

問　洪時濬ハ知ルヤ
答　知ツテ居リマス

問　柳江露、金澤信ヲ知ルヤ
答　金澤信ハ知ツテ居リマスルモ柳ハ知リマセヌ

問　李珍玉、金麗水、張首明ヲ知ルヤ
答　知リマセヌ

問　此寫眞ノ者ハ知ルヤ

此時被告安重根ノ寫眞ヲ示ス

答　知リマセヌ

問　其方ハ廿六日朝露國官憲ニ捕ヘラレタノハ其方宅カラ如何程ノ距離ノアル處カ
答　約三四合位ノ處テス

問　停車場カラ何程離レテ居ル處カ

答　朝鮮ノ三里許リ距レテ居リマス

問　停車場カラ何レノ方面カ
答　私ノ宅カラ哈爾賓ヘ來ル道テアリマス

問　安應七ヲ知ルヤ
答　知リマセヌ

問　伊藤公爵ガ殺サレタト云フ事ハ聞イタカ
答　捕ヘラレテ後停車場デ聞キマシタ

問　下手人ハ誰レト聞イタカ
答　韓國人ト聞キマシタルモ氏名ハ知リマセヌ

被告人 卓公圭

右讀聞ケタルニ承諾ノ上自署セリ
卽日前記領事館ニ於テ
但出張先ニ係ルヲ以テ所屬官署ノ印ヲ用フル能ハス

關東都督府地方法院
書記　岸田愛文
高等法院檢察官　溝淵孝雄
囑託通譯　園木末喜

十六 卓公主 第二回 訊問記錄

被告人 第二回 訊問調書

被告人 卓公主

右ノ者ニ對スル殺人被告事件ニ付キ明治四十二年十一月二十日關東都督府監獄署ニ於テ檢察官溝淵孝雄書記岸田愛文列席通譯囑託園木末喜通譯
檢察官ハ前回ニ引續キ前記被告人ニ對シ訊問ヲ爲スコト左ノ如シ

問　其方ガプリスタン、モストワヤヘ來テ住居シタノハ何日カ
答　本年陰暦六月デス

問　其前ハ何處ニ居ツタカ
答　「ノイゴリ」ト云フ處ニ居リマシタ

問　浦潮ニ居ツタ事ハナイカ
答　居リマシタ昨年十一月ニ浦潮カラ「ノイゴリ」ヘ來マシタ

問　浦潮デハ如何ナル者ト交際シテ居タカ
答　別ニ交際人ハアリマセヌ

問　浦潮ノ何處デ何業ヲシテ居タカ
答　開拓里テ藥鋪ヲ營ンデ居リマシタ

問　其方ハ浦汐ノ新聞社ノ者ニ知人ガアルカ

答　李剛、金岳万[1]、崔鳳俊、車錫輔、柳鎭律ト云フ人ハ知ツテ居リマス李剛ハ大東共報ノ主筆デ柳鎭律ハ發行人デアリマス

問　張志淵ト云フ者ヲ知ツテ居ルカ

答　同人モ知ツテ居リマス

問　李剛、柳鎭律、張知淵ト云フ者ハ如何ナル党派ニ屬シテ居ル者カ

答　夫レハ知リマセヌ

問　大東共報ハ平素如何ナル風ノ論說掲ケテ居ルカ

答　實業及地方教育等ノ發達ヲ圖ル事ヲ能ク掲ゲテアリマシタ

問　日本ハ韓國ノ敵デアルト云フ様ナ記事モ掲ゲテ居ツタカ

答　其様ナ記事ガアルノモ見マシタ

問　大東共報ノ社主ハ何ト云フ者カ

答　私ノ居リマシタ時ハ崔在衡ト云フ者デ今ハ露國人デアリマス

問　今ハ同社ハ合資ニ爲ツテ居ルカ

答　左様デス

問　朴仁燁、玄基煥ト云フ者ハ其方ガ居ツタ時新聞社デ何ヲシテ居ツタカ

答　朴仁燁ハ會計ヲ致シテ居リマシタ玄基煥ハ一向知リマセヌ

問　其方ガ哈爾賓ヘ來テ李剛、柳鎭律、張志淵杯ト音信ヲシテ居ルカ

答　其様ナ事ハアリマセヌ私ハ人ガ購讀シテ居ル新聞ヲ借リテ讀ムデ[2]居ルノデス

1　金學萬。
2　讀ンデ。

問　其方ノ妻ハ日本人カ

答　韓國人デアリマス

問　金岳万[3]、崔鳳俊、車錫輔ハ新聞社デ何ヲシテ居ルカ

答　皆新聞社ノ世話ヲシテ相共ニ擴張ヲ圖ツテ居ル人デス

問　今度伊藤サンヲ殺シタ者ハ如何ナル處ニ係統ヲ牽イテ居ルカ其方ハ知ラヌカ

答　私ハ宅ニ許リ居リマスカラ其辺ノ事ハ知リマセヌ又風說モ聞イタ事ハアリマセヌ

問　其方ハ自宅デ捕ヘラレタカ又藥ヲ買ヒニ行ク途中デ捕ヘラレタカ

答　私ハ朝藥ヲ買ヒニ行ク途中デ捕ヘラレマシタ

問　禹德順又ハ禹連俊ト云フ名前ヲ聞カヌカ

答　名前ハ聞イタ事ハアリマセヌ

問　其方ガ浦潮ニ居ツタ時同人ハ新聞社ヘ出入ヲシテ居ラサリシカ

答　左様ナ人ハ知リマセヌ

問　安應七又ハ曹道先ハ如何

答　私ノ浦潮ニ居ツタ時同所ニ其様ナ人ハ居リマセナンダ

問　曹道先ハ前ニ浦潮ニ居ツタ者デ今度哈爾賓ノ金成玉ノ所ヘ來テ捕ヘラレタノデアルガ知ラヌカ

答　其事ハ更ニ知リマセヌ

問　其方ハ捕ヘラルル時ノ所持品何ニカ

答　錢入ト露國官憲カラ下付セラレテ居リマシタ護身券トヲ持ツテ居リマシタ

3　金學萬。

問　錢入ニハ金カ何程入ツテ居ツタカ
答　貳圓拾貳哥入ツテ居リマシタ

被告人 卓公圭

右讀聞カセタルニ相違ナキコトヲ承諾シ自署セリ
卽日前記場所ニ於テ
但出張先ニ係ルヲ以テ所屬官署ノ印ヲ用フル能ハス

關東都督府地方法院
書記　岸田愛文
高等法院檢察官　溝淵孝雄
囑託通譯　園木末喜

十七 洪時濬 訊問記錄

被告人 訊問調書

被告人 洪時濬

右ノ者ニ對スル殺人被告事件ニ付キ明治四十二年十月三十一日哈爾賓日本帝國總領事館ニ於テ検察官溝淵孝雄書記岸田愛文列席通譯囑託園木末喜通譯
検察官ハ被告人ニ對シ訊問スルコト左ノ如シ

問　氏名年齢身分職業住所本籍地及出生地ハ如何
答　氏名ハ 洪時濬
　　年齢ハ 廿八歳
　　職業ハ 煙草卷職
　　身分ハ
　　住所ハ哈爾賓プリスタン四道街 朴文順方
　　本籍地ハ韓國咸鏡南道端川郡南門内下西里
　　出生地ハ同所

問　其方ハ父母妻子カアルカ
答　何レモアリマス

問　其方ハ露國官憲デ[1]何處デ取捕ヘラレタカ
答　四道街ノ途中通行中呼ハレテ捕ヘラレマシタ

問　捕ヘラレタル日ハ何日カ

1　ニ。

答　陰暦九月十三日正午過ギアリマシタ

問　何レヘ行ク途中デ捕ヘラレタカ
答　仕事先カラ其食事ニ歸ル途中デアリマシタ

問　仕事ニハ何處ヘ行キ食事ハ何處デスルノカ
答　露西亞人ノ宅ヘ仕事ニ行キマシテ私ノ居ル所ヘ食事ニ歸リマス

問　其露國人ノ名ハ何ト云フカ
答　「アルロ、ウヰスキー」ト云フ人デアリマス

問　其人ノ宅ハ何處カ
答　露淸銀行ノ橫ノ辻ノ向フ手ノ銀行ノ偶[2]ニ在ル宿屋テアリマス

問　其朝伊藤公爵ガ停車場ニテ狙擊セラレタル事ヲ聞イタカ
答　夫レハ知リマセヌ

問　其方ハ捕ヘラレテ最初何處ヘ行キタカ
答　初メハ停車場ヘ連ラレテ行キマシタ

問　下手人ハ誰レテアルト云フ事ヲ聞イタカ
答　左様ナ事モ知リマセヌ

問　安應七ト云フ者ヲ知ルヤ
答　知リマセヌ

問　曹道先ハ知ルヤ

2　隅。

答　其様ナ人ハ知リマセヌ

問　禹連俊ハ如何
答　知リマセヌ

問　金麗水ヲ知ルヤ
答　知ツテ居リマス

問　李珍玉、方士瞻ヲ知ルヤ
答　知ツテ居リマス

問　鄭大鎬ヲ知ルヤ
答　知リマセヌ

問　卓公圭ハ如何
答　知リマセヌ

問　張首明、金成燁ヲ知ルヤ
答　知リマセヌ

問　柳江露、金澤信ハ如何
答　金澤信ハ知ツテ居リマス、柳江露ハ知リマセヌ

問　此者ヲ知ツテ居ルカ

此時被告安應七ノ寫眞ヲ示ス

答　知リマセヌ

問　朝鮮人ノ墓場ヲ改葬シタ事ガアルカ

答　アリマス

問　夫レハ何日カ

答　陰暦九月十一日ノ日曜日テアリマシタ

問　何處へ改葬シタカ

答　韓國人ノ部落ト支那人ノ部落トニ散在シテ居リマシタ墓ヲ一ケ所ニ集メマシタ

問　墓ハ何ケ所アツタカ

答　十七ケ所アリマシタ

問　卓公圭モ行キタカ

答　行キマシタ改葬ニ行カヌ者ハ一ル-ブル宛出サネハナラヌ事ニ爲ツテ居リマシタ
其金ハ馬車ヲ雇フノデアリマス

被告人 洪時濬

右讀聞カセタルニ相違ナキコトヲ承諾シ自署セリ
卽日前記總領事館ニ於テ
但出張先ニ係ルヲ以テ所屬官署ノ印ヲ用フル能ハス

關東都督府地方法院
書記　岸田愛文
高等法院檢察官　溝淵孝雄
囑託通譯　園木末喜

十八 姜鳳周 參考人 訊問記錄

訊問調書

伊藤公殺害事件ニ關シ參考人トシテ韓國人姜鳳周ヲ通譯渡邊百馬ヲ介シ訊問スルコト左ノ如シ
氏名、年齢、國籍、住所、職業此ヲ略ス

問　金成伯ト安應七ト事件ニ關シ何等カノ關係アリト思惟セズヤ

答　柳江露(東夏)ト安ト浦港ヲ同時ニ出發シ安ハ先ズ來リシカ又ハ長春ニ一時赴キシナラン柳ハ後レテ來リ金成伯方ニ宿シ安ハ停車場ニ宿セリト聞ケリ

問　安ハ常ニ停車場ニ在リシヤ

答　否、浦港ヨリ來リテ停車場ニ宿シ一時長春ニ赴キテ歸リ來リ再ヒ停車場ニ宿セリト聞ケリ

問　其方ハ當市共立會長タリシコトアリヤ

答　卓公圭ハ浦港ヨリ來リ金成伯ト反シテ金成玉等ニ語リ設立セントシ會長タランコトヲ求メラレシモ同時ニ領事館ノ命ニヨリ民會設立セラレントシ之ニ共立會ニ入ルハ不可ナルヲ以テ此ヲ拒ミタリ之レ彼等ト意見ヲ異ニセル初メナリ

問　其後何人カ會長トナリシヤ

答　會員五十余名入會セシモ孰レモ其後會ノ無益ナルヲ知リ解散セリ會長ハ定マラサル中ニ消滅セリ

問　其方ガ共立會長トナリ尹根成カ副會長トナレルコトヲ聞キ居ルガ如何

答　事實ナシ尹根成ハ自分カ民會長タリシ時副會長ナリキ金成伯ハ民會ヲ止メント云ヒシ故自分等一派ハ民會ヲヤメルナラバ共立會モヤメルヘシト主張シ其後ハ會ナルモノナシ卓公圭ト金成伯トハ常ニ同意見ナリキ

問　然ラハ現在ハ當地ニ共立會ナルモノナキカ
答　之ナシ五六個月前ナリ

問　東興學校ノ成立ハ如何
答　金成伯多額ニ出金シ金衡在、卓公圭ハ其教員ナリ、金成伯カ校長ナリ他ニ寄附者アリシモ自分ハ出金セサリキ三百円程强製シテ集メタリト聞ケリ

問　東興學校ト共立會トノ關係如何
答　共立會開設ノ運動ガ止ミテ學校出來タリ共立會ガ學校ナリトイフベシ

問　金衡在ト共立會トノ關係如何
答　關係ナシ

問　浦港刊行ノ大東共報ヲ知レリヤ
答　見タルコトアリ

問　大東共報ハ何人カ經營スルヤ
答　崔鳳俊ナリ同人ガ金出シ居タリ後高買上ノ都合ニテ之ヲ讓渡シタリ其後ハ多數ノ人カ出資シテ經營セル由ナリ

問　李剛ナルモノヲ知レリヤ
答　人ハ知ラサルモ其名ハ聞ケリ新聞社ノ主筆ナリ

問　兪眞律[1]ナルモノヲ知レリヤ
答　名ヲ聞キタルコトアリ何ヲナセルヤ知ラス露國ヘ歸化シ居レル由ナリ

問　安等ト大東共報社ト何等カ關係ナキヤ

1　兪鎭律。

答　存セス

問　浦港ニ青年會ナルモノアリヤ
答　アリト聞ケリ

問　浦港ニ獨立會ナルモノアリヤ
答　アリト聞ケリ

問　右兩會ハ同一稱ナリヤ
答　多分別々ナルベシ

問　然ラバ青年會ノ目的ハ何ナリヤ
答　多分青年ヲ集メテ教育スルナラン

問　宗教上ノ意味ハナキヤ
答　存セス

問　獨立會ノ目的ハ何ナルヤ
答　存セス浦港ニハ長ク行キタルコトナシ

問　青年會ハ主トシテ何人カ經理スルヤ
答　資産家二十人程金ヲアツメテ立テシモノナリ

問　其主ナル人々ハ
答　李剛ナリ

問　李剛ハ資産アルヤ
答　金ハナキモ相當ノ事ハ何事ニ依ラズ爲シ得ル人ナリ

問　同義會ナルモノヲ知レルヤ

答　存セス

問　倡義會ヲ知レルナラン
答　存セス新聞ニモ出テ居ラス

問　如何ナル會名ノモノガ新聞ニ表ハルルヤ
答　最初ハ青年會ナリ其後何會ノ名モ見ズ

問　共立會ノ名ハ新聞ニハ出テサルヤ
答　出テタルコトナシ

問　青年會ハ尙ホ現存セルヤ
答　アリ今日ニテモ新聞ニ名顯ハル

問　何人ガ同會ヲ經理スルヤ
答　會長ハ車石宝[2]ナリ露國ニ歸化セリ財産アリ

問　副會長ハ何人ナルヤ
答　李剛ナリ、卓公圭モ昨年仝會ノ副會長ナリキ

問　其他ニテ同會中勢力アルハ何人ナルヤ
答　其他ニハ知ラズ

問　兪眞津[3]ハ入會シ居ラサルヤ
答　皆入會シ居レリ

問　李範允ヲ知レリヤ

2　車錫甫。
3　兪鎭律。

答　名ハヨク聞キタリ四五百ノ兵ヲ今日ニテモ引率セリ
烟秋、ニコリスク、秋豊等ノ間ヲ往來セリ

問　李瑋鐘ナルノモ知レリヤ
答　李範允ノ兄李範晉ノ子ナリ佛語ニ通シ佛人ヲ妻トセリ三年前四万圓持チテ浦港ニ來リ李範允ヲタヨレリ

問　李瑋鐘ハ何ノ爲メニ浦港ニ來リシヤ
答　知ラズ間モナク露國本國ニ歸レリ浦港ニ僅カ三四ケ月居レリ

問　浦鹽ニ共立會アリヤ
答　今年ノ春頃迄テ新聞ニ表ハレタリ

問　共立會ハ何人カ經理スルヤ
答　知ラス

問　共立會ノ本部ハ何地ニ在リヤ
答　多分浦港ナルヘシ

問　安應七ト浦港新聞社トハ關係アラサルヤ
答　以前安ハ新聞社ニ關係アリシト聞ケリ左モ之ハ事件後ニ咄シガ出テタルナリ、ポグラニ-チナヤニ二ケ月程在リテ哈爾賓ニ來レリト聞ケリ

問　事件ニ就キ安ト新聞社ト關係アリトハ思レザルヤ[4]
答　ソウハ思ハレズ

右錄取シ通譯ヲ經テ讀聞セタルニ相違ナキ旨ニテ共ニ左ニ署名捺印ス

4　思ハレザルヤ。

明治四十二年十二月二十九日

參考人

姜鳳周

檢事々務取扱

外務省警部 岡島初己

通譯 渡邊百馬

十九 金成玉 參考人 訊問記錄

訊問調書(寫)

伊藤公殺害事件ニ關シ參考人トシテ韓國人金成玉ヲ通譯渡邊百馬ヲ介シ訊問スルコト左ノ如シ
氏名、年齡、國籍住所、職業等略之

問　九月初旬夜曹道先[1]ハ金衡在其他三人ヲ伴ヒテ夜來訪セシナラン
答　金衡在ガ安應七、禹連俊ノ兩名ヲ伴ヒテ來レリ

問　柳東夏ハ來タラサリシヤ
答　來ラズ

問　安、禹ハ何ノ爲メニ來リシヤ
答　金衡在ノ言ニ衣レハ兩人ハ浦港ヨリ新聞代ヲ取リニ來リシナラントイヘリ

問　酒食セシヤ、其方モ列席セシヤ
答　曹道先[2]カ酒ヲ買ヘリ、自分モ出テ面會セリ中途退席シ面會セシハ彼等カ歸ル時ナリ

問　其後彼等ハ來ラサリシヤ、金永煥ハ其後彼等ノ來レルコトヲ明言セリ如何
答　金永煥ノ言ノ信スヘカラサルハ有名ナルモノナリ、其後彼等ノ來レルコトナシ

問　浦潮ヨリ來リシ人カ別ルル時泣キタルトイフニ非ズヤ

1　曺道先。
2　曺道先。

答　金衡在ヨリ聞ケル所ニ依レハ其後彼等ハ金衡在ヲ訪問シ別ルル時再會ヲ期シ難シトイヒテ別レタルコトヲ金衡在ヨリ聞キタリ、金衡在ハ之ヲ不思儀トシ自分モ之ヲ奇妙ニ思ヒ翌日顏ヲ洗フ時金永煥ニ語レリ

問　然ラハ二度目ニハ安、禹ハ金成玉方ニ來ラスシテ金衡在方ニ來リシナルカ

答　否、曹道先[3]カ酒ヲ買ヒテ安、禹ヲ饗セシ晩ニアリシコトナリ金永煥ノ言ノ僞ナルコトハ人皆之ヲ知レリ

問　柳江露ヲ知レルナラン

答　知ラス

問　其方ハ金成伯方ニ出入セシナラン

答　出入ハセシモ柳ナルモノノ在リシ時ハ行キシコトナシ

問　其方方ニテ酒宴ノ夜何故ニ曹道先[4]ハ酒ヲ買ヒシヤ

答　何故ニ酒ヲ饗セシヤ知ラス

問　曹[5]ト禹、安ハ以前ヨリ知己ナリシナラン

答　夫レモ存セス

問　其方ハ一家ノ主人トシテ曺カ他ヨリ來リシモノヲ饗スルヲ許スヤ

答　曹[6]ノ當初來リシ時二日程世話ニナリタシトイヘリ其後二日ヲ經ルモ出テユカス自分ハ少シモ之ヲ構ハサリキ他人ニ酒ヲ出スモ自分ハ一向關係セス

問　安、禹ノ如キ罪人ヲ其方方ニテ饗應セシヲ今日ニ於テ後悔セサルヤ

3　曺道先。
4　曺道先。
5　曺。
6　曺。

答　曹道先[7]ヲ自宅ニ宿セシメシハ今日ニ於テハ後悔セリ子孫迄モ不知ノ人ヲ宿セシメサルコトヲ申傳フヘシ

問　安又ハ曹[8]ヨリ金員ノ貸與ヲ申込マレタルコトナキヤ
答　之レナシ初對面ノ人ナリシ故斯ルコトナシ一回面會セシノミニテ再會セシコトナシ

問　其方ノ陳述ト金永煥ノ陳述ト全ク相違セルハ本職ノ不審トスル所ナリ如何
答　夫レハ自分ニ御下問アルヨリモ當地韓人ニ御尋ネアラハ自ラ明白ナルヘシ金永煥ノ僞言ハ有名ナルモノナリ

問　其方ハ金永煥ト何地ニテ知合ヒトナリシヤ
答　吉林ニテ少シ知レルモ當地ニテ懇意トナレリ

問　吉林ニテ其方ハ何ヲナシツツアリシヤ
答　飮食品販賣業ヲナセリ

問　金永煥ハ吉林ニテ何ヲナセシヤ
答　何モセス一兩日自分方ニ來リシノミニテ其消息ヲ詳ニセス

問　曹[9]カ酒ヲ安、禹ニ出セシ時誰カ酒ヲ買ヒ來タリシヤ
答　曹[10]自ラ買ヒ來レリ何人モ買ヒニ行クヘキ人ナシ

問　飯焚キモ通譯モ居ルニアラスヤ金永煥モ居ルニ非スヤ
答　曹[11]カ饗スル事故多分自ラ買ヒニユキシナラント申セシナリ

7　曺道先。
8　曺。
9　曺。
10　曺。
11　曺。

問　當夜安、禹、曹[12]、金衡在ノ四名カ[13]何ヲ談セシヤ知レルナラン
答　自分ハ藥局ニテ調劑シ居タル故何事モ知ラス他人ノ客ナルト自分ハ酒ヲ飲マサル故席ニハ列セサリキ

問　當夜ハ安、禹、丞、金衡在ノ四名ニハアラサルヘシ他ニモアリシナラン
答　他ニハ來リシ人ナシ

問　現ニ金永煥ハ浦港ヨリ不知ノ人三人來レリト明言セルニ非スヤ
答　ソンナ筈ハ之ナシ

問　慥カニ柳江露ハ來ラサリシヤ
答　來ラサリキ

問　曹道先[14]ハ其方宅ヨリ何處ヘ行キシヤ
答　失踪セリ不都合ノ奴ト思ヒタリ、モシ彼カ髮ノ一片ニテモ怪シキ擧動ヲナセシナラハ恐ラク今度ノ事件ハ起ラサリシナルヘシ

問　金永煥ノ言ニヨレハ曹[15]ハ弟ヲ迎ヘニ長春ニ行キタルコトヲ其出立後其方ヨリ聞ケリトイヘリ如何
答　其咄シハ以前ニ間接ニ聞ケリ曹[16]カ金永煥等ニ咄シタルモノノ如シ曹[17]自身ハ自分ニ嘗テ何モ咄セシコトナシ全ク失踪セリ

問　曹[18]ガ弟ヲ迎ヒニ長春ニ行キシコトカ眞ナラハ無斷ニテ出奔セシハ奇ナリト思ハスヤ其方ノ考如何

---

12 曺。
13 四名カ。
14 曺道先。
15 曺。
16 曺。
17 曺。
18 曺。

答　第ヲ連レ來ルナルヘシト深ク怪マサリキ

問　然ラハ事件後ハ如何ニ考フルヤ

答　(答辯澁滯了解シ難シ)

問　明白ニ答ヘヨ

答　各別ノ考ナシ

問　其方ノ室ヲ貸與セシ時曹[19]カ無斷ニテ失踪シタル後間モナク伊藤公ノ事變起レリ、曹[20]ノ行動ニ就キ不審ナリト思ハスヤ明白ニ申立テヨ

答　失踪當時ハ別ニ何トモ思ハサリシカ後チ逮捕セラレテヨリハ自分ハ恐シト思ヘリ斯ル人ヲ宿泊セシメタルヲ恐シト思ヘリ

問　然ラハ其方ハ曹[21]ハ事件ニ關係アリト信スルヤ

答　勿論罪アリト思フ

問　斯ル犯人ヲ其方方ニ宿泊セシメタル故ニ其方ニ嫌疑アルハ至當ナルヘシ如何

答　御尤モナリ

問　曹[22]カ拳銃ヲ有セシハ其方ハ知レリヤ

答　一向存セサリキ旅順法院ニテモ申立テシカ曹[23]カ自宅ニ來リシ時ハ煙管一本モ携帶セサリキ夫レカ拳銃ヲ何人ヨリ得タルヤ御取調ヲ乞フト三度程申立テタリ

問　拳銃ノ出處ハ其方ハ全ク知ラサルヤ

---

19 曺。
20 曺。
21 曺。
22 曺。
23 曺。

答　全ク存セス

問　曹[24]ノ失踪迄同人ハ何モ所持品ナカリシヤ

答　全クナシ

問　曹[25]ハ其方宅ニテ平素何ヲナシツツアリシヤ

答　諸方ヘ遊ビニユクノミニテ食事ヲスマセハ出テテ歸ラズ何ヲナシツツアリシヤ不明ナリ

問　曹[26]ハ金錢ヲ持チ居リシヤ

答　當初來レル時ハ自分モ金ハ多少アルヘシト信セシモ其後ノ樣子ニテハ金ナカリシ如シ

問　曹[27]ハ何地ヨリ哈爾賓ニ來リシヤ

答　イルクツクヨリ來レリ

問　曹[28]ハ露國ノ本國ニ行キシコトナキヤ

答　一向存セス

問　曹[29]ハ浦港ト手紙ヲヤリ取リセルコトナキヤ

答　見聞シタルコトナシ

問　新聞代ヲ取リニワザワザ浦港ヨリ二人モ來ルヘキコトアリヤ

答　單ニ金衡在ヨリ之ヲ聞キタルノミニテ何モ考ヘサリキ

---

24 曺。
25 曺。
26 曺。
27 曺。
28 曺。
29 曺。

問　金衡在ト安、禹ハ熟懇ナリシヤ
答　ヨク知ラス別ルル時泣キタルコトヲ聞ケルノミ

問　其方ノ意見ニテハ金衡在ハ安、禹、曹[30]等ト事件ニツキ關係アリト思ハスヤ
答　事件後ニナリテハ安等ト金衡在トノ間ニハ關係アリシナラント思ヘリ、シカシ之ハ考ヘルダケニテ証蹟ハナシ

問　安、禹ハ浦港ヨリ來リシカ
答　彼等ト初メテ會ヒシ時金衡在ヨリ聞ケリ

問　李剛(李崗)ナルモノヲ知レリヤ
答　初メテ聞ク所ナリ

問　兪智律[31]ヲ知レリヤ
答　知ラス

問　李剛、兪眞律[32]ノ名ハ旅順ニテ聞キタルヘシ
答　尋ネラレタルコトナシ今初メテ聞ク所リリ

問　安、禹ト浦港新聞社ト如何ナル關係アリヤ
答　存セス只浦港ヨリ新聞代ヲ取リニ來レリト聞ケリ

問　曹[33]ハ金成伯トハ心安カリシヤ
答　ヨク知ラサルモ親密ニナルヘキ筈ナシト思フ

---

30 曺。
31 兪鎭律。
32 兪鎭律。
33 曺。

問　安ト禹トハ如何ニシテ金成伯方ニ宿セシヤ
答　如何ナル關係ナリシヤ知ラス

問　其方ハ金成伯ト熟懇ナリシニアラスヤ
答　熟懇ニハアラス

問　其方ハ妻女ヲ金成百方ニ預ケ居リシニ非スヤ
答　別ニ依頼スル所ナキ故金成伯ニ頼メリ同國人ナル故ナリ

問　其方ノ妻女ハ自ラ金成伯方ニユキシナリ汝ノ依頼ニヨルニアラス之レ平生懇親[34]ナリシ証據ナラスヤ
答　他ニ仝國人トシテ依頼スル所ナキ故妻ハ金成伯方ニ行ケルナリ

問　妻自分ニ行ク位ナル故平生往來セシニ相違ナシ然ラハ安、禹カ如何ニシテ金成伯方ニ在ルヤ知ラサル理ナシ如何
答　婦人ハ何モ判ラサル故止ムヲ得ス金成伯方ニ赴キシナリ平生懇意ナリシニ非ラス

問　青年會、獨立會ヲ知レリヤ
答　知ラス社會ノコトハ何モ知ラス

問　共立會ヲ知レルナルヘシ
答　知ラス

問　共立會ハ哈爾賓ニモアリ知レルナルヘシ
答　名稱ハ聞キタルコトアリ

34　懇親。

問　會長ハ何人ナルヤ
答　姜鳳周ノ組織セルコトハ聞ケルモ會長ハ誰ナルヤヲ知ラス

問　尹根成ヲ知レリヤ
答　顔ノミ知レリ

問　共立會ト關係アリヤ
答　存セス

問　本件ニ關係アリト思ハルル曺道先ヲ宿泊セシメタル其方カ事件ニ關係ナキコトハ其方自ラ證據立ツル必要アルベシ如何
答　領事館ノ恩惠ニヨリ免狀ヲ下付セラレ藥業ヲ營ミ居ルコト故モシ事件前ニ曺ナルモノニ一寸ニテモ不審ノ点アリシナラハ直チニ告白スル積リナリキ其辺御覽察ヲ乞フ

問　領事館ノ恩惠ヲ感シ居ルナラハ事件ニ關シ其方ノ知ルコトハ包マス申立テテ宜シキニ非スヤ
答　知レルコトハ悉ク申立テ居レリ知サルコトハ實際判ラサル故知ラズト申スナリ

問　然リト認ムル能ハス現ニ判明セル事實ニテモ包ミ居リシニ非スヤ
答　決シテ包ミ隱シタルコトナシ自分ハ永ク當地ニ住スル積リナル故モシ隱セハ將來顯ハルル事ナルニツキ決シテカクシ申サス

右錄取シ通譯ヲ經テ讀聞セタルニ相違ナキ旨ニテ共ニ左ニ署名捺印ス
明治四十二年十二月廿八日
在哈爾賓日本帝國總領事館ニ於テ

參考人
金成玉

檢事々務取扱
外務省警部 岡島初己
通譯 渡邊百馬

二十 金永煥 參考人 訊問記錄

訊問調書(寫)

伊藤公殺害事件ニ關シ參考人トシテ韓國人金永煥ヲ通譯渡邊百馬ヲ介シ訊問スルコト左ノ如シ

問　氏名ハ
答　金永煥(キムヨンホワン)

問　年齢ハ
答　五十六才

問　國籍ハ
答　韓國咸鏡道洪原右東里

問　住所ハ
答　哈爾賓埠頭區九道街清國人李方

問　露國ヘ歸化シ居ラサルヤ
答　否

問　哈爾賓ニハ何時來タリシヤ其後何ヲナシツツアリシヤ
答　昨年八月當地ニ來タレリ金ヲ百円程所持セシモ之ヲ失ヘリ困リタルニ付金成玉方ニ寄食シ煙草ノ行商ヲナシ居レリ金成玉トハ吉林ニ居リシ時之ヲ知レリ

問　金成玉ハ吉林ニテ何ヲナシツツアリシヤ
答　金成玉ハ吉林ニテ露人ニ食料品ヲ賣リ居タリ自分ハパンヲ賣リ居タリ

問　金成玉ハ吉林ニ長クアリシヤ其以前ハ何地ニ居リシヤ

答　彼ハ三年程吉林ニ在リ其以前ハ知ラス吉林ニテ知合ヒトナレリ吉林ヨリ直チニ當地ニ來タレリト彼自ラ語リタルコトアリ

問　安應七ナル者ヲ知レリヤ

答　存セス伊藤公事件後其名ヲ聞ケリ

問　禹德淳ナル者ヲ知レリヤ

答　存セス

問　曹道先[1]ヲ知レリヤ

答　曹[2]ハ二十日以上金成玉方ニ在リ能ク承知セリ

問　何時頃ヨリ何時迄カ

答　旧八月頃ト覺エ

問　伊藤公事件前ニハ金成玉方ニ在ラサリシヤ

答　旧八月末ヨリ九月五日頃迄金成玉方ニ在リ其後ハ何處ニ行キシヤ知ラス

問　曹道先[3]ハ何ヲナシ居リシヤ

答　毎日外出シ居リ夜ニ入リ歸ヘルヲ常トセリ

問　柳江露(柳東夏)ヲ知レリヤ

答　存セス

問　金衡在(金鳳雛)ヲ知レリヤ

1　曺道先。
2　曺。
3　曺道先。

答　校長ナリ顔ハ能ク覺ヘサルモ面會セシコトアリ

問　金成玉、金衡在、曹道先[4]ノ三人ニテ密談セシ如キコトナキヤ
答　能ク知ラス自分ノ居室ハ離レ居レリ

問　浦潮ヨリ金成玉方へ來タリシ者アルヘシ申立テヨ
答　事件前浦潮ヨリ來タリシ者ナシ

問　來タリシ者アル筈ナリ申立テヨ
答　見タルコトナシ

問　慥カニ來タリシ人アル筈ナリ
答　或朝台所ニ瓶アリシ故他ノ雇人ニ尋ネタルニ昨夜金衡在曹道先[5]金成玉ノ三人ニテ酒食セシナリト聞キタリ

問　三人ニハアラサルヘシ
答　其他ニハ知ラス

問　其酒宴セシハ何日ナリシヤ
答　曹道先[6]出發ノ三四日前ナリキ旧九月ノ初メナリ

問　親族ヲ迎ヘニ長春ニ趣キシ者アルヘシ
答　曹[7]ハ弟ヲ迎ヘニ長春へ行ケルコト其出發後聞ケリ

問　曹[8]ハ一人ニテ出發セシヤ

4　曺道先。
5　曺道先。
6　曺道先。
7　曺。
8　曺。

答　後ニテ聞ケル故知ラス

問　曹[9]ノ出發ハ何人ヨリ聞キシヤ
答　金成玉ト其妻ヨリ聞ケリ

問　浦潮新聞社ヨリ韓人ノ來タルコトヲ慥カニ知ラサルヤ
答　九月六、七日頃夜曺ト金衡在及知ラサル人三人ト來タリテ金衡在ヨリ茶ヲ呉レヨト金成玉ニ乞ヘリ玉ハ何人ナリヤト問ヒシニ浦汐新聞社ヨリ來タレリト答ヘシニ玉ハ然ラハ茶ヲヤメテ酒ニセントテ他ノ雇人ニ酒ヲ買ハシメタリ其後自分ハ就寢セシ故何事モ知ラス

問　其後又來レルコトナキヤ
答　曹[10]ハ金衡在外一人ヲ伴ヒテ翌日カ又ハ翌々日夜遲ク來レリ別ルルトキ浦汐ヨリ來レル人カ再會シカタシトテ泣ケルコトヲ翌日金成玉ヨリ聞ケル玉ハ不思儀ニ思ヒル様子ナリキ自分モ不思儀ニ思ヒリ後何日モ經スシテ事件起レリ其時考フレハ安應七カ泣キタルナルコトヲ推測セリ

問　安應七ナル名ハ何時承知セルヤ
答　金成玉カ露西亞官憲ヨリ引致セラルルトキ自分ハ心配ナル故從ヒ來レルカ途中玉ヨリ安應七ノ事件ノ爲メニ引致セラルルナラント云ヒリ

問　浦汐ヨリ來客アリシ時客人ハ金成玉ニ紹介狀ヲ示ササリシヤ
答　知ラス

右錄取シ通譯ヲ經テ讀聞セタルニ相違ナキ旨ニテ共ニ左ニ署名捺印ス
明治四十二年十二月廿五日
在哈爾賓日本帝國總領事館ニ於テ

9　曺。
10　曺。

參考人
金永煥

檢事々務取扱
外務省警部 岡島初巳[11]
通譯 渡邊百馬

11 岡島初己。

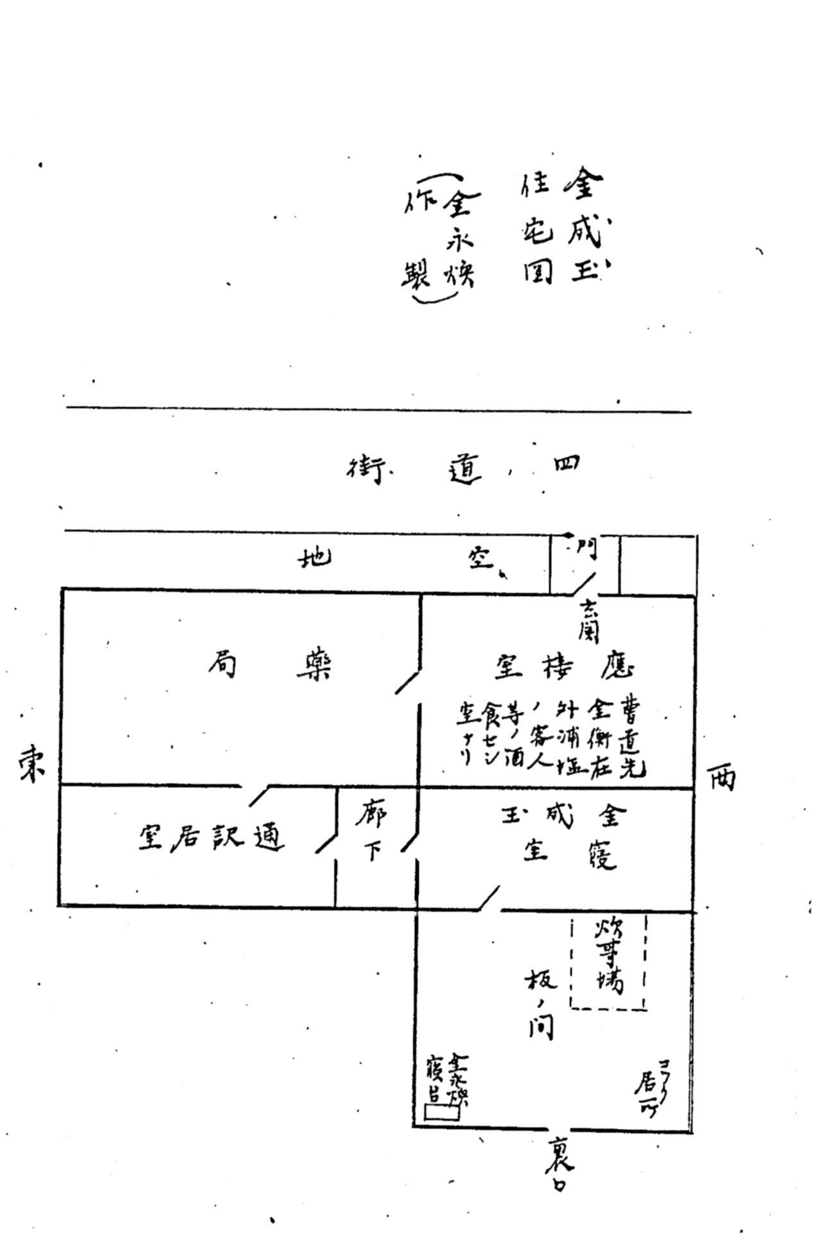
金成玉
住宅図
(金永煥作製)
四道街
空地
門
玄関
應接室
普通先金衛在外浦塩ノ客人等ノ酒食セシ室ナリ
藥局
東
西
通訳居室
廊下
金成玉
寝室
炊事場
板ノ間
金永煥
寝台
コック
居所
裏口

二十一 朴文順 第一回 參考人 訊問記錄

訊問調書(寫)

伊藤公遭難事件ニ關シ參考人トシテ通譯渡邊百馬ヲ介シ訊問スルコト左ノ如シ

問　氏名ハ
答　朴文順

問　年齡ハ
答　三十六才

問　出生地ハ
答　咸鏡北道明川郡阿澗漁佃

問　職業ハ
答　煙草捲キナリ

問　何時哈市ニ來リシヤ
答　四年前ニ來レリ

問　何處ヨリ來リシヤ
答　韓國ヨリ直チニ來レリ

問　露國ニ歸化シ居ラサルヤ
答　否

問　金成伯トハ知己ナリヤ

答　知リ居ルモ熟懇ニハアラス

問　金成玉トハ如何

答　余リ心安カラス

問　曹道先[1]ナルモノヲ知レリヤ

答　知ラス名ハ聞ケリ

問　曺道先ハ何ヲナシ居リシヤ

答　職業ニ急ニシテ知ラス曹道先[2]ノ名ハ彼カ旅順ニ送ラレシコトヲ聞ケルナリ

問　禹徳淳ヲ知レリヤ

答　知ラス其名ハ旅順ニ送ラレシ後ニ聞ケリ

問　安應七ヲ知レリヤ

答　知ラス彼カ永ク当地ニ滯在セシナラハ面會ノ機會アリシナランモ遂ニ面會セス

問　柳江露ナルモノヲ知レリヤ

答　名ヲ聞ケルモ知ラス父ハ「ポグラニ-チナヤ」ニ在リト聞ケリ、傳聞セリ

問　柳ノ父ノ事ヲ聞ケルハ事件後ナリヤ前ナリヤ

答　事件前ナリ

問　如何ナル訳ニテ聞ケルヤ

答　柳ノ父ハポ市ニテ藥室ヲナセル故藥ヲ求メ來レルモノノ咄ンニテ聞ケリ

問　其氏名ハ

1　曺道先。
2　曺道先。

答　柳初試ト稱ス本名ハ知ラス初試トハ昔ノ官名ナリ

問　柳江露カ哈市ニ來リシコトハ承知セリヤ
答　聞カサリキ

問　其方ハ慥カニ柳江露ヲ承知セル筈ナリ
答　存セス

問　柳江露ト共ニ長春ニ赴キシコトアラン
答　自分ハ妻子ヲ養フヘキ必要アリテ斯ル余暇ナシ

問　其方ハ煙草捲キヲ業トナスナラハ其他ニ職業ナキヤ
答　他ニ業ナシ

問　何ト云フ露國人ヨリ烟草ノ材料ヲ受ケツツアルヤ
答　プリスタン十二道街「ロバアトコフ」ナリ

問　右露人方ヘ毎日通ヘルヤ
答　通勤セリ

問　商店ノ名稱ハ
答　「コバロフ」ナリ

問　其方ハ近頃病氣シタルコトナキヤ
答　ナシ

問　病氣以外ノ事故ニテ通勤ヲ休ミシコトナキヤ
答　祭日ノ外ハ休ミタルコトナシ

問　其方ト日本婦人同居セリト聞ケルカ何者ナルヤ

答　日本婦人二人アリ一人ハ金麗水ト同棲スルモノ一人ハ金守京ノナリ

問　金守京トハ何人ナルヤ
答　金ハ日露戰爭ノ時露國ノ仕事ヲ請負ヒ石材等ヲ運ヘリ右日本婦人ハ其以前ヨリ同居セリ

問　大東共報ナルモノヲ知レリヤ
答　知レリ新聞紙上ニテ李剛ナル人アルヲ知リ居レリ

問　李剛ハ大東共報ノ何ヲナシツツアルヤ
答　判然知ラズ

問　兪眞律[3]ヲ知レリヤ
答　新聞ニテ名ヲ知レルモ一面識モナシ大東共報ノ編輯人カ發行人ナリ

問　大東共報ノ發行人ハユガイナルニアラズヤ
答　「ユガイ」ト兪眞律トハ同一人ナリ

問　如何ニテ之ヲ知レリヤ
答　旧本年一月頃改名ノ廣告アリタルニヨリ承知セリ

問　(安應七ノ寫眞ヲ示シ斷指ノ点ヲ指示シ)何人ナルヲ知レルヤ
答　存セス

問　其方ハ新聞ヲ讀ミ居ル事故此寫眞ノ指ヲ斷テル人ノ誰ナルヤハ想像シ得ヘキ筈ナリ
答　知ラス

3　兪鎭律。

問　一般ニ判明セル事實ハ隱蔽セサル方其方ノ有利ナルヘシ
答　夫デモ知ラス

問　其方ハ安應七カ伊藤公ヲ狙擊セシ事實ヲ知リ居ルヤ
答　新聞ニテ承知セリ

問　然ラハ安應七ノ履歷ヲ知レルナラン
答　其新聞ハ見タルコトナシ伊藤公ノ履歷ハ見タルコトアリ

問　其方ハ當地共立會ヲ知レリヤ
答　共立會ノアルコトハ知レルモ關係シタルコトナシ

問　其方ノ關係ノ有無ヲ問フニアラス共立會ノコトナリ
答　關係者ノ氏名ハ新聞ニ出テ居レリ自分ハ關係セシコトナシ

問　何新聞ナリヤ
答　新韓民報ナリ

問　何時頃ノカ
答　本年旧十月頃ノ新聞ナリ

問　其方ハ新韓民報ヲ購讀シ居ルヤ
答　否他人ノヲ借讀スルコトアリ

問　其方ノ申セルハ米國ニアル共立會ノコトナルヘシ
答　共立會ハ哈市ニ唯一ツアルノミナリ

問　然ラハ如何ニシテ哈市ノ共立會ノ役員ノコトヲ米國ニアル新韓民報ニ記載セシヤ
答　存セサルモ多分會長ナドカ通信セシナルヘシ

問　會長ハ何人ナルヤ
答　姜鳳周ナリ

問　今日ニテモ會長ナリヤ
答　會長ナリ

問　副會長ハ何人ナリヤ
答　判明セス

問　尹根成ニハアラサルカ
答　會ニハ關係アルモ副會長ナルヤ否ヤヲ知ラス

問　會ニハ同人ハ如何ナル關係アリヤ
答　右尹ハ自分等ト一緒ニ煙草捲キヲ業トシ如何ナル關係アルヤ知ラス

問　金衡在ヲ知レルヤ
答　知レリ

問　金ハ如何ニシ居ルヤ
答　旅順ヨリノ歸途長春ニテ別レ如何ニセシヤ知ラス之ハ金成玉ヨリ聞ケリ

問　金衡在ト共立會トノ關係如何
答　金ハ共立會ト關係ナシ

問　共立會ハ金衡在ノ設立ニ係ルニアラスヤ事實ヲ隱蔽スルハ其方ノ不利益ナルヲ知ラスヤ
答　當初ヨリ今日迄何等ノ關係ナシ、事實ナシ

問　其方ハ共立會ト關係ナキニ如何ニシテ之ヲ知レリヤ
答　當地ニ共立會ハ永クアルコト故ヨク承知セリ

問　然ラハ尹根成ト共立會トノ關係モ知レルナラン
答　知ラス只尹ハ毎月一回共立會ニユク故關係アルヲ知レリ

問　共立會ハ何處ニアルヤ
答　新市街新市場姜鳳周ノ家ニ在リ

問　共立會ハ何ヲナシツツアルヤ
答　毎月一回集會ヲ開ケルモ何ヲナスヤヲ知ラス

問　共立會ノ目的ハ何ナルヤ
答　自分ハ關係セサル故知ラスシカシ聞ク所ニヨレバ阿片吸入ヲ禁スルコト、勤勉ヲ勸ムルコト、飮酒ヲ禁スルコト等ヲ目的トスル由ナリ

問　金成伯ト共立會トノ關係如何
答　金成伯ハ共立會トハ關係ナシ

問　柳長春ナルモノヲ知レリヤ
答　知レリ、之ハ露西亞ノ通譯ナリ三道街ニ住セリ
一定ノ職業ハ今ハナシ

問　柳ハ露西亞ニ歸化シ居ラスヤ
答　存セス

問　柳ハ共立會ニ加入シ居ルヤ
答　關係セリ名アリタリ

問　何ニ名カアリタルヤ
答　新韓民報ニアリタリ

問　當地共立會ハ何時成立セシヤ

答　本年旧二月ナリ(明治四十二年)

問　如何ニシテ成立セシヤ
答　自分ハ關係セサル故知ラス

問　其方ニ加入ヲ勸メシモノナカリシヤ
答　アリタリ、シカシ之ヲ断リタリ

問　誰カ其方ニ勸メシヤ記憶セルナラン
答　會長ノ姜鳳周等ナリ、シカシ是非加入セヨト勸メシニ非ズ

問　何故ニ加入セサリシヤ
答　集リテ酒ナド飲ミテ人ニ迷惑ヲカケテワ[4]ナラヌト思ヒテナリ

問　同義會ナルモノアリヤ
答　知ラス藏煙會ナルモノ哈尒賓ニ在リ

問　藏煙會トハ何ナルヤ
答　煙草捲キノ職工等ノ會ニシテ互ニ競爭シテ賃金ヲ安クスルコトヲ妨クタメナリ

問　倡義會ヲ知レリヤ
答　知ラス

問　李範允ヲ知レリヤ
答　名ハ知レリ往時本國ノ官吏ニシテ今何處ニ居ラルルヤヲ知ラス

問　現時哈市韓人間ニ安應七辯護ノタメ金ヲ集メ居ラサルヤ

4　ハ。

答　之レナシ、咄シモ聞カス只先日金麗水、金成玉等ヨリ金ヲ送レト申シ來リシ故妻ヨリ送金セリ、シカシ、醵金シテ送レルニハアラス

問　其方ハ安應七ヲ偉シト思フヤ
答　自分ニハ判ラス

問　其方ハ何ノ爲メニ新聞ヲ讀ミ居ルヤ
答　自分ニハ善惡ノ判斷ツカス

問　其方ハ浦港ノ青年會ヲ知レリヤ
答　青年會アルコトハ聞ケルモヨク知ラス

問　青年會ノ目的ハ何ナルヤ
答　存セス

問　獨立會ヲ知レリヤ
答　知ラス桑港ニアル國民會ハ名ヲ聞ケリ

問　鄭在寬ナルモノヲ知レルナラン
答　新韓民報ノ發行人ナリシヲ止メテ其跡ハ崔鑛益ナルモノ其任ニ當リ居レリ

問　二十日程前ニ浦港ヨリ當地ニ來リシモノアラン
答　金振聲來レリ露國官憲ヨリ押送サレテ來リシ由ナリ

問　其他ニアルヘシ
答　知ラス

右錄取シ通譯ヲ介シ讀聞セタルニ相違ナキ旨申立テタルニ付左ニ共ニ署名捺印ス

明治四十三年一月三日

在哈爾賓日本帝國總領事館ニ於テ

参考人
朴文順

検事々務取扱
外務省警部 岡島初己
通譯 渡辺百馬

二十二 朴文順 第二回 參考人 訊問記錄

第二回 訊問調書(寫)

伊藤公遭難事件ニ關シ參考人トシテ通譯渡辺百馬ヲ介シ訊問スルコト左ノ如シ

問　其方カ韓國ヨリ來ル時浦港ニテハ何人ノ許ニ一泊セルヤ
答　開拓里徐俊明方ニ一泊セリ仝人ハ宿室ナリ

問　徐トハ以前ヨリ知己ナリシヤ
答　知ラサリキ

問　徐ハ現今如何ニナシ居ルヤ
答　知ラス仝人方ニ一泊セルノミナリ

問　其方ハ韓國ヲ出立スルトキ哈市ニ來ル意思ナリシヤ
答　以前嘗テ當地ニ在リ日露戰爭ノ時歸國シ更ニ四年前ニ來レリ

問　然ラハ其往復ニ際シ右徐方ニ宿セシナラン
答　最初來レル時ハ牛ヲ賣ル積リニテ浦港迄來リシモ牛死セシ故他業ヲ見出スタメ哈市ニ來レリ

問　其時ハ浦港ニテ何人方ニ宿セシヤ
答　十年前ナル故記憶セサルモ張某ナリシト覺エ

問　其後哈市ヨリ歸國セルトキハ何人方ニ宿セシヤ
答　申述ヘタル徐俊明方ナリツアリ二度仝人方ニ宿セリ

問　近頃仝人方ニ赴キシ事アルヘシ
答　否、 若キ妻アル故他地方ヘ往復スルヲ得ス

問　大東共報ハ一ヶ月代金幾許ナリヤ
答　一ヶ月六十錢一ヶ年四円五十錢ナリ

問　其方之ヲ購讀シ居ルヤ
答　然リ

問　右代金ヲ支拂ヒ居ルヤ
答　然リ當地ニテ金成伯韓鳳周[1]等ニ托シテ送レリ別ニ集メル人ナキモ各自金ノ出來タルトキ之ヲ右兩人方ニ届ケ居レリ

問　韓鳳周[2]ハ新聞代ノ世話ハナシ居ラヌ筈ナリ
答　夫レテモ自分ハ之ヲ仝人ニ支拂ヒタリ

問　金成伯韓(鳳周)[3]等ハ右新聞代ヲ如何ニシテ浦港ニ送リ居ルヤ
答　多分露西亞ノ郵便爲替ニ托送セルナラン

問　其方自身ニテ浦港新聞社ヘ届ケルナラン
答　自分ハ行キタルコトナシ只一回六十錢ヲ拂ヘルノミナリ

問　金衡在(金鳳雛)カ新聞代ノ世話ヲニシ居リシニ非ラスヤ
答　多分然ラサルヘシ新聞來レハ金成伯又ハ姜鳳周ノ兩人ノ方ヘ來レハ配付ヲ受ケタリ新韓民報ハ姜方ヘ來レル樣ナリ

1　姜鳳周。
2　姜鳳周。
3　姜鳳周。

問　其方ハ兩人ノ內何レカラ配布ヲウケルヤ

答　金成伯ナリ

問　安應七禹連俊ノ兩人ハ新聞代ヲ集メニ浦港ヨリ來レリト云ヘリ若シ金姜兩人ニテ代金ヲ集メ居ルナラハ安禹兩人カ當地ニテ斯ルコトヲ云フモ一般韓人信用セサル理ナリ如何

答　自分ハ知ラス

姜鳳周出頭

問　(姜鳳周ニ) 其方ハ新聞代ノ世話ヲナシ居ルヤ

答　昨年春凡ソ三十枚位新聞カ浦港ヨリ來リシ故之ヲ捨ツルニ忍ヒス六十錢宛ノ代金ヲ取リテ之ヲ配布セリ夫レ一度限リナリ新聞社ヨリ維持困難ナルニ付購讀者ヲ求メ來レリ同情ヲ表シテ世話シ遣リタリ各人ヨリ六十錢宛ヲ集メテ送金シ其後ハ一枚モ來ラス自分民會長ナリシ時ナリ

問　(姜鳳周ニ) 其後何人カ新聞ノ世話ヲナシ居リシヤ

答　本年春會長ヲヤメタルニ付其後ノ事ハ一向知ラス尤モ米國ヨリノ新聞カ二度來レルコトアリ之ハ浦港ヨリ何人カガ持チ來リシナリ

問　(姜ニ) 何人カ持チ來リシヤ

答　ハバロフスクノ奧ニ「ビヤンコ」金鑛アリ同地ニテ多數ノ韓人勞働セリ露國官憲ハ之ヲ放逐セリ其譯ヲ浦港ニテ聞カントテ安某李某ノ兩人浦港ニユケリ兩人ハ浦港ヨリ當地ニ來リ其際米國ノ新聞ナリトテ持來レリ

問　(姜ニ) 金成伯ハ現今當地ニテ新聞ノ世話ヲナシ居ラサルヤ

答　判リマセン永ク當地ニ一緒ニ居ルモ熟懇ニアラス

問　(姜ニ) 其方ハ現今浦港ノ新聞ヲ取リ居ルヤ

答　購讀シ居ラス當地韓人ハ一般ニ貧乏ナル故新聞購讀ノ余カナシ

問　(朴文順ニ) 其方ハ新聞ヲ購讀シ居ルナルヤ
答　然リ

問　(姜ニ) 其方ハ朴文順ト懇意ナリヤ
答　永ク一緒ニ當地ニ在ル故知レリ

問　(姜ニ) 朴ハ浦港ニ數々行ケルコトナキヤ
答　知ラス聞キタルコトナシ

問　(姜ニ) 朴ハ近頃長春ニ行キタルコトアルヘシ
答　存セス

問　(姜ニ) 其方ハ共立會ノ會長ナルヤ
答　否

問　(朴ニ) 姜ハ共立會ノ會長ナリヤ
答　然リ

問　(姜ニ) 朴ノ答ヲキケルヤ
答　前ニ申述ヘタル通リ卓公圭來リテ共立會設立ノ咄シアリ、シカシ會ナルモノハ如何ナルモノカ當地ニテハ一向判ラサリシ、シカシ多數ノ韓人ハ此地ニ在リテ死スルモノアルモ埋葬等ノ世話ヲスルモナキニツキ一ノ會ヲ設クル方宜シカルヘシトテ之ヲ設立スルニ決シ毎月十五日ニ貳拾錢ヲ徵集スルコトトシ會員五十名位アリシモ會費ヲ出スモナク會ハ消滅セリ當時自分ハ會長ナリキ會ノ目的ハ死體ヲ埋葬スルコト病者ニ醫者等ヲ與フルコト、無職ノ者ニ職ヲ與フルコト、本國ニ歸ヘル者ニ旅費ノ補助ヲナスコト等凡ソ四ツナリキ

問　(姜ニ) 其方方ニ毎月韓人等集ル由ナルカ
答　自分カ會長ナリシトキ毎月凡ソ二回集會セシカ會長ヲヤメテヨリ近頃ハ一切ソンナ事ハナシ

問　(朴ニ) 姜ノ答辯ヲ何ト聞ケルヤ其方ノ前回ノ陳述ト異レルニ非スヤ

答　否毎月一回韓人姜方ニ集マレリ自分ハユキタルコトナキモ會員ノ行ケルヲ見タリ凡ソ二ケ月前迄ハ集マレリ新聞ニモ姜カ會長ナルコトヲ記シアリタリ其後會長ヲ止メタル咄ヲ聞カサリキ

問　(姜ニ) 共立會設立ノ咄シアリシハ何月ニシテ會長ヲ止メタルハ何月ナリヤ

答　新暦ニテイヘハ去年ノ旧正月ナリ(明治四十二年)共立會ヲ設立シ自分カ會長ヲ止メタルハ仝年二月ナリ一般ニ會長ト稱セラレ來リタルモ眞實ノ會長ニハアラス既ニヤメタルナリ

問　(姜ニ) 然ラハ會員ノ其方方ニ集マリシハ一回位ニ止ルヘシ

答　二回位ナリ其他ハ金ヲ集メルタメ「ブリスタン」ニ集マレルコトアルノミ

問　(朴ニ) 其方ノ言ニ依レハ二ヶ月前迄ハ姜方ニ毎月會員集マレリトイヘルカ然ルヤ上述姜ノ言ト異レルニ非スヤ

答　自分ハユキタルコトナキモ人ヨリ聞ケリ姜ハ四ケ月前ヨリ病氣シ居リシコトハ聞ケルモ慥カニ自分ノ友人カ姜方ニ會ニユキシヲ知レリ

問　(姜ニ) 如何ニ答辯スルヤ

答　金春草(金鳳雛)、金成伯、朴文順、金成玉、趙興明等ハ一派ヲナシ居リテ常ニ自分等ニ反抗シ居リ無實ノコトヲ申スナリ、又朴ハ嘗テ泥醉シテ自分方ニ來リシコトアル故之ヲ逐ヒ出シタルコトアルニツキ自分ヲ面白ク思ハサルナラン故ニ領事館ト自分ノ仲ヲ裂カント思ヒルナリ

問　(姜ニ) 右一派ト安應七禹連俊トノ間ニ何カ怪シト思フコトナキヤ

答　別ニナキモ柳江露ト金成伯トハ姻戚ニシテ柳ガ安ト共ニ來リシ時伯方ニ宿セシ故金成伯ハ情ヲ知レルモノト信ス

問　(姜ニ)朴文順ハ近頃浦港ニユキシコトナキヤ

答　本年夏皇帝ノ壇ヲ學校ニ迎フル爲メ浦港ニユカントセシカ金ナキタメユクヲ得

サリシ

右錄取シ通譯ヲ介シ讀聞カセタルニ相違ナキ旨申立テタルニ付左ニ共ニ署名捺印ス

明治四十三年一月四日

參考人
姜鳳周
參考人
朴文順

在哈爾賓日本帝國總領事館ニ於テ
檢事々務取扱
外務省警部 岡島初巳[4]
通譯 渡邊百馬

4 岡島初己。

二十三 金成白 證人 訊問記錄

證人 訊問調書

證人 金成白

右鄭瑞雨、金培根、安應七、禹連俊、曺道先、柳江露、鄭大鎬、金成玉、金衡在、卓公圭、金麗水、張首明、金澤信、洪時濬、李珍玉、方士瞻ニ對スル殺人被告事件ニ付キ明治四十二年十一月八日哈爾賓日本帝國總領事館ニ於テ檢察官溝淵孝雄書記岸田愛文列席通譯囑托園木末喜通譯
檢察官ハ證人ニ對シ訊問スルコト左ノ如シ

問　氏名年齡身分職業住所ハ如何

答　氏名ハ 金成白(露名チホン、イワーノウヰチユ、キム)
年齡ハ 三十二歲
身分ハ 知ラズ
職業ハ 請負業
住所ハ 哈爾賓プリスタニ

問　右被告人ト親屬後見人被後見人顧人同居人等ノ關係ナキヤ

答　アリマセヌ

問　其方韓國ノ原籍ハ如何

答　咸鏡道[1]鍾城邑廿八番地デス

問　其方ノ父母ハアルカ

答　アリマス

1　국편본: 咸鏡北道。

問　名ハ何ト云フカ

答　韓國ノ呼名ハアリマセヌ露國デ「イワン、ミハイロウチユ、キム」ト呼ンデ居マス

問　今何處ニ居ルカ

答　モンゴガイ村(沿海州)ト云フ處ニ居リマス

問　金成燁ハ其方ノ弟カ

答　私ノ三人目ノ弟デス

問　同人ハ露國ノ名ハ何ト云フカ

答　「ミハイ、 イワーノウヰチユ、 キン[2]」ト云ヒマス

問　其方ノ次ノ弟ノ名ハ如何

答　アレクサンドル、イワーノウヰチユ、キン[3]」ト申シマス

問　其方ノ宗教ハ何カ

答　露國ノ宗教デス

問　其方ノ國籍ハ何処カ

答　露國人デス

問　何日カラ露國人ニ為ツテ居ルカ

答　廿九年前カラ家族皆露國ニ歸化シテ居マス

問　其方ハ何処ノ敎會デ洗禮ヲ受ケタカ

答　露國ノ「モンゴガイ」ト云フ處ニ在ル敎會デス

2　キム。
3　キム。

問　其方ノ妻ハ何レノ国ノ者カ
答　韓國人デス

問　姓ハ何ト云フカ
答　金姓デアリマス

問　其方ハ韓國民會ノ會長カ
答　左樣テアリマス

問　露國ノ國籍デアツテ韓國ノ民會長ニ為ツテ居ル訳ハ如何
答　韓國人ガ當地ノ事情ヲ知ラヌカラ便宜上私ガ會長ニ為ツテ居リマス次第デアリマス

問　民會ニハ會長ノ下ニ世話役ガアルカ
答　其樣ナ者ハ居リマセヌ又委員モアリマセヌ

問　民會ノ會費ヲ取約メル者ガアルナラン如何
答　夫レハ一人居リマス

問　其金ノ取約メヲスル者ハ此者カ

此時金成燁ノ寫眞ヲ示ス

答　左樣此者デス

問　此者ヲ「サムソン」ト申シテ居ルカ

此時洪時濬ノ寫眞ヲ示ス

(答　字ヲ「サムソン」ト申シマス)[4]

問　其 サムソンモ 金ノ取約ヲスル者カ

答　同人ハ外部カラ約メテ来タ金ヲ受取リテ會計(ヲ致シテ居リマス)[5]

問　韓國人ノ墓ノ改葬ヲ陰暦九月十一日ニ行フタカ

答　露暦ノ十一日ニ改葬致シマシタ

問　何故改葬シタノカ

答　土地ニ浸水シマスシ又犬ガ荒シマスカラデス

問　墓場改葬ノ議ノ起ツタノハ何日カ

答　本年春頃デアリマス私ガ首唱者デアリマス

問　此者ノ中ニ其方ノ親属ハナイカ

此時被告一同ノ寫眞ヲ示ス

答　更ニ親属ノ者ハアリマセヌ

問　其方ハ此者ヲ知ツテ居ルカ

此時鄭大鎬、鄭瑞雨ノ寫眞ヲ示ス

鄭大鎬ノ寫眞ヲ指示シテ

答　此者ハ「ポブラニチナヤ」ノ税關ニ居タ人デス

又今一人ノ男ハ知ラヌ人デスガ鄭大鎬ト私ノ宅ヘ一所ニ來タ人デス

4　국편본: (　)。

5　외무성본: (　)。

問　鄭大鎬ハ廿七日夜同人ノ姉又ハ母、妻子ヲ連レテ其方宅ヘ来タカ
答　左様デアリマス

問　鄭大鎬ガ ポブラニチナヤカラ妻ヲ連レニ帰ル時其方宅ヘ立寄ツタカ
答　其時私ノ宅デ二夜泊リマシタ

問　其時鄭ハ今度家族ヲ一同連レテ來ル故来タレハ厄介ニ為ルト申シ居タカ
答　其事ヲ申シテ居リマシタ家族ヲ同行シテ私ノ宅ヘニ來テ日本ノ宿屋ヘ泊リ金ガ不足シタ故宿泊サセテ呉レト申シマシタ

問　此者ハ知ツテ居ルカ

此時被告柳江露ノ寫眞ヲ示ス

答　ポブラニチナヤカラ藥ヲ買フ爲メ私ノ宅ヘ來テ居リマシタガ藥ヲ買ヒニ行ク途中デ捕ヘラレマシタ

問　同人ノ父ハ何ト云フ者カ
答　充分ハ知リマセヌ本年夏私ハポブラニチナヤニ行キ同人方デ厄介ニ為リ又私ノ三番目ノ弟ガ同人方デ病気ノ為メ厄介ニ為ツテ居リマス同人ノ姓ハ劉ト云ヒマスモ名ハ知リマセヌ

問　其方ノ弟カラ金ノ入用ノ事ヲ申シテ來タ事ガアルカ
答　アリマス然シ夫ハ藥ヲ送ツテ呉レト申シテ來タノデ金ノ事ハドウデアツタカ忘レマシタ

問　其方ノ三番目ノ弟ハ當地ヘ帰ル人ニ何カ言傳ガアツタカ
答　鄭大鎬ニ藥ヲ送ツテ呉レト言傳ヘテ來マシタ

問　誰カ嫁ヲ取ル事ニ付キ相談ヲシテ來タ事ガアルカ

答　私ノ四番目ノ弟ノ「アレキサンドル」ニ嫁ヲ取ル事ニ付キ相談ガアリマシタ

問　日ハ何日ニスルト云フ事ノ相談ガアツタカ
答　アリマシタ尚ホ私ニハ兄ガ一人アリマシテ今父ト一所ニ居リマス

問　其方ノ兄ノ名ハ何ト言フカ
答　韓名ハ「ソンゴーイ」トカ云ヒマシタ様思ヒマスガ確カニハ知リマセヌ露名ハ「ワシリー」ト申シマス

問　「ユンタイキ」又ハ「ユウタンポ」ト云フ者ガ其方ノ宅ニ泊シタ事ガアルカ
答　アリマセヌ

問　其方宅ニ居ル「ユータンポ」ヘ宛テ廿五日蔡家溝カラ電報ガ來タノヲ知ラヌカ
答　其事ハ知リマセヌ

問　其方ノ不在ニテ其方宅ニ炊事ヲ一所ニシテ居ル製本屋ノ妻ガ電報ヲ受取リ夫レヲ其方ノ妻ヘ渡シタノヲ知ラヌカ
答　其事ハ知リマセヌ

問　露國ノ役所ノ取調ヘニ依ラハ其方ノ不在中製本屋ノ妻ガ電報ヲ受取其方ノ妻ニ渡シ其方ノ妻モ受取ツタトノ事ナルガ如何
答　私ハ更ニ知リマセヌ

問　ユータンポト云フ人ハ其方ノ心當リノ者テハナイカ
答　私ノ宅ニハ澤山人ハ出入シマスカラ知リマセヌ

問　鄭大鎬ニ姉ガアルノヲ知ツテ居ルカ
答　其事ハ知リマセヌ

問　此者ハ知ツテ居ルカ

此時被告安應七ノ寫眞ヲ示ス

答　私ハ更ニ知ラヌ者デアリマス

問　此者ト一所ニ來タ者テハナイカ

此時被告柳江露ノ寫眞ヲ 示ス

答　一所ニ來タ事ハアリマセヌ

問　此者ハ知ラヌカ

此時曹道先[6]ノ寫眞ヲ示ス

答　一向知リマセヌ

問　此者ト一所ニ來タ事ハナイカ

此時柳江露ノ寫眞ヲ示ス

答　一所ニ來タ事ハアリマセヌ

問　此者カ今回停車場テ伊藤公爵ヲ狙撃シタトノ事ナルカ心當リハナイカ

此時安應七ノ寫眞ヲ示ス

答　伊藤サンノ遭難ノ事ハ露國ノ新(聞)デ知リマシタ其時ニ下手人ハ安ト云フ名デア

6　曺道先。

ル事ヲ知リマシタ

問　此者ハ蔡家溝ヨリ其方宅ヘ「ユ-タンポ」宛電報ヲ打ツタ者ナルカ知ラヌカ

此時曺道先禹連俊ノ寫眞ヲ示ス

答　夫レハ知リマセヌ又人モ知リマセヌ

問　安應七ト云フ名前ヲ曾テ聞イタ事ハナイカ
答　露國新聞テ初メテ知ツタ姓名デアリマス

問　此者ガ父ニ宛タル手紙ニ依ラバ應七ハ叔父トナルガ如何

此時被告柳江露ノ寫眞ヲ示ス

答　其事ハ一切知リマセヌ

問　伊藤公ガ狙撃セラルル前夜又ハ前々夜其方宅ヘ四人連ニテ來テ泊ツタ人ガアルカ
答　左様ナ事ハ更にアリマセヌ

證人 KIM

右ハ證人ト同行シタル哈爾賓露國領事館通譯ゲヲルギ-、コンスタンチ一、ノユキチユ、ポポ-フノ承諾ヲ得テ訊問シ此調書ヲ證人ニ讀聞カセタルニ相違ナキコトヲ承諾シ自署セリ

卽日前記領事館ニ於テ
但出張先キニ係ルヲ以テ所屬官署ノ印ヲ用フル能ハス

關東都督府 地方法院

書記	岸田愛文
高等法院檢察官	溝淵孝雄
囑託通譯	園木末喜

재하얼빈 한인 신문기록

원본(原本)

被告人訊問調書

被告人 金廉水

右者ニ對スル殺人被告事件ニ付キ
昭和十二年十月三日哈爾賓日本
帝國總領事館ニ於テ檢事事務取扱
副領事書記岸田要文列席通
譯嘱託園本末吉通譯
檢察官ハ被告人ニ對シ訊問スルコト
左ノ如シ

問 氏名、年齢、身分、職業、住所
本籍地及出生地ハ如何

答 氏名ハ 金廉水

1

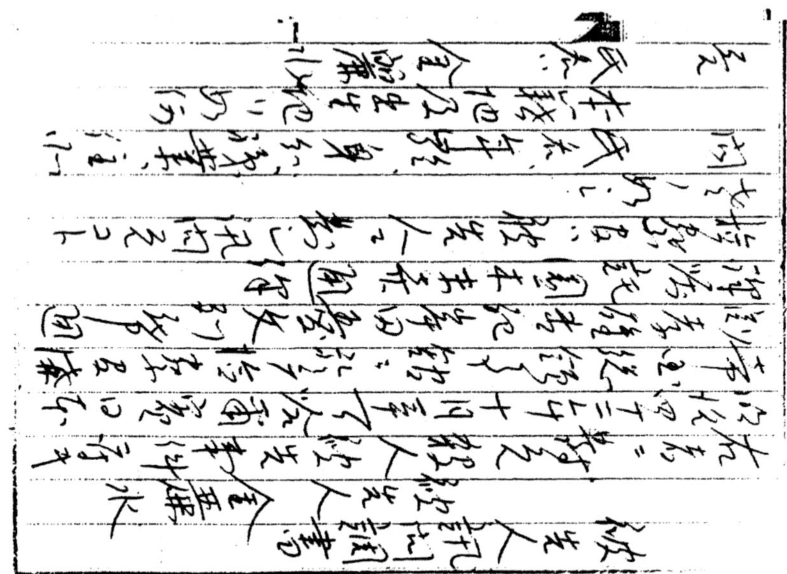

年齢ハ二十年

職業ハ煙草売商

住所ハ[illegible]

本籍地ハ[illegible]道[illegible]

出生地ハ同所

つ 家族ハ妻子父母ハアルカ又何処ニ居ルカ

しこ 母ト弟ガアリマス同居ス母ト弟ト共ニ農業ヲシテ居マス

つ 母ト弟ハ何ノ業カ

し 農業デス

つ.し 財産ハアルカ

2

財産ハアリマセヌ

つ 被告ハ済南寮ヘ何シニ来タカ

し 八年前カラ当地ニ来テ居リマス

つ 済南寮ニ何処ニ居住シテ居ルノカ

し 蜜道街ニ居リマス

つ 八年前カラ蜜道街ニ同一場所ニ居住シテ居ルノカ

し 家ハ時々転ジテ居マス

つ 然ラハ最近ハ何処ニ住居シテ居タカ

3

問 其所ハ何處カ
答 那ト云道衛ニテ事件アリ私
リモ其カ後ニコルボス、ナコルトヘ
移シ同所ニテ暮シ又其近衛ヘ
移住シ一年許リ其中ニ
日露戦争ノ始マリニ此
一週間程同所ニテ一ケ年許リ
居テ其後又其地ニ来テ
既ニ所テ二年許居テ
問 今度ハ此衛ノ家主ハ
何ト云フカ
答 露国人デスガ氏名ハ知リマセ

4

ン
又家ハ二十ト云フ者デアリ
良
問 其方ハ安應七ト云フ者ヲ
知ルヤ
答 其姓名ハ安某マテ云フカ兄ナ
子ナハアリマセヌ
問 氏名ヲ知ルヤ
此時訊問者安應七ノ寫真ヲ示ス
答 知リマセヌ
問 其方ハ浦潮ニテ発砲ヲ云フ
居ル地基達ト云フ者ヲ知
ルヤ

5

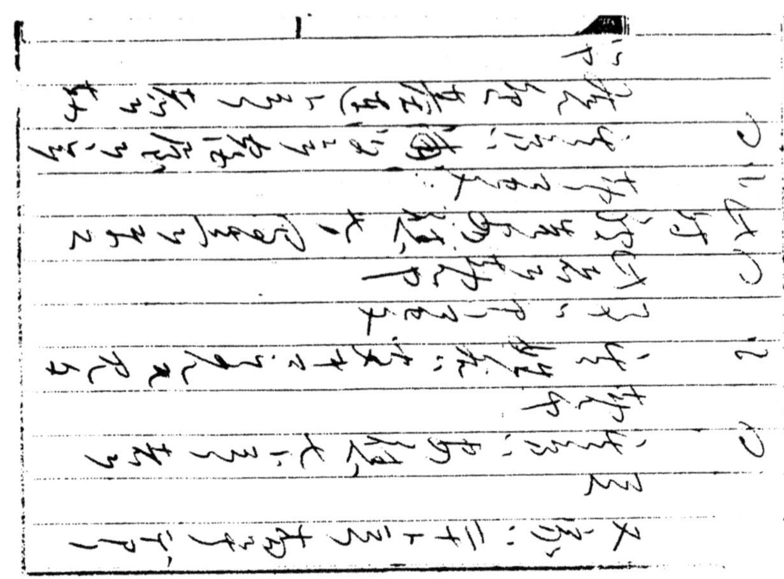

九 拳銃ヲ得ヨウト云フ考ハアリマセヌ
又朴[illegible]ト云フ者カラ拳銃ハ
アリマス

問 被告ハ安遠後ト云フ者ヲ知ルカ

答 [illegible]
知リマセヌ

問 被告ハ[illegible]安遠後ト一緒ニ[illegible]
所ヘ来テ拳銃ヲ[illegible]カ

答 知リマセヌ

問 此帳面ハ被告ノ宅ニ在ツタノ
カ

答 ハイ

[illegible]

6

[illegible]アリマス

問 [illegible]使用シテ居ルカ
「チ一」ト云フ記号ハ何デア
リマス

答 [illegible]「チ一」ト云フノハ[illegible]カ
私カ[illegible]人カラ[illegible]
[illegible]人ニ[illegible]カ
私ノ[illegible]支那人[illegible]
[illegible]
[illegible]私[illegible]カ
[illegible]私ハ[illegible]
[illegible]アリマセヌ

7

今持来タ帳面ハ私ノ所ニ有
テハアリマセヌ

問 帳面ニハ九月十六日迄ノ事ガ
記シテアルガ知ツテ居ルカ

答 私ハ知リマセヌ

問 此ノ事ハ禹性燮ガ知ツテ居ルヤ

答 知リマセヌ

問 今来タル帳面ニ禹性燮、安
應七ト記シタノハ誰ガ書イタ
カ

答 私ガ書キマシタルモ金ハ知ラヌ
人デス

8

問 然ラバ其ノ名前ヲ何故帳面
ニ記シタカ

答 私ハ西比街ノ支那人ノ宅へ
遊ビニ行ツタ時ニ其ノ家デ休息人
ガ五六名居リ金ハセヌト伊藤サン
ヲ殺シタノハ禹徳淳ト曹道先ノ
両人デアル様ナ話ヲシテ居ルカ
ラ其レヲ記シタノデアリマス

問 其ノ支那人ノ宅ハ何業カ

答 客棧ト云フ飲食店デアリマス

問 然ラバ其ノ宅デ伊藤公ヲ殺
シタノハ禹ト曹デアルトノ事カ

9

[illegible]ハ何ハカ

答 [illegible]ノ午後[illegible]頃デアリマス

帳面ニ[illegible]七ト[illegible]

問 [illegible]デ[illegible]タカ

答 [illegible]ノ[illegible]デ[illegible]

問 [illegible]ノハ[illegible]七

ト[illegible]ハ如何ニシテ[illegible]

如何ニシテ[illegible]カ

答 如何ニシテ[illegible]カ[illegible]

[illegible]カ[illegible]

問 [illegible]ハ[illegible]七ハ[illegible]

[illegible]韓国人ノ中ニ

10

[illegible]シテ[illegible]カ

答 [illegible]ノナイ[illegible]デ

[illegible]ノ[illegible]デ[illegible]韓国人

ハ[illegible]人カ[illegible]

[illegible]デ[illegible]

問 此ノ写真ハ[illegible]七[illegible]ノ写真

[illegible]カ

此写真[illegible]七ノ写真[illegible]

答 [illegible]ニ[illegible]朝鮮人

ハ[illegible]カ此[illegible]十人ハ

[illegible]文

問 [illegible]ト[illegible]ハ[illegible]

11

ルカヤ

答 劉ノ父ハ同人ハ[illegible]ノ醫者デアリマス

問 汝ハ劉トハ親類デハナイカ

答 同姓デアリマスケレド親戚デハアリマセヌ

問 伊藤公ガ殺サレタノハ[illegible]人ナルコトヲ知ッタ後[illegible]ノ宅ヘ行キ同人ニ會ッタカ

答 私ハ行キマセヌ[illegible]宅ヘハ[illegible]参リマセヌ

12

問 安應七ハ大醫者ノ宅ニ居ッタコトハナカリシカ

答 左様ナコトハ知リマセヌ

問 伊藤公ガ先般哈爾賓ヘ来ルコトハ[illegible]新聞[illegible]知リシカ

答 [illegible]ノ標[illegible]リ[illegible]人カラ[illegible]露國[illegible]日本[illegible]大反カ[illegible]何人[illegible]

13

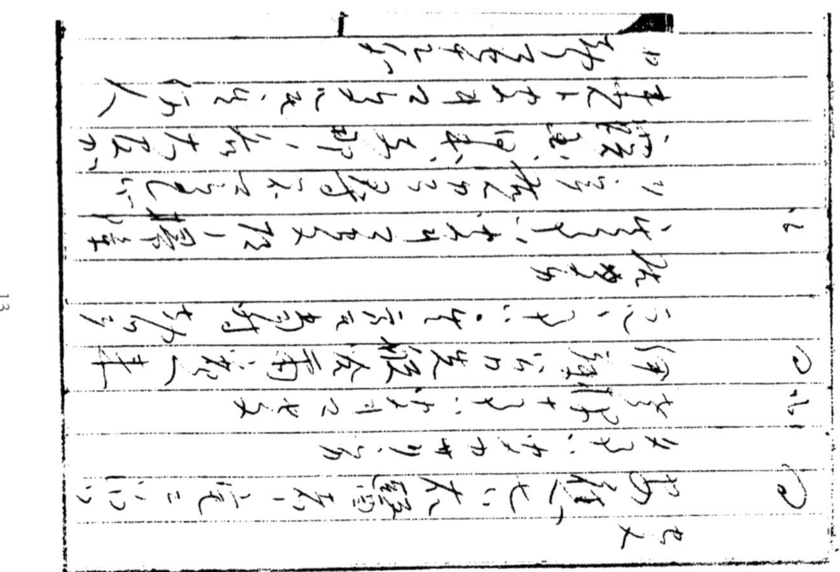

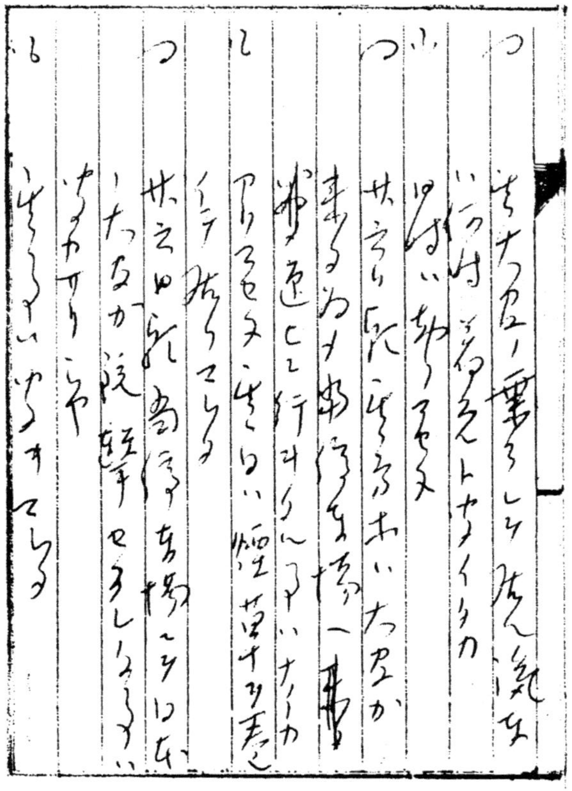

15

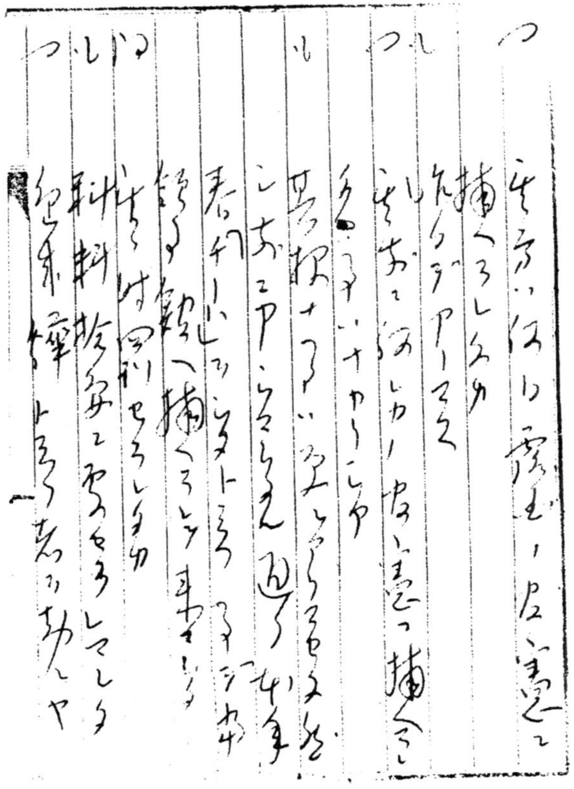

14

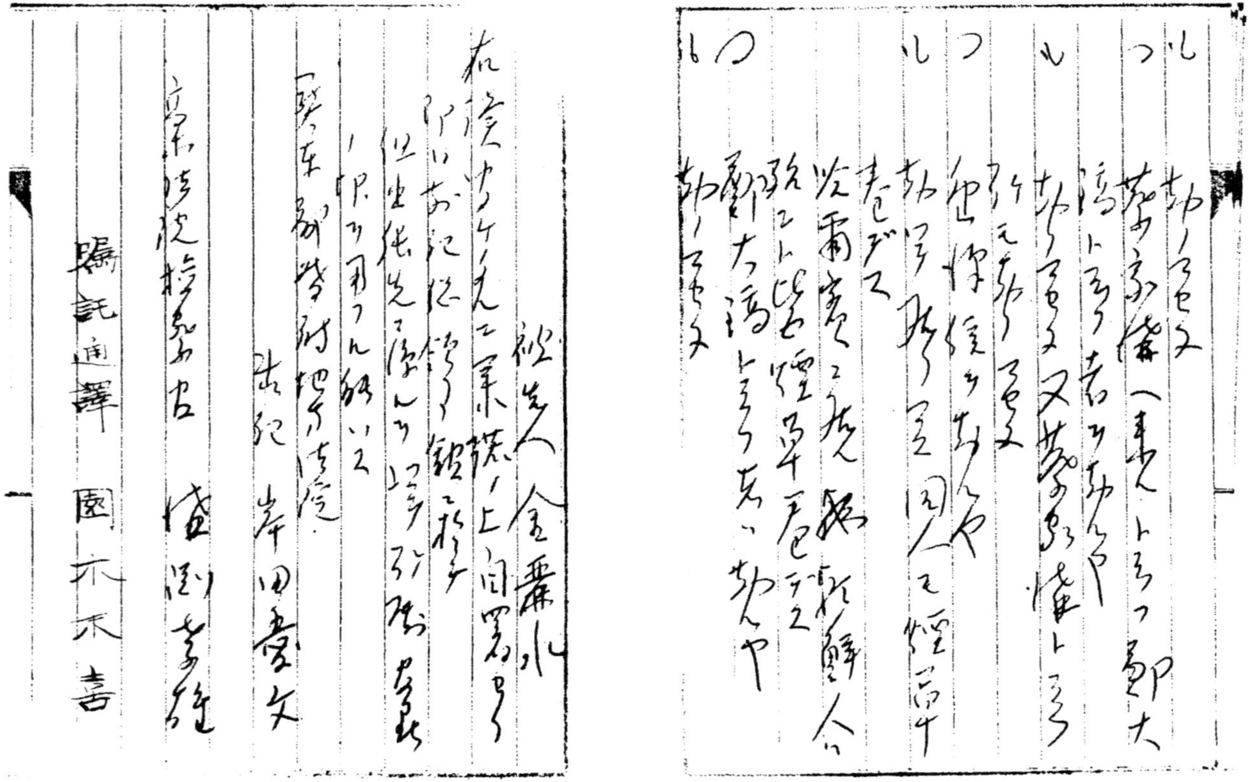

17

16

被告人第二回訊問調書

被告人金麗水

右ノ者ニ對スル殺人被告事件ニ付大正
拾四年十二月二十日關東廳旅順監獄署
ニ於テ檢察官[illegible]書記岸田
立會ノ上通譯囑託國本書昇
通譯
檢察官ハ前回ニ引續キ左記被告
人ニ對シ訊問スルコト左ノ如シ
問 其方ノ妻ハ日本人カ
答 左様デアリマス
問 名ハ何ト云フカ

19

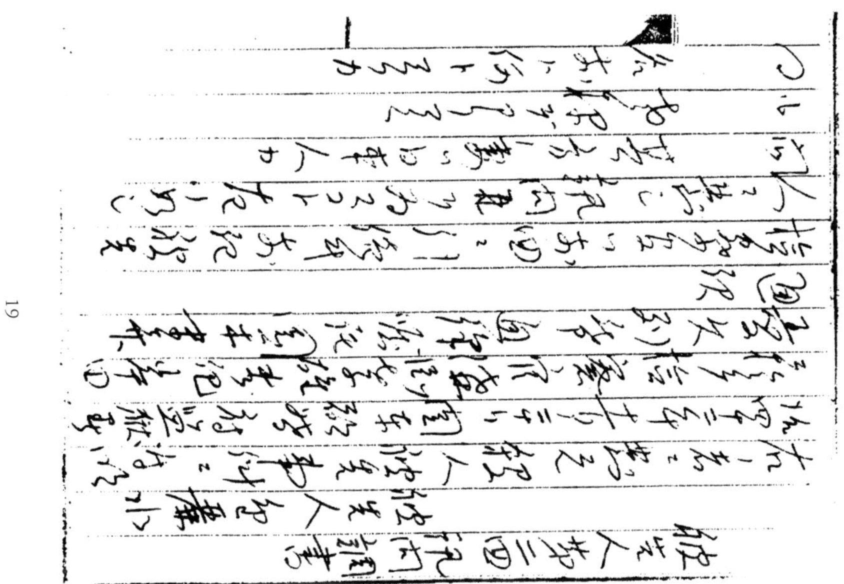

答 柏尾ヨリ来タト云ヒマス

問 妻ノ実家ハ寧安カ

答 寧安デアリマス

問 何年頃里帰ッテ居ルカ

答 三年前ニ里帰ニ行ッテ居ル

問 子ハアルカ

答 一人アリマシタガ死ンデ居ル
今ハ妻ハ姙娠三四ケ月デア
リマス

問 [illegible]ノ旧知[illegible]銃ハ
[illegible]七連発ヲ持ッテ居リマシタカ

答 御前モ七連発ヲ持ッテ居マス

20

問 如何ナ七連発ヲ持テ居ルノ
訳カ

答 私ハ煙草屋デアリマスカラ
如何ナ七連発ヲ持ツ様ナコトモ
アリマセンガ郵便物ヲ出ス時
ニハ銃ヲ携ヘテ送リテ参
ルコトモアル

問 郵便ハ重要人カ重要人カ何
故カ一人カ日本人デナイカハ銃ヲ
銃ニ郵便物ヲ盗ム者ガナイ
カ

答 私ハ深山郵便ハ出シマスカ

21

最近ニ二三名[illegible]ヲ出シテ居ル
其レハ[illegible]人ヲ[illegible]人ヲ殺
[illegible]人デアルカ矢張リ白状
ノ[illegible]一新シク[illegible]
[illegible]

問 其ノ軍政府ハ独立民会デ組
織シテ居ルノデハナイカ

答 [illegible]ヘ直接新シク出来
タモノデアル

問 其方ハ[illegible]、高[illegible]後ト
云フ者ヲ知ラヌカ

答 其人ノ[illegible]ハ[illegible]

22

伊藤サンガ殺サレタノデアリマス其下手
人ハ朝鮮人デアルト聞キマシタ
ガ私ハ安重根ノ一派ノ所ヘ行キ
[illegible]シテ居ラヌノデアリマス若シ
人ヲ殺シタナラバ其下手人ヲ[illegible]
[illegible]コトハ悪デアリマスカ
ラ朝鮮人ノ[illegible]
ハ[illegible]ヲ[illegible]ニ行キマシタ
[illegible]支那人ガ殺シテ下手人ヲ
[illegible]コトモアルガ高[illegible]
後ト云フ者モ其他人デアルト
聞キマシタカラ[illegible]私

23

ノ手帳ニ友人ノ名ガ書イテアル
名前ナドモ記入シテアリマス
問 ソレカラ其ノ中ニ支那人カアルカ
ソレハ何ノ為カ
答 十二日デアリマス
問 支那人ハ何処ノ者ヤ宿ノ名ガ
書イテアルカ
答 支那人ハ其ノ宿ヲ尋ネテ行キ
ヨク見タト申シテ居ル
問 其ノ[illegible]ハ何
答 [illegible]ハ見タト申シマス又私ハ知
[illegible]ト[illegible]カ親シクカト尋

24

子マス私ハ知ラヌト申シテ居ルモ同
鮮デアル事ヲ韓国人カラ聞イ
タト先ニ申シタ支那人ハ
何モ警察官ヲ知リマセヌ
問 今一人ノ支那人ハ警察官ノ
何ヲ知ッテ居ルカ
答 同地ノ支那[illegible]ニ於テ見タ
[illegible]ヲ知ッテ居ルデアリマス
問 [illegible]トシテ居ルハ何ヲ致ス
ノ者カ[illegible]ノ者カ
答 私ハ知リマセヌ同人ハ学校
ヲ卒業シ[illegible]ヲ致シテ居リマシタ

25

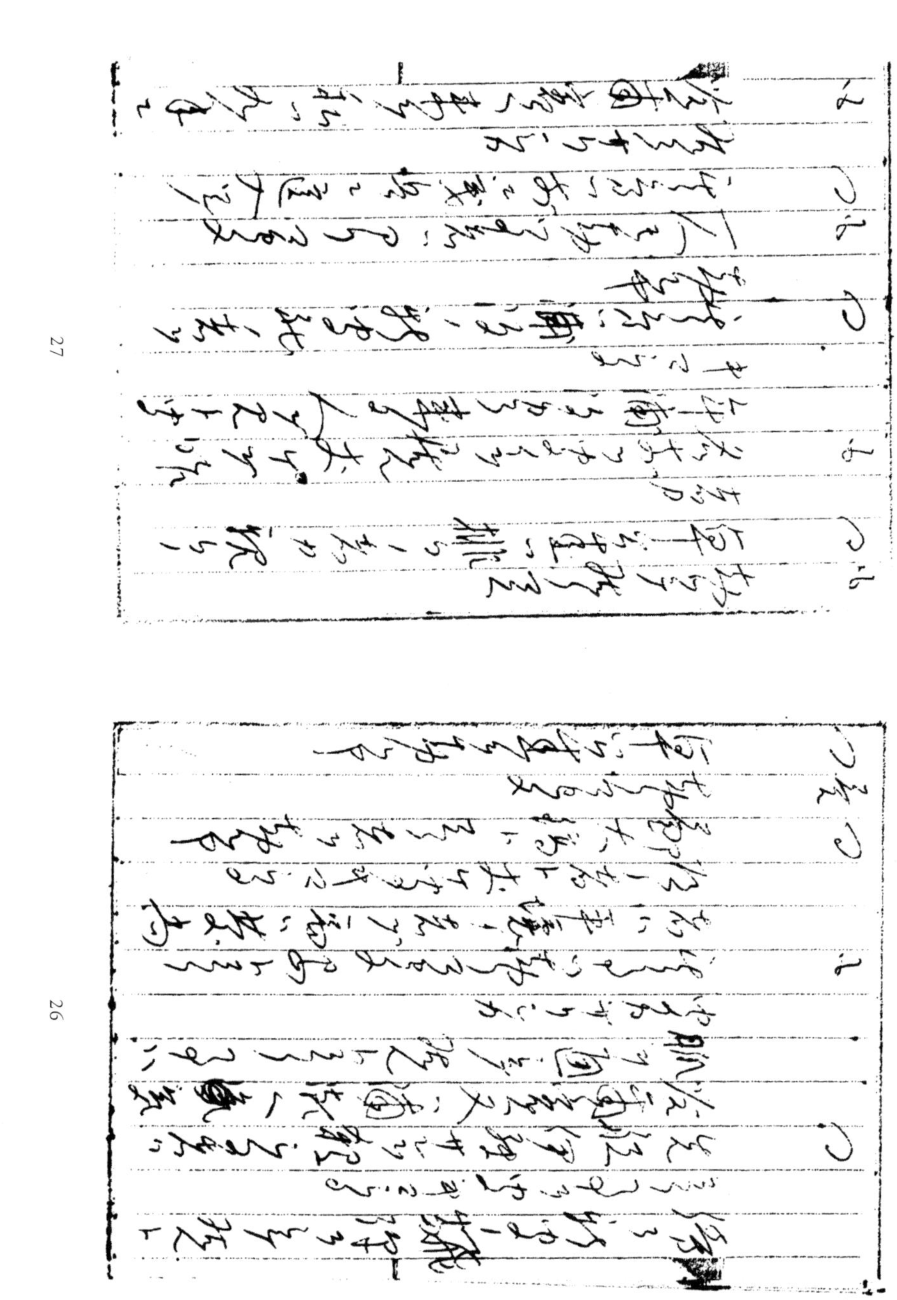

[illegible]

関係ハアリマセヌ

被疑人 金[illegible]

右読聞カセタルニ相違ナキ旨申述

ヘ自署セリ

即日於[illegible]所ニ於テ

[illegible]

[illegible]

書記 岸田愛文

[illegible]

28

嘱託通訳 園木末喜

29

被告人訊問調書

被告人 金成玉

右ノ者ニ對スル殺人被告事件ニ付キ
明治四十二年十月三十一日哈爾賓日本帝
国総領事館ニ於テ検察官溝淵孝
雄書記岸田愛文列席通訳
嘱託園木末喜通訳ノ
検察官ハ被告人ニ對シ訊問スルコト左
ノ如シ

問 氏名身分職業住所年齢
本籍地及出生地ハ如何

答 氏名ハ 金成玉

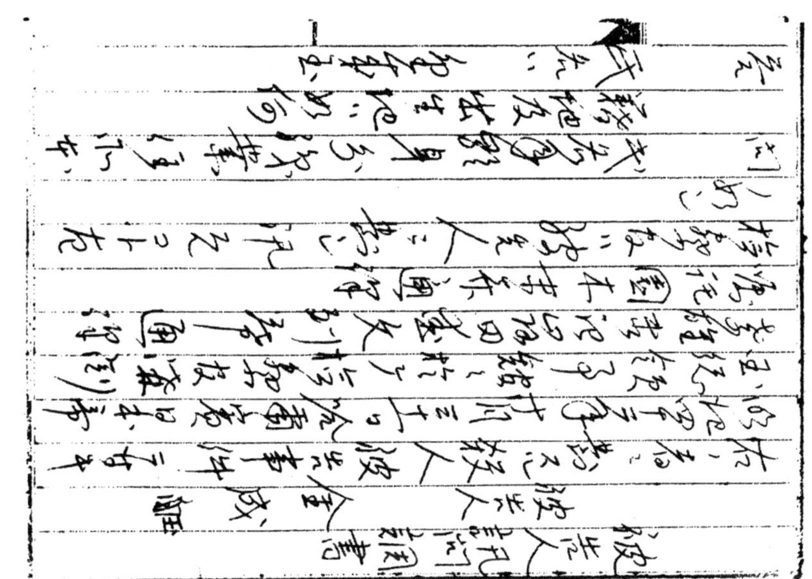

31

年齢ハ 四十九歳

職業ハ 雑貨舗

身分ハ /

住所ハ 哈爾賓四道街八号

四十六番

本籍地ハ 韓国京畿道陳世郡河洞

出生地ハ 同所

問 其方ハ妻子ハアルカ

答 アリマス

問 何処ニ居ルカ

答 当地ニ居リマス

問 父母ハアルカ

32

答 死亡シテ居リマス

問 其方ハ資産ガアルカ

答 更ニアリマセヌ 雑貨商業ヲ営ミ生計

ヲ立テ居リマス

問 哈爾賓ヘハ何年来タカ

答 三年前ニ来マシテ 引続キ住ン

デ居リマス

問 哈爾賓ニ於ケル韓国人ノ民

長ハ誰レカ

答 金成白ガ民長デス

問 同人ハ其方ノ親族カ

答 何ノ関係モアリマセヌ 第十件

33

右カラ同人ハ当地ヘ来テ居リマス
問 此者ヲ知ルヤ
答 此村[illegible]越セシ人[illegible]テ参リマス
此娘十人ハ知ラヌ又[illegible]
ニハ知ラヌ人デス
問 貴方ハ[illegible]ト云フ者ヲ
知ルヤ
答 顔ヲ見シ丈ハ知ッテ居ルカモ知レヌ
モ又モ氏名ハ知ラヌデス
問 曾テ逢ヒシ事アルヤ
答 私ノ宅デ泊ッテ居リマシタ 私ノ
宅ハ旅人デ[illegible]

34

賭ケ事ヲシテ居リマシタカラ数十
日間モ私宅ニ居リマシタ
問 同人ハ貴方宅ヘ何シニ来タカ
答 八月十幾日頃私ノ宅ヘ来マシ
タ
問 何人ノ紹介デ同人ヲ宿泊セ
シメタカ
答 別ニ紹介者ハアリマセヌ
問 貴方宅デ一切ノ賭ヲシタノカ
答 [illegible]デアリマス 然シ賭ニハ絶ヘテ
何モ干渉モセズ[illegible]モアリマス
問 同人ハ何ヲ貴方宅ニ出入リ以来

35

帰リマスカ
答 今ヨリ十五分許前ニ出テ行キ
マシタ何レヘ行キタカ判リマセヌ
問 曹道先ハ何業カ
答 此レハ判リマセヌ
問 同人ノ友人ガ何人カ尋ネテ
此方ノ宅ヘ来マシタカハ判リマセンカ
答 人ガ尋ネテ来マシタカハ判リマセヌ
問 此方ハ禹連俊ト云フ者ヲ知ツテ
居ルヤ
答 知リマセヌ私ノ宅ヘ来タノハ
十二日又[illegible]二名来リマシタ人ト

36

思ヒマス
問 此方宅ニ住ム氏名ノ判リマセヌ
浮浪者ヲ宿泊セシメテ居ルカ
答 左様ナ者ガ来テ頼メバ仕方ナイト
モ今迄泊ラセテ[illegible]ヤリ
マス
問 然ラバ此方ガ先刻宿泊サセ
タル男ガアルト云フタ男カ
此男ハ曹道先ヲ[illegible]先ニ示ス
答 此男ニ[illegible]アリマセヌ
問 其方宅ニ人ヲ泊メシコトヲ又隠
シ人ガ来タ事ヲ[illegible]

37

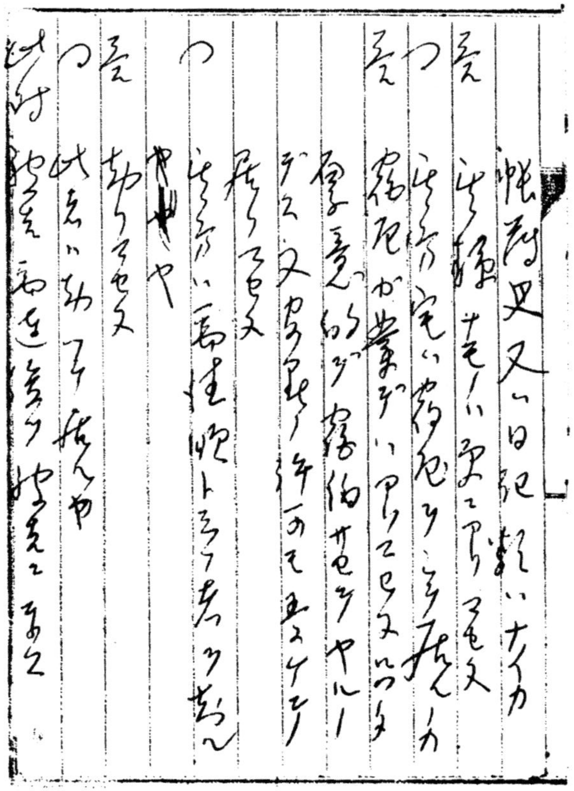

39

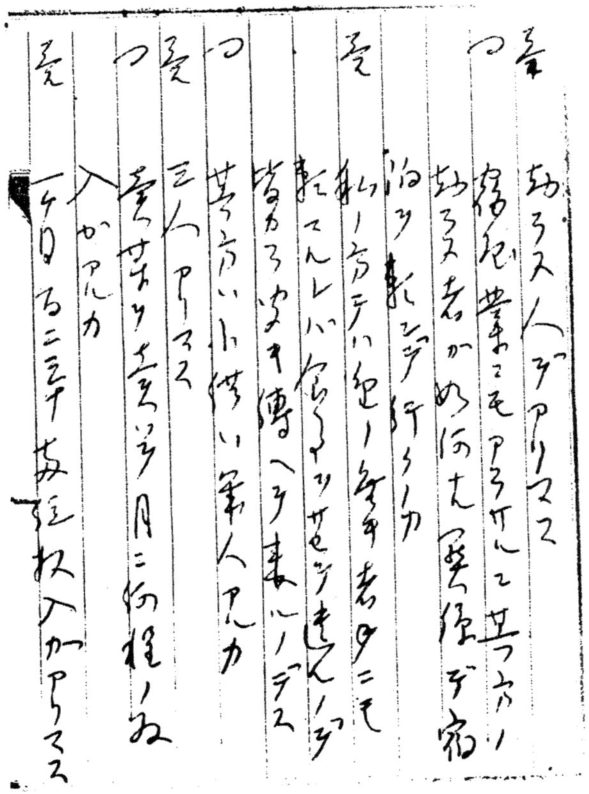

38

問 其方宅ノ家賃ハ何程カ
答 一ケ月五拾円程デアリマス
問 営業ニ干スル税ハ何程納メタ
居ルカ
答 税金ハ一定納メテ居リマ
セヌ
問 家賃ヲ構ヘテ五人ノ家族ガ
生活セハ收入ニ比シ余裕
ハナイ様思フガ其他ニ收入ノ途
ヲナサセテ居ル者ガナイカ
答 金ガナイカラ追出スルコトハ出
来マセヌカラ暮ラシテ居リマス

40

問 其方ハ外ニ何カ收入ガアルノデハ
ナイカ
答 他ニ收入ハ何モアリマセヌ
問 伊藤公爵ガ哈爾賓デ狙
撃サレタ事ハ知ツテ居ルカ
答 聞イテ知ツテ居リマス
問 何日頃聞イタカ
答 三日許前ニ聞キマシタ
問 狙撃シタ者ハ何処ノ者ト聞
イタカ
答 韓国人デアルト聞キマシタ
問 其者ノ名前ヲ聞イタカ

41

答　名ハ覚ヘマセヌ

問　某人デアツタカ

答　某人デアツタカ知リマセヌ

問　其方ハ安應七ト云フ者ヲ知ツテ居ルカ

答　更ニ知リマセヌ又名モ聞イタ事ハアリマセヌ

問　然ルニ朝鮮人側デハ伊藤公ヲ狙撃スルハ安應七デアルトノ評判ガアルトノ事ナルガ其方ハ知ラザリシカ

答　何モ知リマセヌ

42

問　今一人ノ下手人ハ禹徳淳ト云フ者ナリトノ事ナルガ其レモ知ラヌカ

答　其レモ知リマセヌ

問　其方ハ此度露國官憲ニ逮捕サレ居ル者ノ中ニ其方ノ知ツタ者ハアルカ

答　アリマス金澤信、金[illegible][illegible]ト云フモノマスガ其ノ外ハ知リマセヌ又名不詳ノ者ト[illegible]方士瞻ト云フ鄭鳳[illegible]等デス其他ニモ絶

43

ハ知リ多ダカアリマスガ氏名ハ
知リマセヌ
供述人　金成玉
右譯申聞ケタルニ無相違旨申立自署ス
即日於総領事館
但[illegible]通訳ハ通譯生[illegible]
ノ原ヲ用ユルモノハ之
関東都督府地方法院検察官
書記　岸田愛文
高等法院検察事務取扱検察官　溝淵孝雄

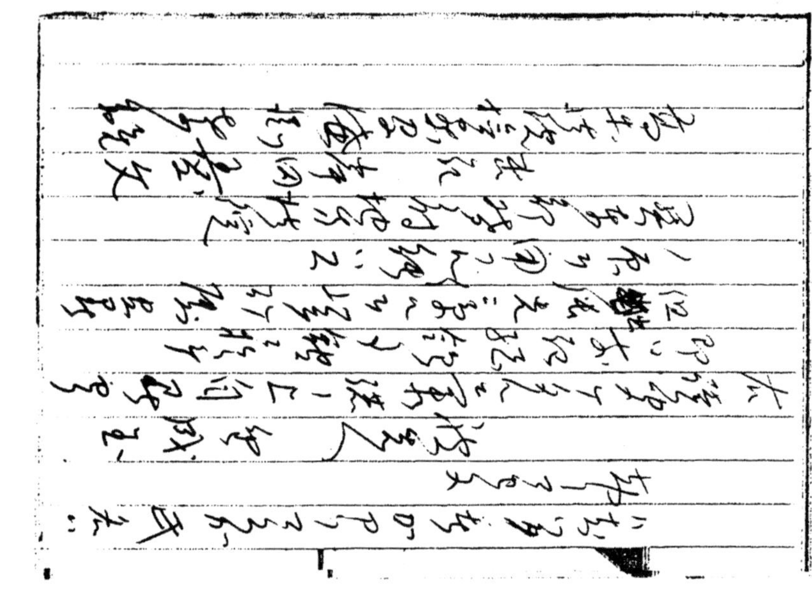

44

被告人第二回訊問調書

被告人　金成玉

右ノ者ニ對スル殺人被告事件ニ付
明治四十二年十一月二十日関東都督府
監獄署ニ於テ検察官溝淵孝雄
書記岸田愛文立會ノ上通譯生
園木末喜通譯ノ下ニ
検察官ハ前回ニ引續キ前記被
告人ニ對シ訊問ヲ為スコト左ノ如シ
問　其方カ露國官憲ニ取押ヘ
ラレタノハ十三日カ十四日カ
答　十三日ノ夕方デアリマス

47

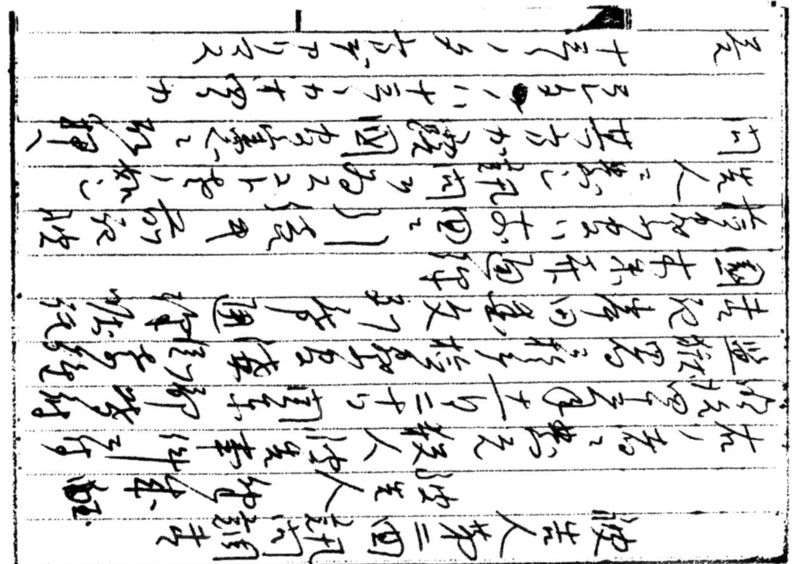

問 何ノ事デ捕ヘラレタカ
答 自宅デ捕ヘラレテ居ル
問 其方ノ家ハ京城世沙洞
ノ何ト云フ所カ
答 私ハ其ヲ出テ十二年ニナリマス
カラ家ノ者ヲ挙テ他所ハ
アリマセヌガカラ判ッテ居マスガ
沙洞ノ四ツ辻ノ所デ商業ヲ
致シテ居ル
問 其方ノ父ノ名ハ何ト云フカ
答 金先生ト云ヒマシテ忠清
道ノ江口里ニ住シテ農業ヲ

48

致シテ居マス
問 父ハ今モ存生カ
答 私ノ十五歳ノ時死ニマシタ私ハ
兄弟モナイ者デス
問 其方ハ十二歳ノ時小沙洞ヲ出
テ何処ニ居タカ
答 小里嶺ヲ経テ吉林ニ行キマシテ
暮シテ居ル
問 哈爾賓ヘ來テ何年ニナルカ
答 三年ニナリマス
問 其方ハ浦潮ニ行ツタ事ハ
ナイカ

49

答 十五日頃ニ行ッタ時同行シテ[illegible]
ソシテ[illegible]
アリマセヌ
問 ソレカラ妻ハ露国人カ韓
国人カ
答 韓国人デアリマス
問 子供ハ幾人アルカ
答 女子ガ三人アリマス
問 子供ハ[illegible]寛[illegible]道街
デ同居シテ居ルカ
答 左様デアリマス
問 ソレカラ宅ヘ曹道先ガ来テ

宿泊シテ居ツタカ
答 左様デス
問 曹ハ汝ノ宅ヘ何シニ来タカ又
何ケ月程居ツタカ
答 八月十二日頃来テ十数日間滞在
シテ居マシタ
問 同人ハ九月九日迄居ツタノ
デハナイカ
答 確カニハ覚ヘマセヌガ九月初旬
マデ居ツタカト思ヒマス
問 同人ハ[illegible]
[illegible]居ツタカ

答　卯ノ来ル時洗濯物ガ出来ル
相中ヲ持テ来ルガ其後
洗濯物ハ妃メテモナカッタ
問　洗濯物ハ持テ来ルカ又何ヲ
言ワナイ事ハ申サリ
方
答　洗濯ハ何トモ申マセナカッタ
問　同人ハ衣類包デモ持テ居ッタ
カ風呂敷デモアッタカ
答　来タ時ハ何モ無イ
問　曹ガ妃メ其後宅ヘ来ル時
携帯品ヲ沢山持テ[illegible]

52

来タカ
答　何モ持テ居ラヌ衣類丈ケデス
問　食料費ハ其方宅ヘ支払フタ
カ
答　私ハ受ケタモノモアリマセン又
曹ガヨコシタモノモアリマセン同人
ハ他ヨリ持テ来タモノモ持ッテ
アリマセヌ
問　同人ハ幾日ゴロカラ帰ルト
申シテ居ッタカ
答　其様申シテ居リマセヌ
問　其方宅ニテ曹道先

53

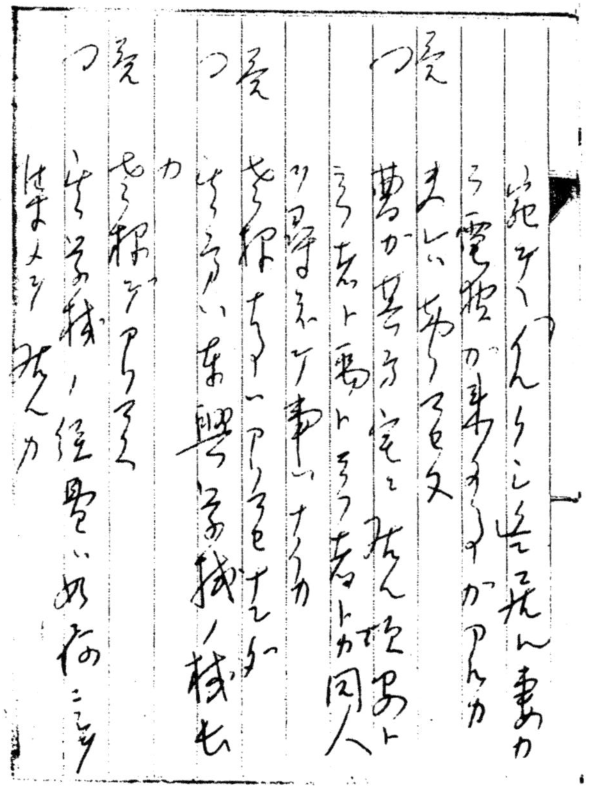

宛テハ何ンテモ差支ナキ書アルカ
ヲ電報カ来タラナカツタカ
答 夫レハ無イテアリマス
問 貴方カ其ヲ受ケ取リ渡シタ事ハ
ヨリ来タトカ云フ書ナトカ同人
ニ渡シタ事ハナイカ
答 左様ナ事ハアリマセヌ
問 其方ハ東興学校ノ校長
カ
答 左様テアリマス
問 其学校ノ経営ハ如何ニシテ
維持シテ居ルカ

54

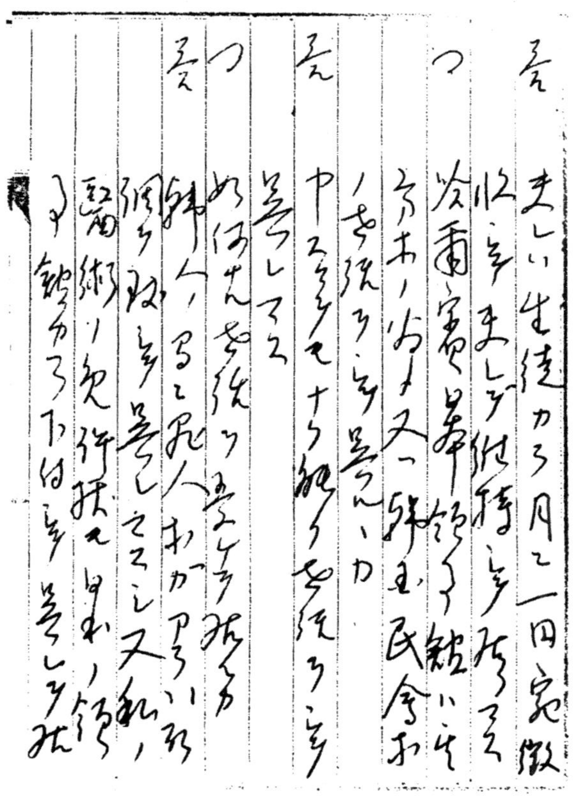

答 夫レハ生徒カラ月ニ一円宛徴
収シ夫レヲ以テ維持シテ居リマス
問 [illegible]
[illegible]
ノ援助ヲ受ケテ居ルカ
答 中々左様ナ事ナク生徒ヨリ
受ケテ居マス
問 如何ナル生徒ヲ集メテ居ルカ
[illegible]
答 [illegible]
[illegible]
[illegible]

55

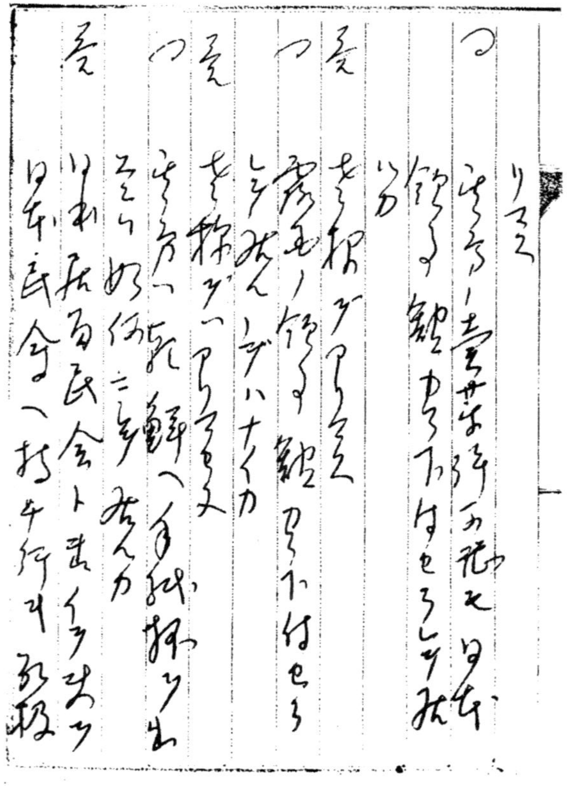

57

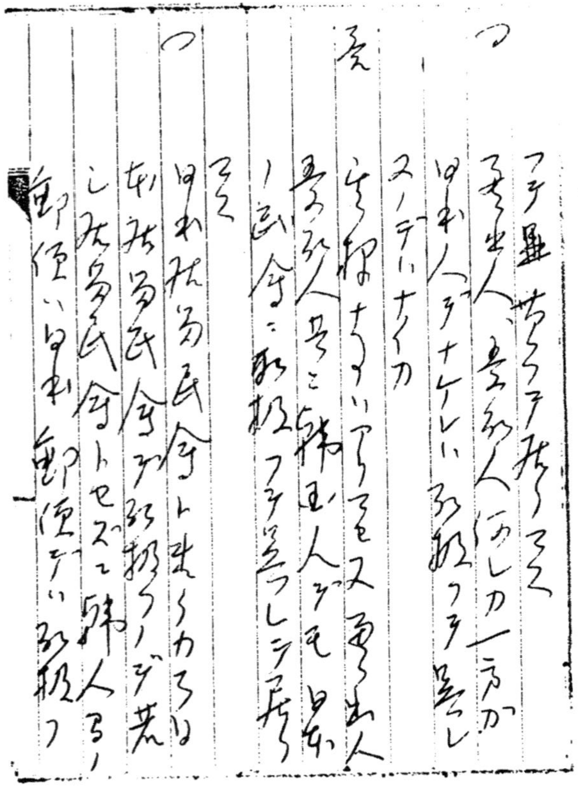

56

[illegible]日支ノデハナイカ
答 左迄ノコトハ重要視シテ居リマセヌ
今回事変ノ解決ガ日本ニ有利ニ
戦争ヘ勝ッテ欲シイノハ他ノ部
[illegible]ヤレヌカラデアルト思ヒ
マス
問 左様ナ意識デ要件ヲ持ッテ居ル
ルカ
答 何ホ其様ナ要件ハアリマセヌ
中供ガ其様ニ多過ギテ欲シク
言フ其様デハ中傷シテ居
リマス

58

問 今回事変デハ日本人ヲ排斥ス
ル様ナ気分ガアルカ
答 左様ナ気分ハ勿論アリマス
日地ハ煙草屋ガ多イカラ
左様ノ為ノ事ニ就テ金ト
言フ気分ガアリマス煙草屋デアル
ヒ[illegible]ヤッテ欲シイトノ事デハ
[illegible]
当方ハ[illegible]私ハ今回事変ノ
日本[illegible]ヨリ[illegible]
[illegible]私ノ一家ガ生計ガ出来
[illegible]私ハ日本ヘ対シテ大イ

59

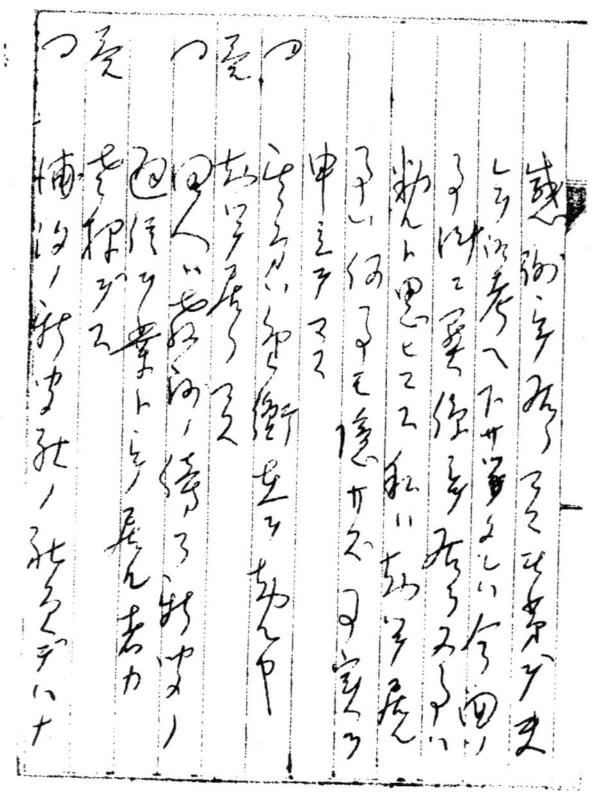

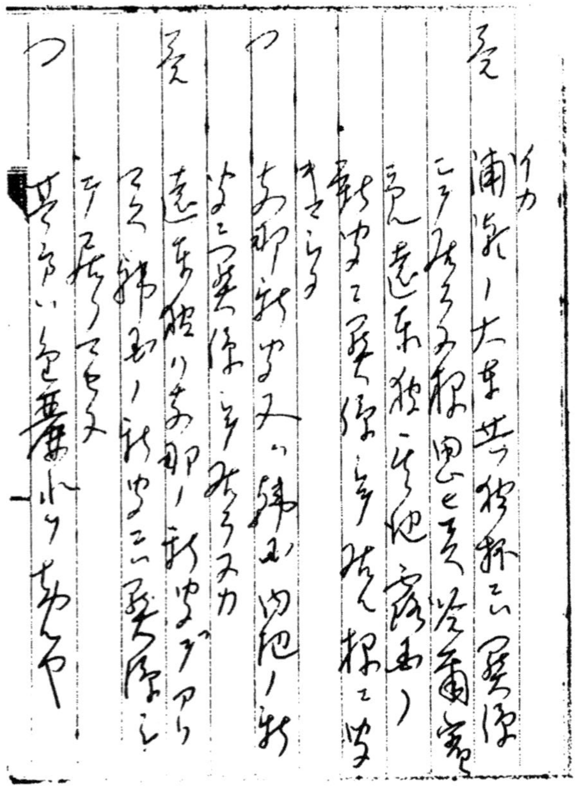

答 アリマス
問 同人ハ何ノ様ナ業カ
答 煙草売デ何時モ来テ居リマス
問 色番ハ東興学校生徒カ
答 夫レデ時々学校ニ来テ居リマス
問 同人ニ妻ガアルカ
答 同人ハ妻ヲ持ツテ居リマス
問 同人ハ日本ヲ恨ム為デハナイカ
答 其様ナコトハナイト思ヒマス

62

問 色番ハ学校ガアルカ
答 自分ノ姓名ヲ書キ得ル位デス
問 手紙ヲ書ケルカ
答 書ケマス
問 同人モ東興学校ニ来テ居ルカ 読ンダカ
答 朝鮮ノ読本ノ一冊ヲ持ツテ来テ
五ヲ書ヒテ居リマス二三ヲ読ミテ十二三分
問 同人ハ新聞カ又雑誌ノ者カ
答 今ノ記事デアルモノヲ見タ
リマスカ新聞ハ同人ハ食ヲ心
然シ一般ガ読ムナイカラ学校ニ入

63

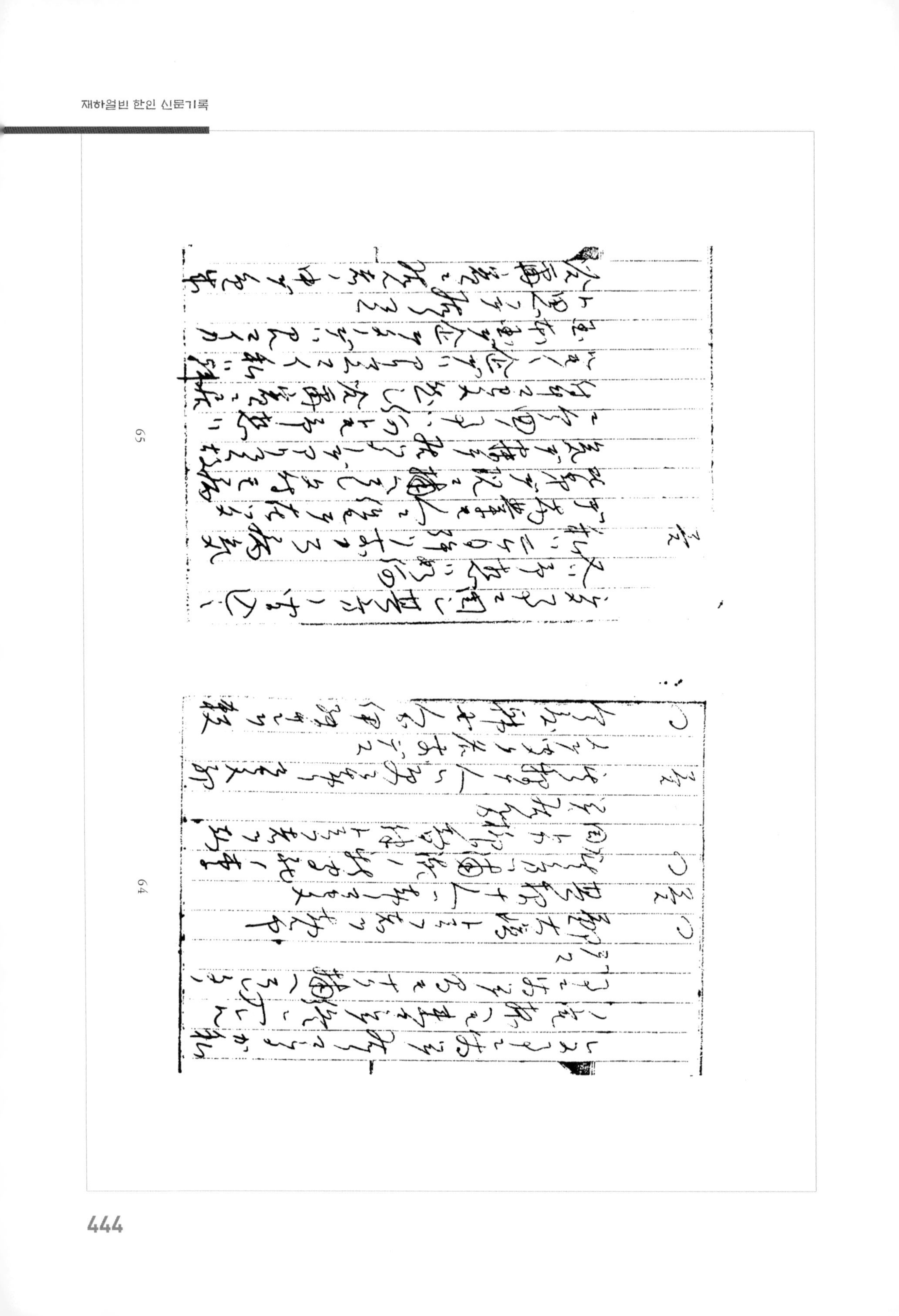

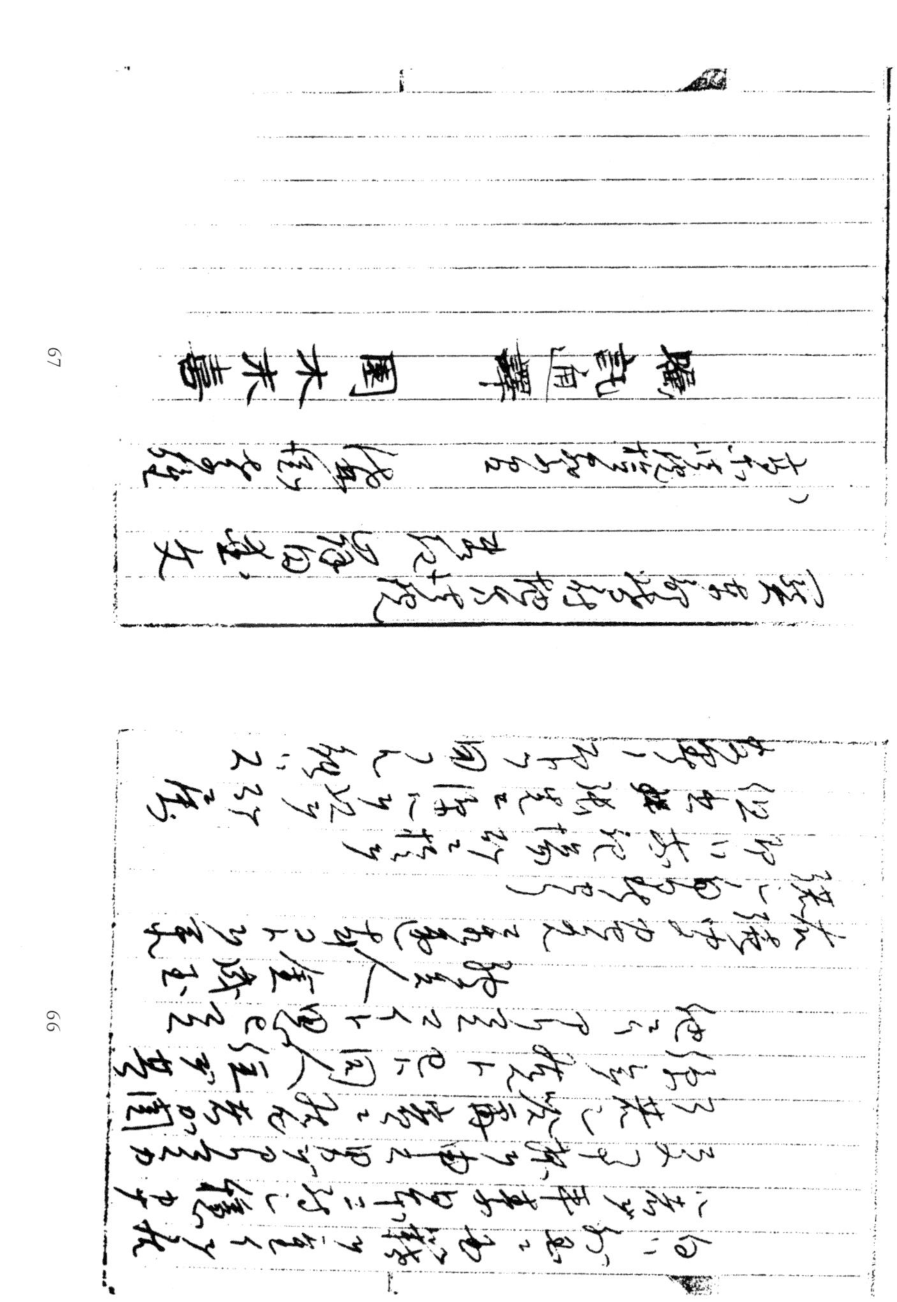

被告人訊問調書

被告人 金 培根

右ノ者ニ対スル殺人被告事件ニ付明治四
十二年十月三十日哈爾賓日本帝
国総領事館ニ於テ検察官溝淵孝雄
書記岸田愛文列席通訳園
木末喜通訳ヲ以テ
検察官ハ被告人ニ対シ訊問スルコト左
ノ如シ

問 氏名年齢身分職業住所
本籍地及ヒ出生地ハ如何

答 氏名ハ 金培根（金宗燁事）

69

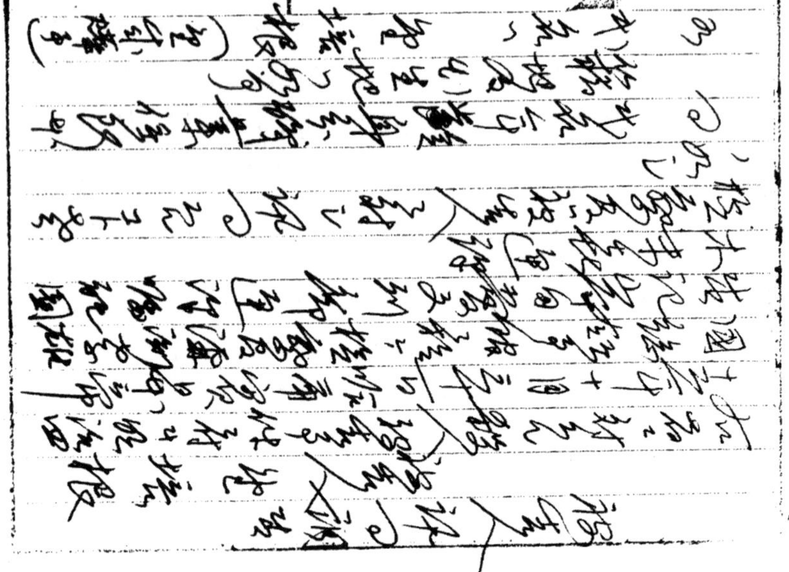

年齢ハ 廿九才
職業ハ 煙草店舗
住所ハ 哈爾賓プリスタン鮮人
李白順方
本籍ハ 朝鮮忠清南道定山郡
赤面地區
出生地ハ 同所
問 其方ハ妻子ハアルカ
答 アリマス
問 妻子ハ今何処ニ居ルカ
答 本籍地ニ居リマス
問 其方ノ父母ハアルカ

70

答 アリマス 皆本籍地ニ居リマス
問 其方ハ何時頃朝鮮ヲ出タカ
答 哈爾賓ヘ来ル迄ハ長春ノ郵
便局ニ居リマシタガ其以前ハ遼
陽西関ノ西古田地方ニ居リ明十
御発於明為人後藤伊太郎
ト云フ人ノ宅ニ居マシタノデアリマス
廿年頃ヨリ其処ニ居リマス
問 其方ハ哈爾賓ヘハ何日来タカ
答 本年三、四月頃ニ来マシタ
問 其方ハ何時頃ヨリ煙草店ヲシテ
居ルノカ

71

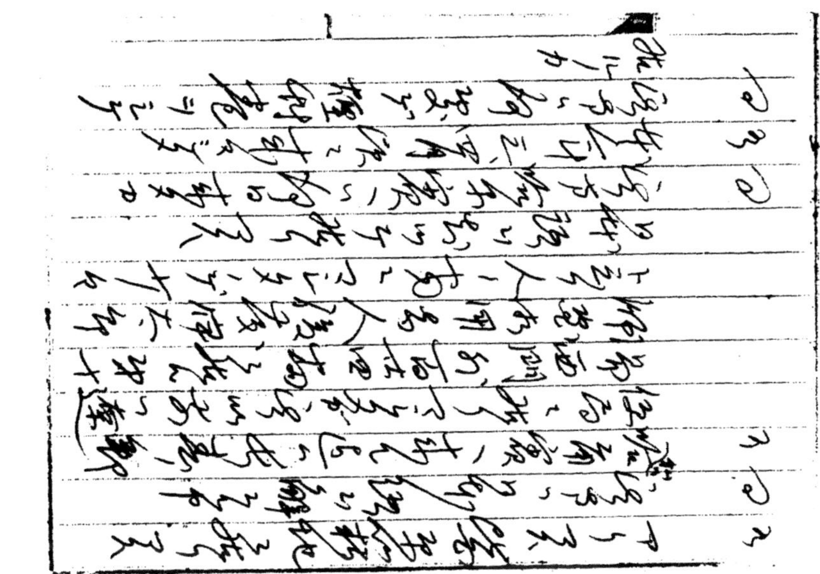

答 [illegible]壹[illegible]私ノ[illegible]
[illegible]
問 何時何日露國ノ官憲ニ捕ヘラレシカ
答 陰暦九月十三日[illegible]捕ヘラレマシタ
問 如何ナル場所デ捕ヘラレシカ
答 寛城子四段街ヘ[illegible]
捕ヘラレマシタ
問 四段街ノ[illegible]捕ヘラレシカ
同樣ハナイカ
答 [illegible]四段街路上デ捕ヘラレマシタノ

72

デ同樣ハ[illegible]アリマセヌ
問 [illegible]
答 [illegible]
[illegible]
[illegible]
[illegible]捕ヘラレ
マシタ
問 [illegible]人カラ
壹[illegible]知ルカ
答 [illegible]露西亜人デアリマス[illegible]
名ハ[illegible]
[illegible]

73

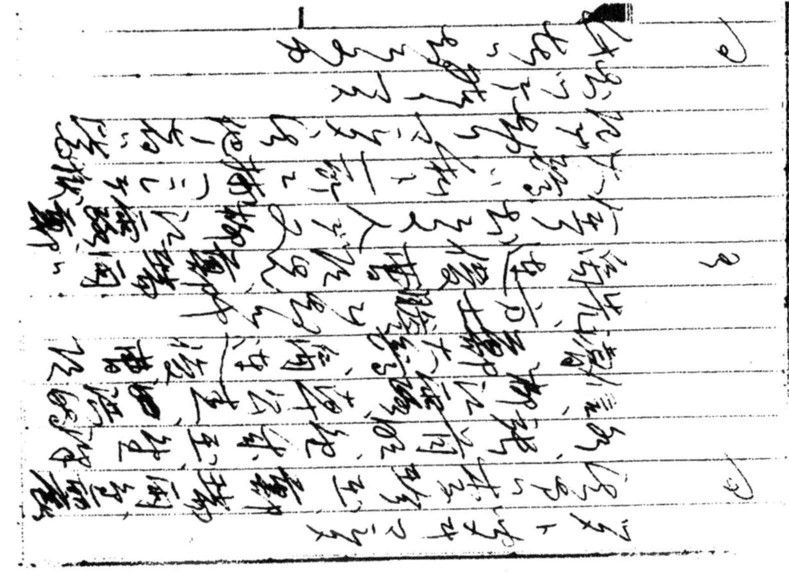

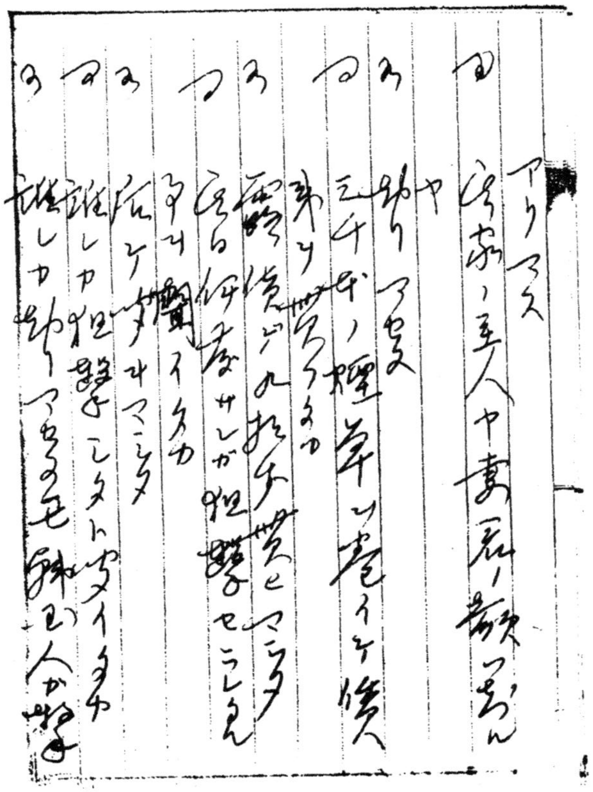

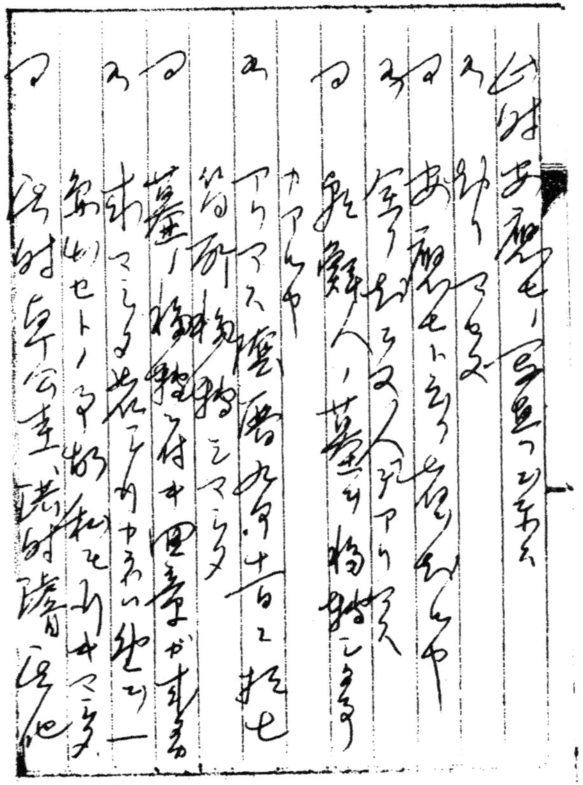

77

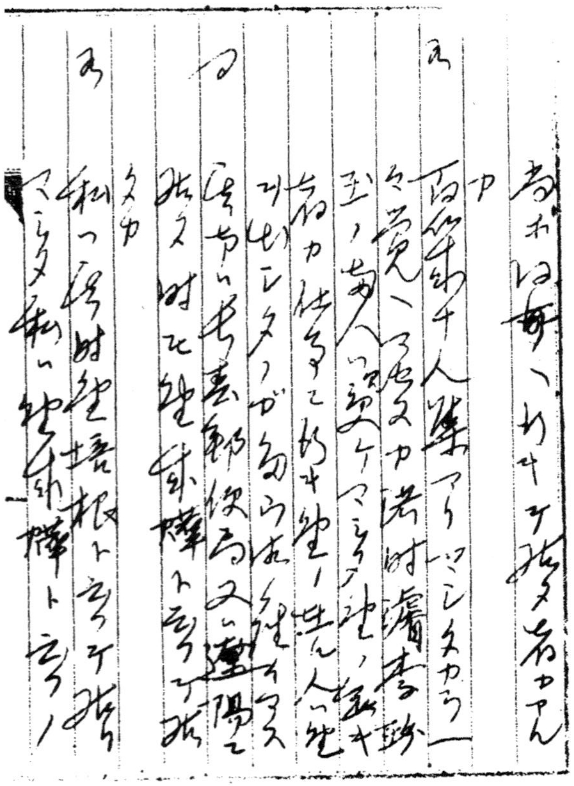

76

ハ言フテアリマス
被告人金善根 金東煒
問 東京ニテ金東煒ト會ッタコトガアルカ
答 [illegible]地方ニテ金東煒ト言フテ張[illegible]
リマス又露國憲兵ニ取調ヘ
ラレタ時モ金東煒ト申
シマシタ
被告人 金善根
右讀聞カセタルニ承認ノ上自署セリ
即日 於[illegible]
但[illegible]
[illegible]

78

京城地方法院
書記 [illegible]文
高等法院 [illegible]孝雄
[illegible]通譯 園木末喜

79

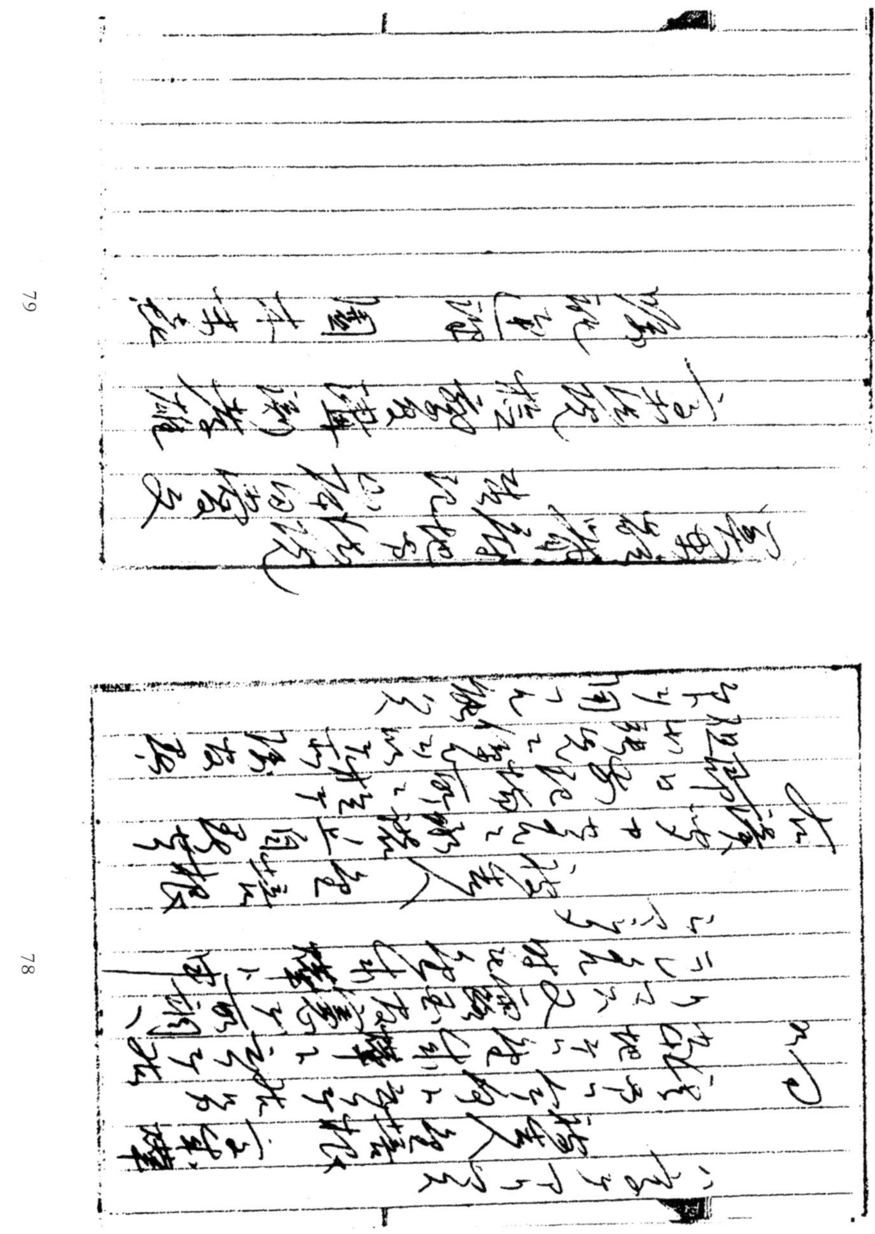

被告人訊問調書

被告人 金澤信

右者ニ對スル殺人被告事件ニ付明治
四十二年十月三十一日哈爾賓日本帝
國總領事館ニ於テ檢察官溝淵孝
雄ハ書記岸田愛文列席通譯生
園木末喜通譯ノ上
檢察官ハ被告人ニ對シ訊問スルコト
左ノ如シ

問 氏名年齡身分職業住所
本籍地及出生地ハ如何

答 氏名ハ 金澤信

81

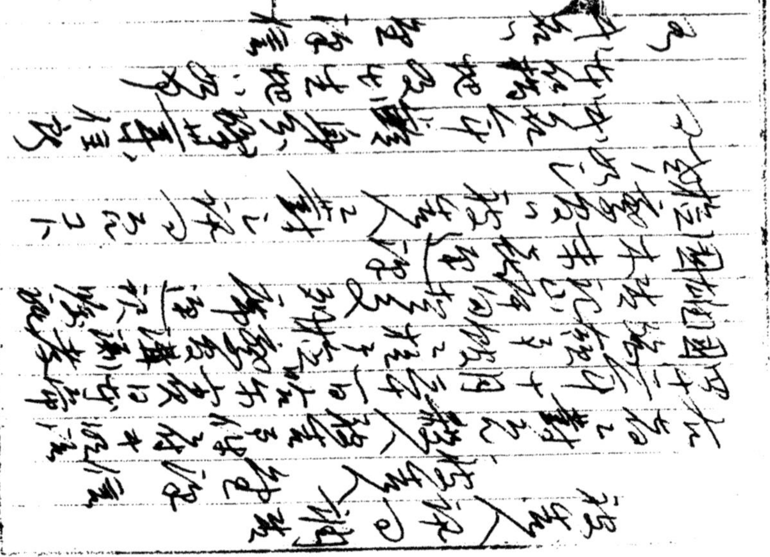

一、

年齢ハ　三十五才
職業ハ　煙草商
住所ハ　哈爾賓六道街
本籍地ハ　咸鏡北道鏡城郡羅北邑
　　　　　北間島琿春

問　出生地ハ　同所

問　貴方ハ人ニ雇ハレテ居ルノカ
答　張ト云フ人ト一所ニ働イテ
　　住ンデ居リマス　張ハ朴官玉ト
　　云フ者ガ居テ居リマス

問　貴方ノ同居者ノ氏名ハ如何
答　当時ニ於テ飯ヲ食ヒニ通ツテ居ル

82

テスカラ氏名ハ知リマセヌ

問　金臨外ト云フ者ヲ知ラヌカ
答　知リマセヌ
問　同人ハ朴官玉ノ宅ニ住ンデ居ルカ
答　知ラヌカ
問　貴様ナ若者ハ朴ノ宅ニ住ンデハ居ラヌカ
答　貴方ト一所ニ捕ヘラレタ者
問　云フ張ト云フ者ノ中ニ貴方ノ知ツテ居ル者
　　ガアルカ
答　洪時濬ハ同郷ノ者故知ツテ
　　居リマス
問　貴方ニ知ツテ居ル張ト云フ者ハナイカ

83

答 外ニ兄弟者ハアリマセヌ

問 汝ハ妻子父母ハアルカ

答 父母ハアリマスモ妻子ハアリマセヌ

問 父母ハ何処ニ居ルカ

答 原籍地ニ居リマス

問 汝ハ高連俊、高從煥、鄭大鎬、鄭瑞雨ナル者ヲ知ルカ

答 皆知リマセヌ

問 方士勝ハ知ルカ

答 知ッテ居リマス

問 李珍玉ハ知ルカ

84

答 知ッテ居リマス

問 李公圭ハ知ルカ

答 知ッテ居リマス

問 崔東五ハ如何

答 知リマセヌ

問 右者ハ知ッテ居ルカ

答 被告安應七ノ寫眞ニヨリ[illegible]

答 只ニ知リマセヌ

問 汝ハ安應七ト云フ名前ヲ知ルカ
イ又兄弟ガアルカ

答 兄イ又兄ハアリマセヌ

問 陰暦本年十一月鄉里人ノ墓ニ

85

改葬シタ事ガアルカ
答 洗骨ニ呼バサマシタモ私ハ知リマ
セナラズ
問 改葬ニハ如何カスデモヨイノカ
又知リカズシテ何カ儀礼ヲ
ニスカ
答 改葬ノ日マデ勤リマセヌデシタ
私ハ日本人ノ事ハ煙草ヲ売リ
ニ来タ金ヲ皆鮮国人ガ
改葬ニ出タケナ私ニモ
知カヌカト申シマシタ数
リマシタ花シ如何カ二円ノ儀

86

望ミハセト申シマシタモ私ハ
シマセナンダ
問 洗方ガ煙草ヲ売リテ知ラヌカ
人ノ所ニ行キタルハ好ム
ブチヨイ、ライルチエニテ料理
答 取リシテ所ん人デ名ガハ勤リ
マセヌハ洗陽デ高院ニ婦人
ノ李ト言フクワレト云フ名ガ
取リマス 三人ハ下鮮ガ深山ア
ル人デス
問 其ノ方ハ何處デ捕ヘラレタカ
答 村名ハ勤リマセヌモ某郡人ノ料

87

[illegible]屋ノアル處デ捕ヘラレマシタ
私ノ捕ヘラレタ現場ハ料理
屋カラ橋ヲ渡ッテ役所ノアル
處デ[illegible]支那市場デアリマス
問 何日何時頃捕ヘラレタカ
答 陰暦九月十三日午前十時頃デ
シタ
問 何處ヘ行ク途中ナリシカ
答 [illegible]人ノ用ヘ煙草ノ仕事ニ
[illegible]ニ行ク途中デシタ
問 捕ヘラレテ何處ヘ連レテ行カ
レタカ

88

答 初メ驛長(?)ノ室ヘ留置セラレマ
シタ後ニ露國ノ將校ガ澤山
來テ居リマシタ
問 廿六日ノ朝伊藤公爵ガ哈爾賓
ニ來著セラルヽヲ知ッテ居
タカ
答 知リマセナンダ
問 伊藤公ガ狙撃セラレタヲ知
ッテ居ルカ
答 知リマセナンダガ捕ヘラレテ居
ル間ニ韓國龍巖浦カラ來テ
居ル者ガ伊藤サンガ殺サレタ

89

ト申シテ殺スノヲ止メマシタ

問 張君ヲ露西亜憲兵ニ捕ヘテ殺スカ

答 左様デアリマス

證人 金澤信

右讀聞セタル處ニ相違ナキコトヲ承認シ自署セリ

即日前記總領事館ニ於テ

但シ出張先ニ付キ所屬長ノ印ヲ用フル能ハス

關東都督府地方法院

90

書記 岸田愛文

高等法院檢察官 溝淵孝雄

囑託通譯 園木末喜

91

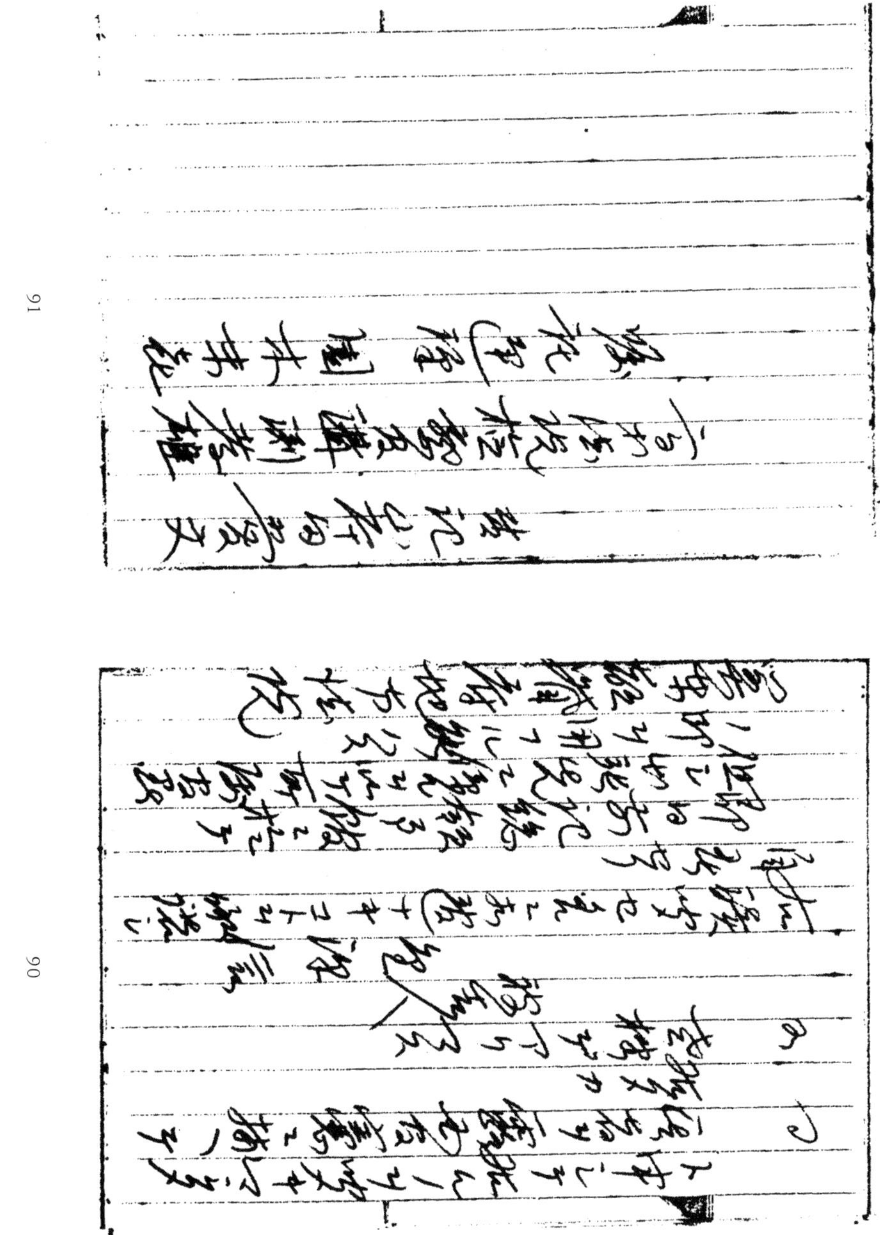

被告人訊問調書　全衡生

右ノ者ニ対スル殺人被告事件ニ付明治四十
二年十月三十日於哈爾賓日本帝国総
領事館ニ於テ検察官溝淵孝雄
書記岸田愛文列席ノ上通訳園木
末喜通訳ノ上
検察官ハ被告人ニ対シ訊問スルコト左ノ
如シ

問　氏名年齢身分職業住所
本籍地及出生地ハ如何

答　氏名ハ　全衡生

93

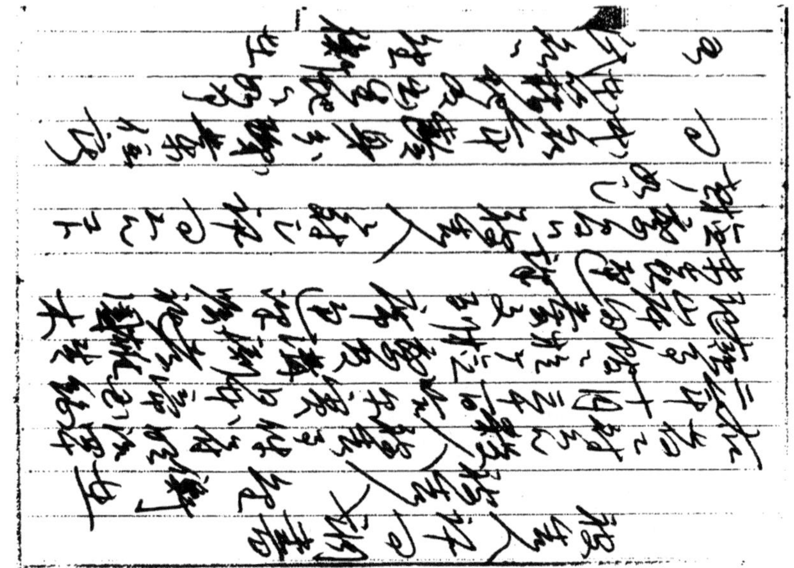

答 年齢ハ　三十年

職業ハ　私立学校教師[illegible]

住所ハ　哈爾賓プリスタン外国

三道街四十七番地

本籍地ハ　朝鮮[illegible]郡

豊西面九[illegible]

出生地ハ　同所

問 家族ハ妻子ガアルカ

アリマス

問 父母モアルカ

94

答 父ハ数年前ニ死ニマシタカラ母ハ生

死ヲ知リマセン

問 東興学校ハ何人ガ校主カ

答 設立者ハ金[illegible]デアリマスガ

今ハ[illegible]ガ校長ニ為ッテ

居リマス

問 汝ハ何ノ[illegible]カ

答 数学校デハ[illegible]算術ト[illegible]

[illegible]ヲ担ッテ居リマス

問 其ノ外ノ科目ハ教ヘテ居ル

カ

答 其ノ外ハ[illegible]モヤリマセヌ

95

問 露西亜語ハ如何

答 露西亜語モ出来ヘナカリマス

問 露西亜語ノ出来ル者ハ誰カ

答 元露西亜兵隊ノ中隊長ヲシテ居

リマス[illegible]尉（ロサノ大尉）ノ

「ワシリー、ラサラビーチ、エレベチチ」

ト云フ人デス

問 御前ハ出来ル人ト話シタ人カ

答 御前ノ出来ル人ハ私ノ外ニ卓公

甚モ居リマス 其人ハ露文字出来ヘ

ナ居リマス

問 [illegible]

96

出来ルカ

答 出来ヘナリマス

問 大シタ話ガ出来ヘナカッタカ

答 御用ニ立ツ程話ガアリマスガ其ハ

世界普通語位シカ出来ヘナカリ

マス

問 御前ハ露西亜語ニ通訳ガ出来ヘナカ

答 出来ヘン為メ通訳カラ頼ンデ二時

買ヒ丈ケニシタカ味方出来ヘテハ

居リマセヌ

問 其外ニ如何ナ人カ

答 人夫日稼人デアリマス

97

99

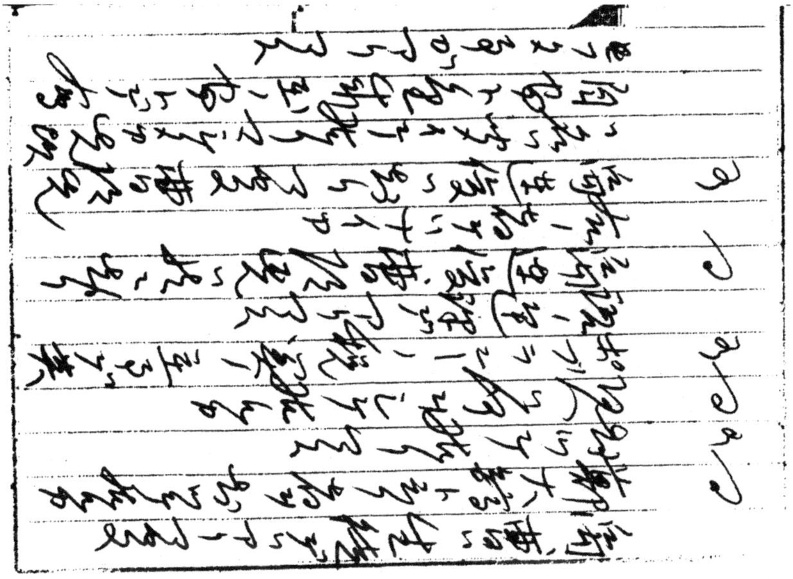

98

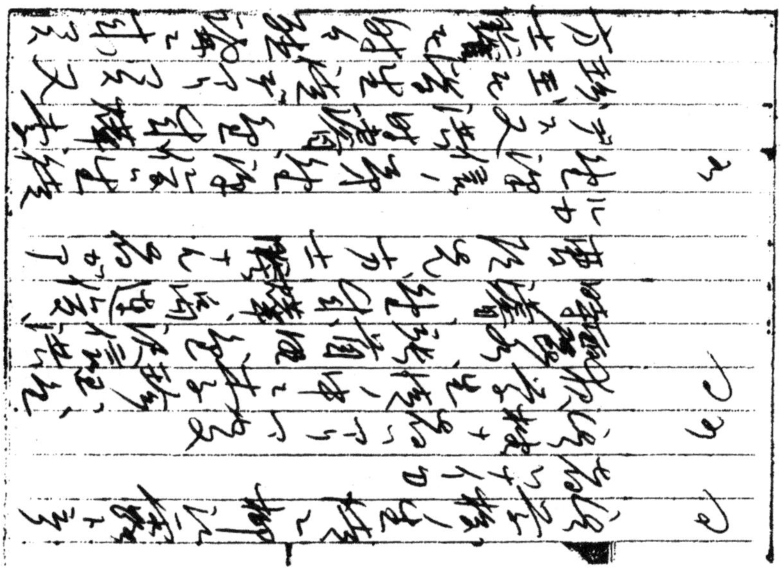

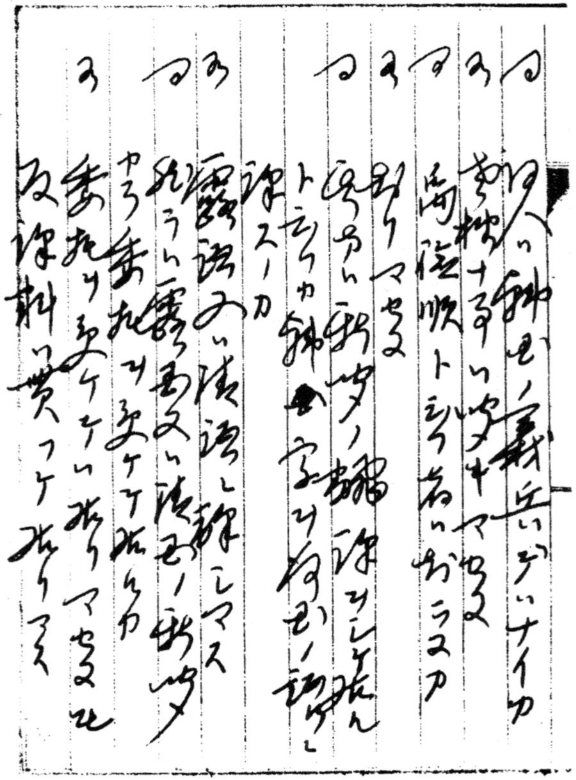
問 ソノ人ハ韓国ノ義兵デハナイカ
答 普通ナル人[illegible]マセヌ
問 尚従順ト云フ者ハ知ラヌカ
答 知リマセヌ
問 汝ハ新聞ノ[illegible]ヲシテ居ルト云フカ韓国字ノ新聞ヲ
読スノカ
答 露語ハ読ミ話シモシマス
問 然ラハ露国文ノ[illegible]新聞ヲ
カラ受取リ受ケテ居ルカ
答 受取リ受ケテハ居リマセヌ 此
[illegible]料ハ[illegible]ッテ居リマス

100

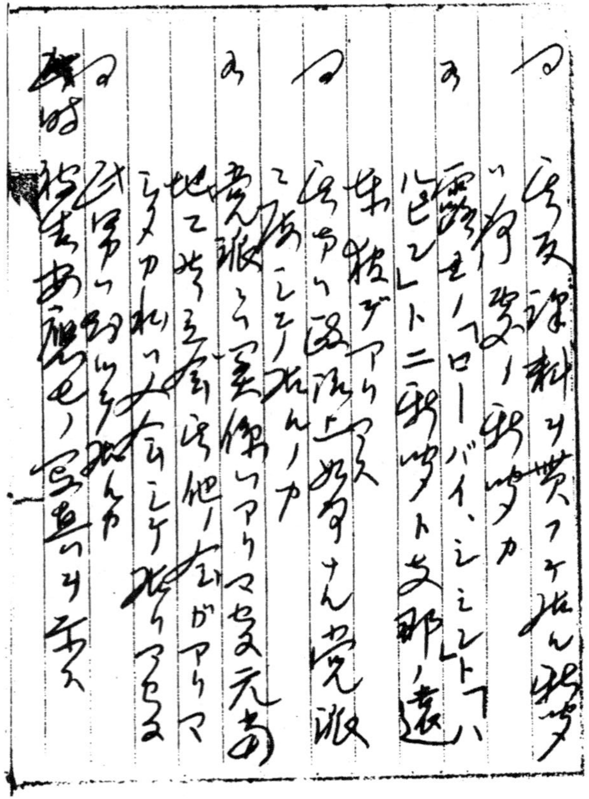
問 汝ハ[illegible]料ヲ[illegible]ッテ居ル新聞ハ
何ト云フ新聞カ
答 露国ノ「[illegible]」ト云フ新聞ト支那ノ遠
東報デアリマス
問 汝ハ[illegible]党派
ニ属シテ居ルノカ
答 党派ト云フ者ハアリマセヌ 元来
地ニ於テ[illegible]他ノ会ガアリマ
セヌカラ入会シテ居リマセヌ
問 [illegible]
答 [illegible]

101

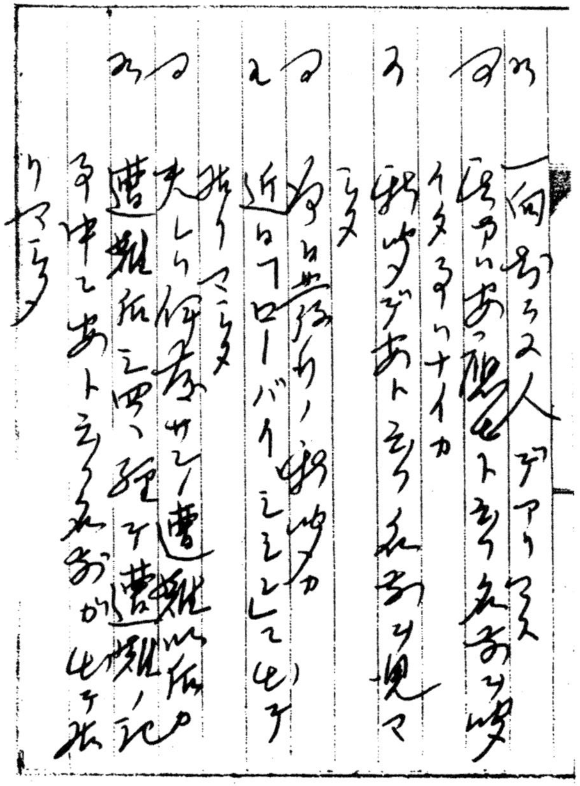

103

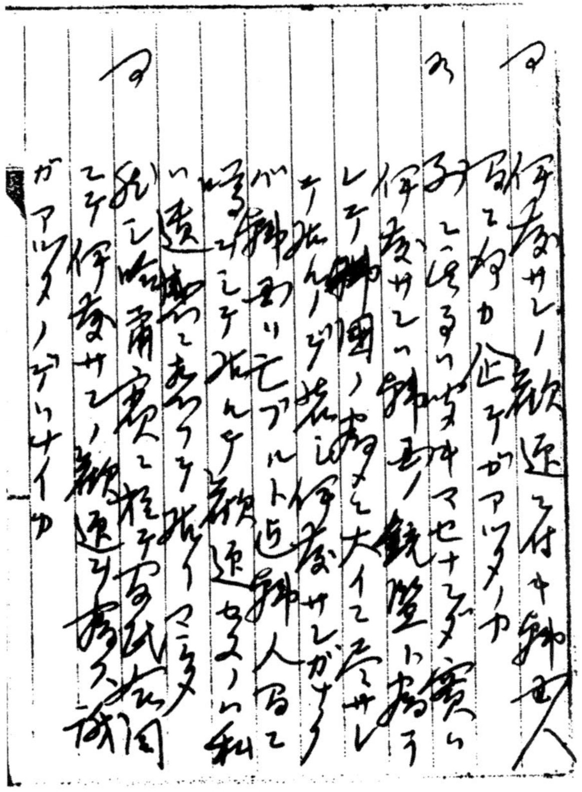

102

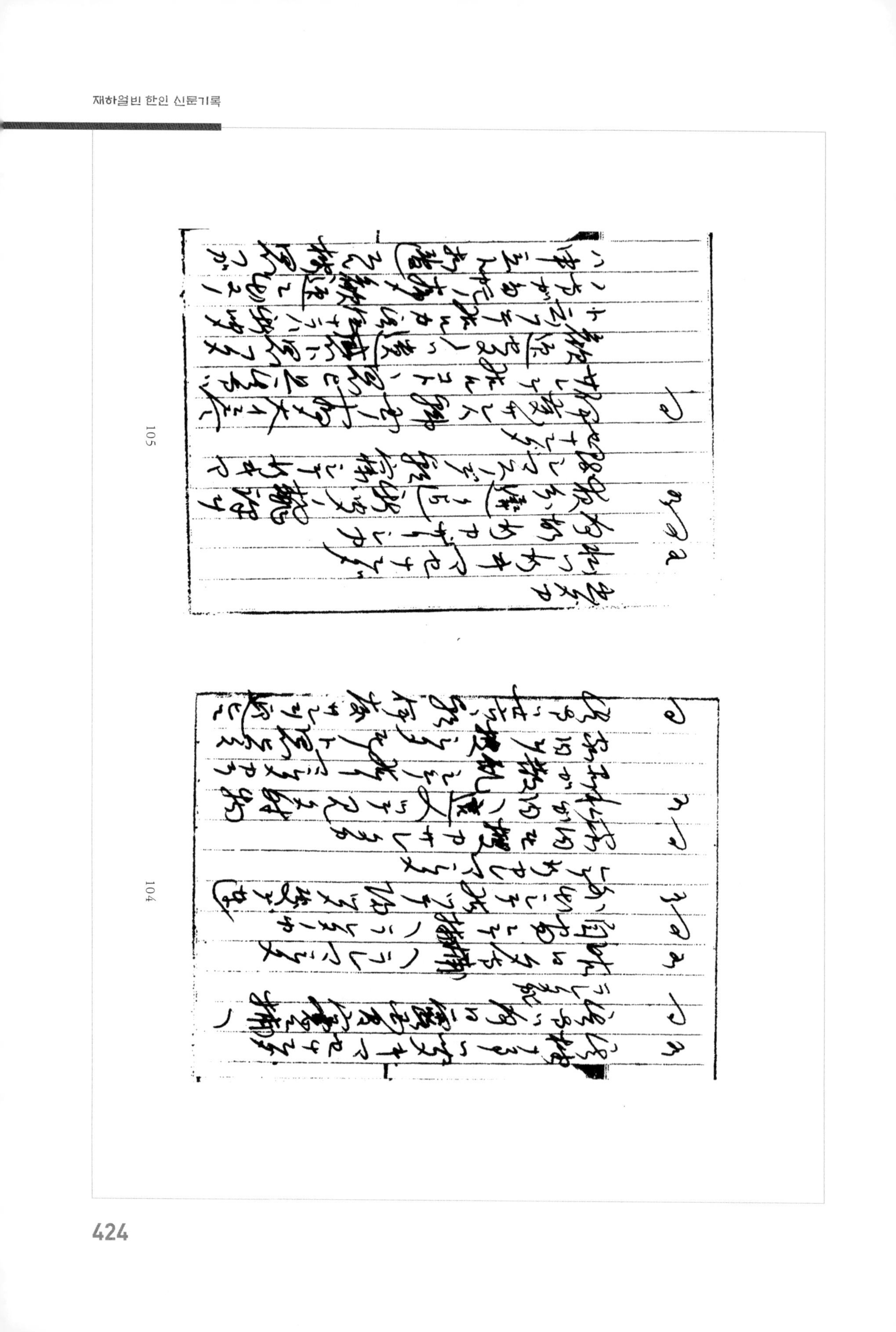

105

104

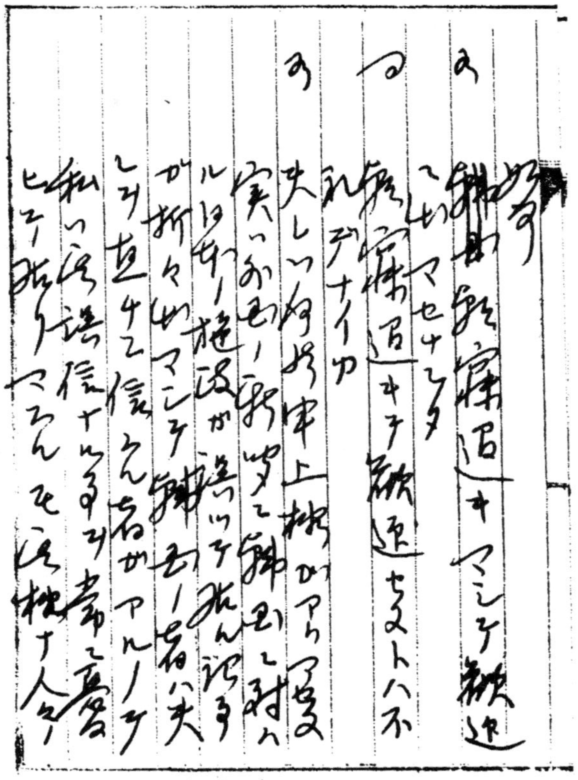

107

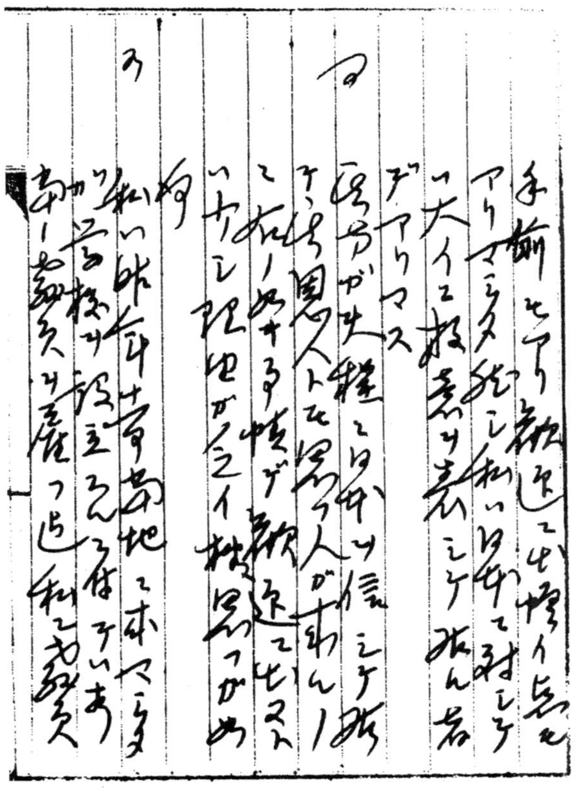

106

109

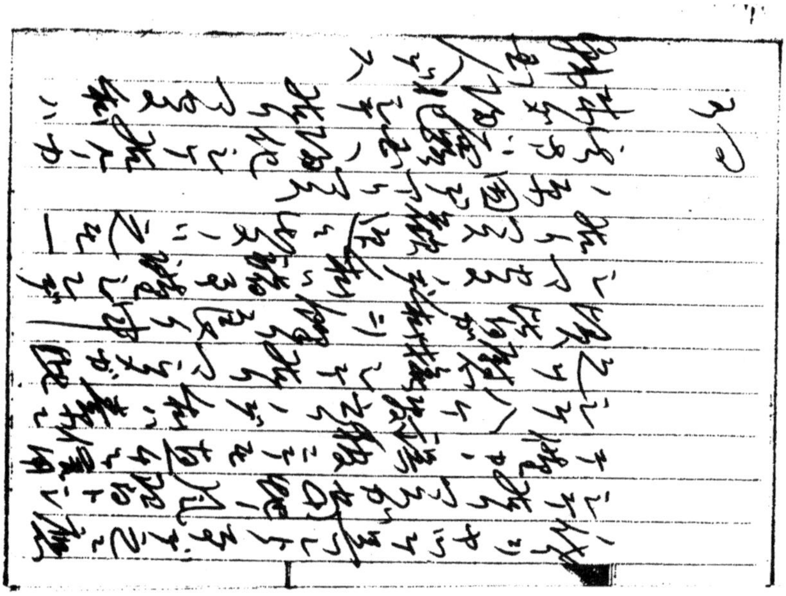

108

110

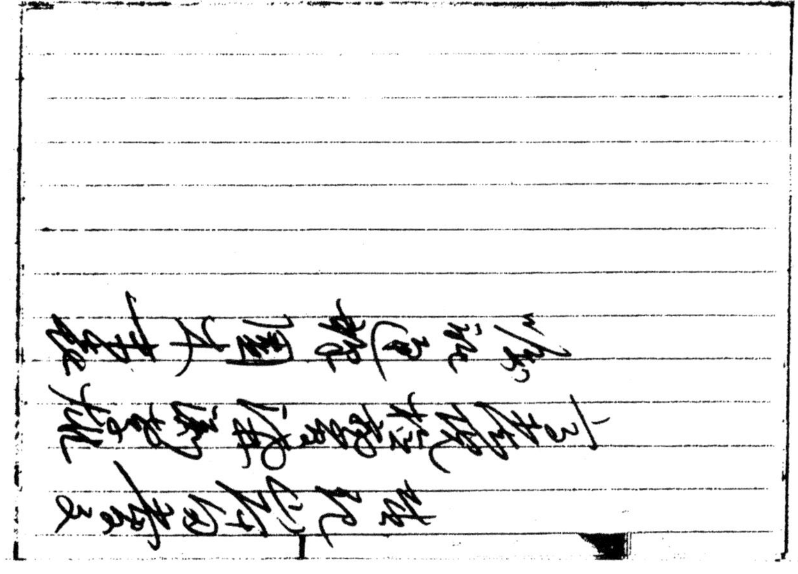

113

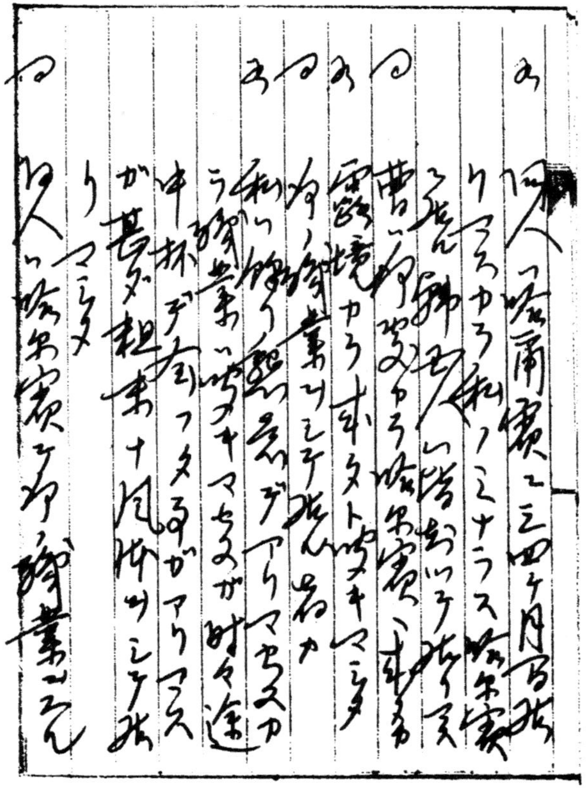

115

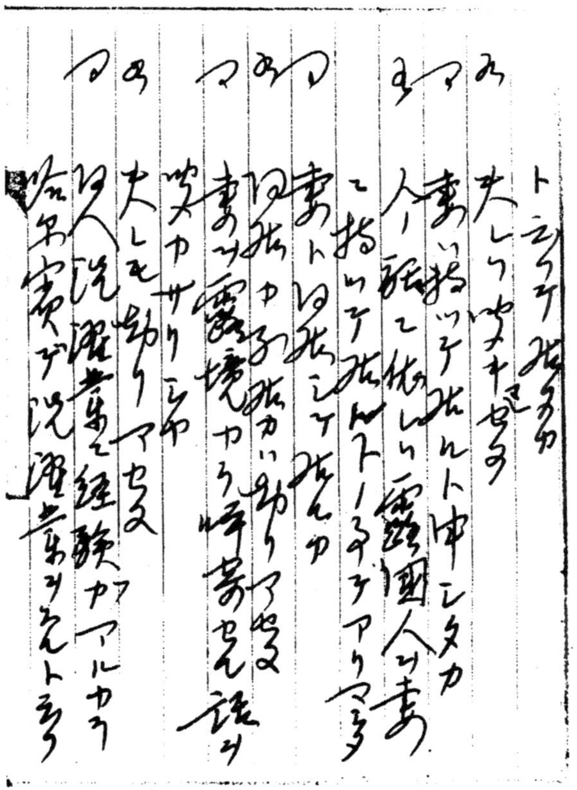

114

ヨリ勧メカアリシカ

答 私ハ同人ト懇意ニシテ居リマシテモ[illegible]セヌカラ依頼ハ致シマセヌ

問 然ラハ鄭大鎬ト云フ者ヲ知ルヤ

答 知合ナリ七八月頃私カ浦塩ニ滞在中[illegible]訪ネテ来テ[illegible]学校ヘ[illegible]ネテ来テ私ヲ訪ネテ会ヒマシタ

問 同人ハ何ノ職業カ

答 税関ニ勤メ月給百円程貰ヒテ居ルト聞キマシタ

問 鄭ハ何用ニテ郷里ヘ帰ルト云ヒタカ

116

答 妻子ニ逢ヒニ帰ルト聞キマシタ

問 汝ハ金銭ヲ出シタル覚カ

答 出シテ居リマセヌ

問 同人ハ何ノ職業カ

答 医師デアリマス

問 [illegible]

答 [illegible]私ハ廿年程前カラ懇意ニナリ[illegible]

問 同人ハ家ヲ起シ[illegible]

答 同人カ[illegible]出身ニシテ[illegible]

問 同人ハ医師ノ[illegible]

117

[illegible]ルカ
問 [illegible]ガ[illegible]大イニ[illegible]
[illegible]アルト[illegible]マシタガ[illegible]
[illegible]ガアルカ[illegible]
答 [illegible]ノ[illegible]月ノ[illegible]
[illegible]
[illegible]
[illegible]折々他ヘ出[illegible]アリ
マシタカラ私ノ[illegible]ノ[illegible]ノ
[illegible]
問 [illegible]ノ[illegible]
[illegible]ト[illegible]

118

答 一 錦町（神田丁）住ノ比ノ事デア
リマス
問 同ハ[illegible]学校ニモ関係シテ
居ルカ
答 同ハ[illegible]ナノデ[illegible]
[illegible]マスノデ学校ノ方デモ[illegible]
ノ[illegible]時ニハ出シテ貰フノデア
[illegible]カラ[illegible]係ガアリマス
問 同ハ校長デハナイカ
答 校長ト[illegible]居リマス
[illegible]ハ校長ノ他ノ校長ガ[illegible]
[illegible]学校ガ[illegible]

119

金ヲ持ッテ居ルト云フノデ
楊ノ意見カ一路ニテ楊カ
ニ云フノデアリマス
問 李ト楊ノ事務ハ誰レカ取ッテ
居タカ
答 李ト楊ノ事務ト申シテハ別ニア
リマセヌカ[illegible]ノ不足ハ皆金
成白ニ[illegible]出シテ貰ッ
テ居リマス
問 ソレハ何人ヲ妻ニシテ居ルカ
答 露西亜人ヲ妻ニシテ居リマス
問 金成白ハ如何ナル男カ何カ覚

120

[illegible]テ居ルカ
答 其人ハ[illegible]十人デ[illegible]
露語[illegible]人ト[illegible]
金[illegible]ハナイ人デア
リマス
問 金成白ノ外ニハ醵出人カ出
来ルノ[illegible]
答 [illegible]人ニモアリ[illegible]十人余カ
[illegible]醵出人[illegible]出人ニテ[illegible]
[illegible]デアリマス[illegible]ハ[illegible]
ルノデアルト思ヒマス
問 [illegible]人ニ[illegible]

121

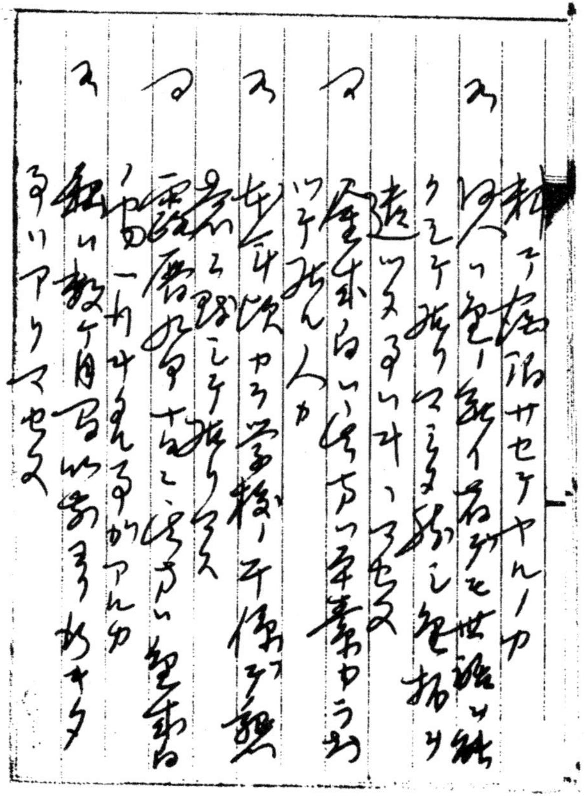

123

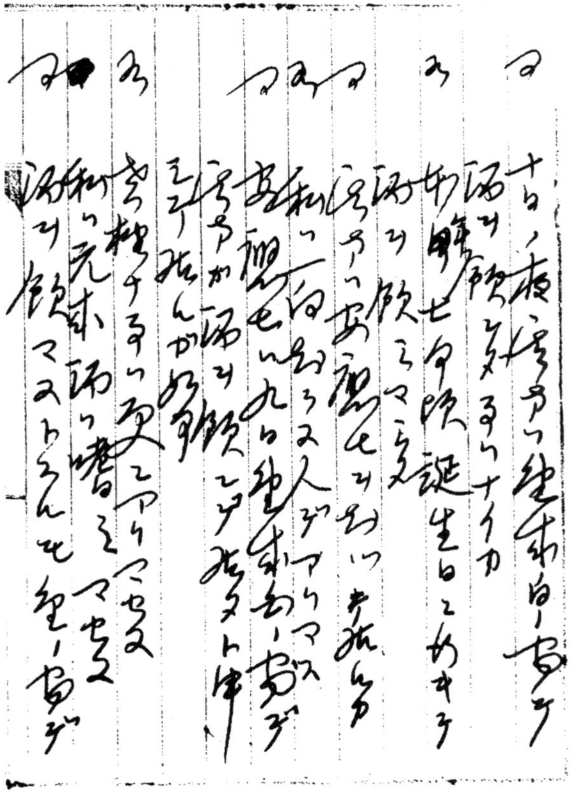

122

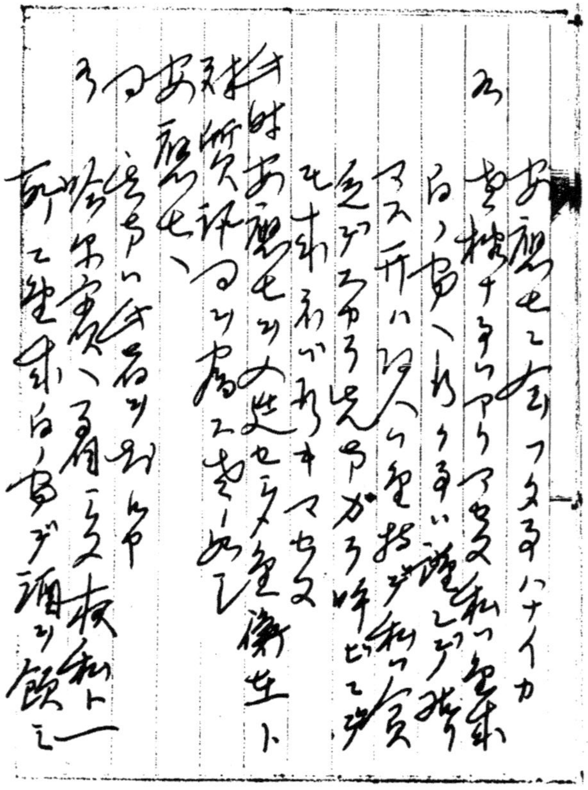

125

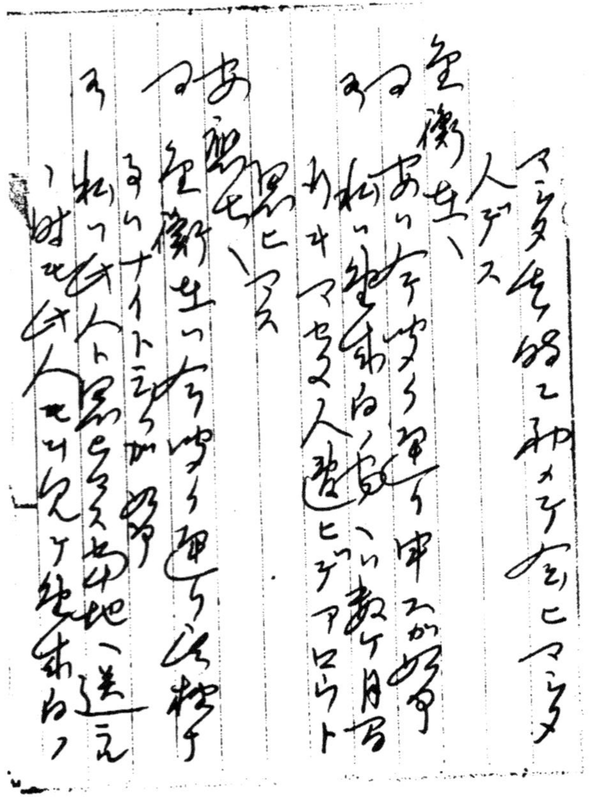

124

當方ハ[illegible]人デアルト自
分デ思ッテ居ツタノデアリマス
問 汝ハ汝ノ時[illegible]衛生ト謂ツテ
居ルカ
答 否ト謂ヒマセヌ
問 接待ハシテ居ルカ
答 汝ラモドウデアツタカ知リマセヌ
生衛生ハ
問 汝ガ實[illegible]全ク父ノ十分ニ得ス必
要ナイ[illegible]十日ニ婦人ノ墓
ノ改葬ハ自分デアルカラ婦人ノ全女
ヲ生活ハ其ニ全クテ頼ミマセン

126

必要モアルノデアロウカラ結婚ハ
ナイカ[illegible]ノガ事実デナイヤト思フガ
如何
答 改葬ノ事ハ他ノ家デ結婚シタ
ノデ生活上ノ當ヘハ多ク必要ガ
ナイノデアリマスルハアリマセヌ
問 生活上ハ婦人ノ全女デアルカラ
汝ハ當ヘ[illegible]全女ニ頼シテ居ルシ
経済上ヨリ又理[illegible]トシテハ
人ガ[illegible]全女[illegible]ノ如何
答 生活上ノ當ハ[illegible]デアルカラ
人ガ沢山[illegible]ニハ[illegible]ヲ知ラズニ

127

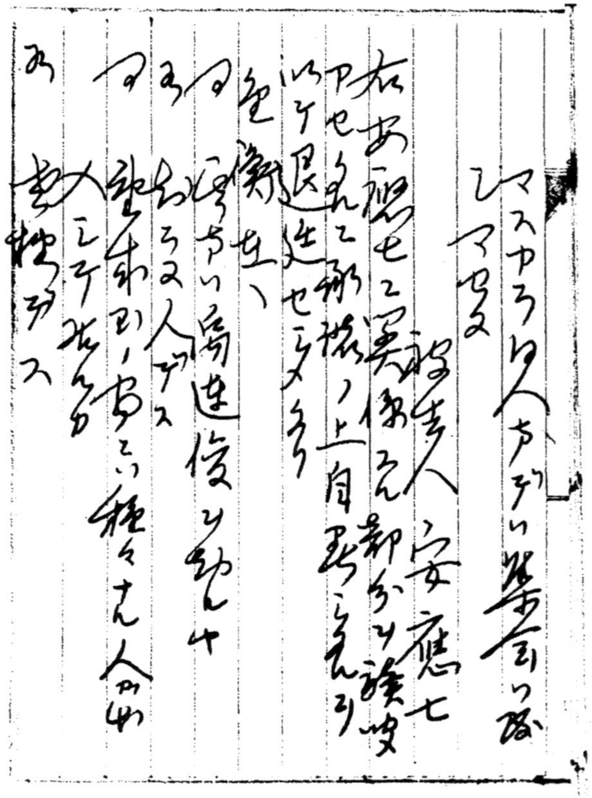

129

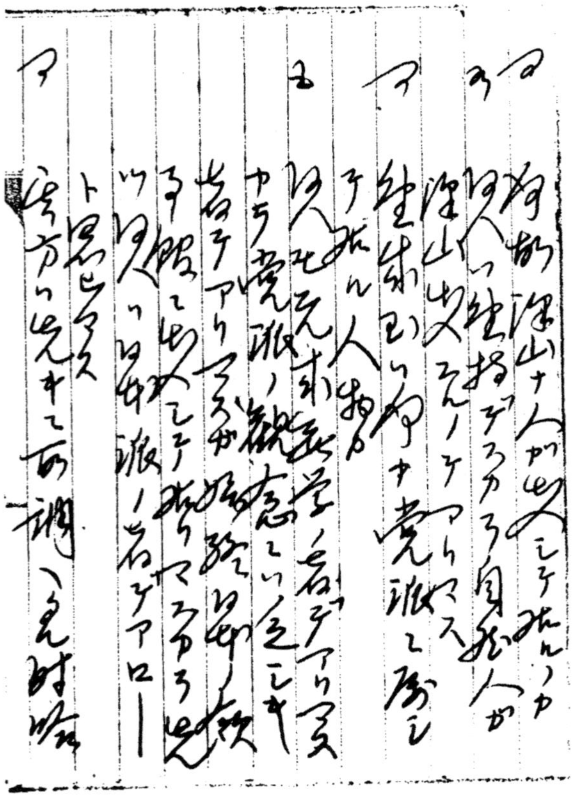

128

131

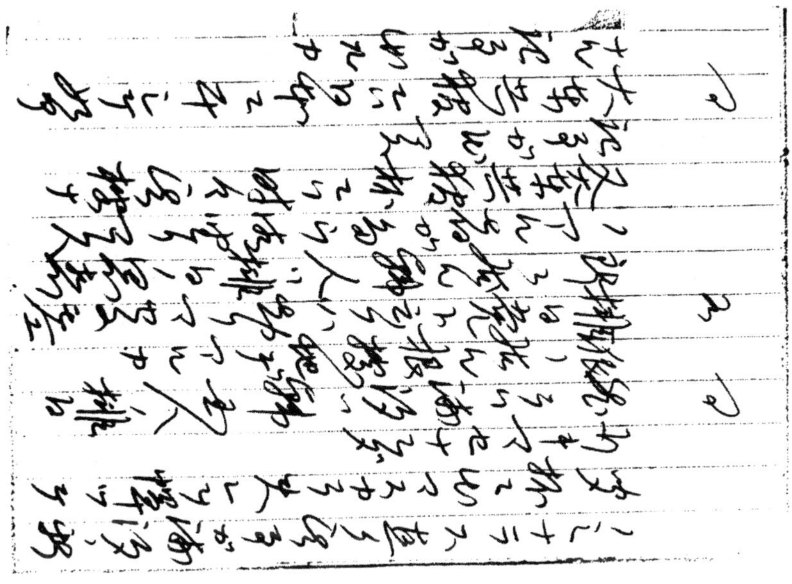

130

답　如此ク日本ニ反感ヲ[illegible]事ガ出来テ居
リマスカラ一々申上ゲル事ハ
出来マセヌガ仏教ノ日本ニ対
シ云ッテアルトカ又ハ革命者
ハ日本ニ対抗スヘシトカ激烈
的ノ記事ガ論説欄ニ時々出
テ居リマス
問　尚ホ大東共報ノ記者ニ於
テ誰ガアルカ
答　一昨年ハ[illegible]皇城新
聞社ニ居ッタ張志淵ト云フ
者ヲ聘シテ居リマシタ

132

外記者ニ就テノ者ハアリマセヌ
問　張志淵ハ今モ記者ヲシテ居
ルカ
答　同人ハ変ッテ[illegible]
ハ[illegible]ニ居ル事ヲ聞イテ居リマ
ス
問　張志淵ハ今デモ共報ニ於テ居ルカ
答　私ガ[illegible]辞セラレ、デハ
社ノ[illegible]後任トシテ居リマス
問　大東共報ノ柳鎮律ト云フ者
ハ居ラヌカ
答　同社ニ柳鎮律ト云フ者ガ居ル

133

手引ハ我党デ見テマシタ

問 何人カ記者カ

答 其[illegible]人デアリマス

問 大東共報ノ編輯人ハ何人カ

答 露西亜人デアリマス

問 記者ハ李剛ノ[illegible]デハナイカ

答 能ク知リマセヌガ我党デ見ル
[illegible]人ハ[illegible]ナイ様デス

問 我党ノ李剛柳鎮律等ハ
排日党ノ主ナル者デハナイカ

答 排日党ト云フ事ハ知リマセヌガ
排日思想ノアル事ハ知テ居リ

134

マス我党社ニ於ケル者デ排日思
想ノナイモノハアリマセヌト思ヒ
マス

問 排日思想ガ我党社ニ於ケル者ニ
ハ[illegible]アルトセハ義兵ニ我党
社カラ[illegible]セラレル様ナル
ハアルカ

答 左様ナ事ハ知リマセヌ

問 我党社ハ義兵ニ対シテ[illegible]
カヲ[illegible]ケ[illegible]
様ナ風説ハ聞キマセヌカ

答 左様ナ噂ハ聞キマセナ[illegible]

135

様ナコトガアツテモ秘密ノコトデ
答 私ハ知リマセヌ
問 露国ノ過激党部ガ民新
聞ト関係シテ居ルコトハ知ラヌカ
スカ
答 露西亜ノ革命党ノアルコトハ新聞
デ存ジマシタガ民新様ナ者ノ関係
シテ居ルコトハ知リマセヌ
問 民ガ哈爾賓デ逮捕セラレタ
ノハ陰暦十七日カ
答 旧暦デス
問 伊藤サンノ遭難日即チ十三日カラ

136

民ガ捕ヘラルルマデノ間ニ大東
共報ノ李剛、兪鎮律等ガ
哈爾賓ヘ来タコトハ知ラナカリ
シカ
答 民等ハ知リマセヌ
問 信生場ノ陳述ハ露国兵営ニ於テ戒
引シテ居リマシタカラ来レヌモ
来ラレヌノデアロート思ヒマス
問 然シ民後旅宿トシテ来レル宿
又ナキ様思フカ如何
答 大シタ事デモアリマセヌガ私ノ
来タコトハ知リマセヌ

137

問 然ラバ李剛ト手紙ニ記
シテアルノデアルカラ李剛ト称
スルモノハ仮名デアロウト思ハ人
ルヽカ如何

答 私ハ同人ガ本名ナルヤ一切知
ルナリヤアリマセヌ

問 然ラバ一切知ツテ居ルモノハ云フト
ノ事ハ上申ニテ居ル信デアルカラ
事實ハ決シテ隠スコトナク申
立テヨ

答 今日ハ私ノ生死ニ關スル場合デ
アリマスカラ人ノ事ハ仮令如何

138

デアロウトモ決シテ事実話ツテ
居ル事ハ隠シマセヌ

問 然ラバポプラニチナヤノ医師
ノ妹ノ柳東夏ト云フ者ヲ知ツ
テ居ルカ

答 同人ハ知ツテ居ル人デアリマスカ一度
学校ヘ来タ事ガアリ
マスカラ私ハ會ツテ話シモ致シマ
セナンダ

問 十日柳東夏ハ金某ト面会シ
タ事ガアツテ学校ヘ同道シテ行ツタ
事ガアツタカ

139

答 金成白ニ用事ガアッタカ学校ヲ見ニ行タカハ知リマセヌ私モ学校ヘハ来マシタ事ハ有リマセヌ

問 夫レハ十日デアッタカ

答 夫レハ確ニ覚ヘマセヌ

問 柳東夏ガ学校ヘ来タ時ハ金成白ハ学校ヘ来テ居ツタカ

答 金成白ハ露西亜語ヲ学校デ習ツテ居ルノデ毎夜欠カサズ学校ヘ来テ居リマス

問 柳ハ何方ガ露語ヲ習ヒニ来テ居ルカ

140

答 露西亜人ノ教員ト私ガ手伝ヒノ婦デ二人デ教ヘテ居リマス

問 今般伊藤公ヲ殺シタノハ安應七デアルガ夫レハ如何ナル理由ニ発銃ガアルカ居ルカ夫レヲ当時知ラヌトスルモ何カ居迄ノ噂又込ミハナイカ

答 私ハ風説ヲ聞キマセヌガ哈爾賓ニアラズ他ノ地デ企テテ来タノデアロウト思ヒマス

問 其企テタ地ト云フノハ何処カ

答 私ハ浦塩デアロウト考ヘマス

141

問 義兵ト聯絡シテ居ルト思フカ
又新聞社ト関係シテ居ルト
思フカ
答 義兵ト関係ハ無論アルデア
ロートハ思ヒマスカ新聞社トハ
干係ハアルマイト思ヒマス
問 何ヲ関係シテ居ルト思フ義兵ハ
如何ナル種類ノモノカ
答 私ハ義兵ノ内容ガ分リマセヌカラ
如何ナル部類ノ義兵カ分リマセヌ
又風説モ聞キマセンデシタ聯絡
ガアルデアロウカト思フ推測デアリマス

問 何ヲ爲ス義兵ノ頭目
ト云フ者カ知ッテ居ルカ
答 私ノ知ッテ居マスノハ洪範道ト
云フ者ナルモノハ本年三四月頃聞
キマシタ又同人ハ昨年中江界辺デ
義兵ヲ起シテ糧食等ヲ集
メテ居ルニ「ホバルボ」ト云フアダナ
ーレトノ噂サ往来シテ居ルト聞
キマシタ
問 何ガハ班襲強奪ト云フ事ナ
ルカ
答 班襲トハ支那語デス夫レガ「お

ハルピンデ狙撃ハイルクニ迄
ノデアリマス

問 其方ガ露兵ニ[illegible]
又ハ其方ガ捕ヘラレタル時ニ
[illegible]アッタカ

答 捕ヘラレルマデ二ヶ月程デア
リマス

問 其方ハ山住都督ト云フ露兵ノ
大将ノ名ヲ知ッテイルカ

答 日人ハ露兵ノ大将カドウカハ知リ
マセヌモ露兵デアルトノコトヲ聞キ
キマシタ

144

問 安重根ハ山住都督、洪範図
ノ部下デハナイカ

答 左様デアリマセヌ

問 平素満洲ノ[illegible]
[illegible]出テ来タ時ハ何月頃
デ[illegible]カ

答 金[illegible]人ハ露兵ニ[illegible]
金[illegible]山[illegible]人ノ自国ノ人
ノ[illegible]ヘ行キテ居リマス

問 自国ノ人トシテハ安重根ノ同志カ
又友人ノ同志デモナイノカ

答 我等ノ同志ノ[illegible]ハ[illegible]アリマセヌ

145

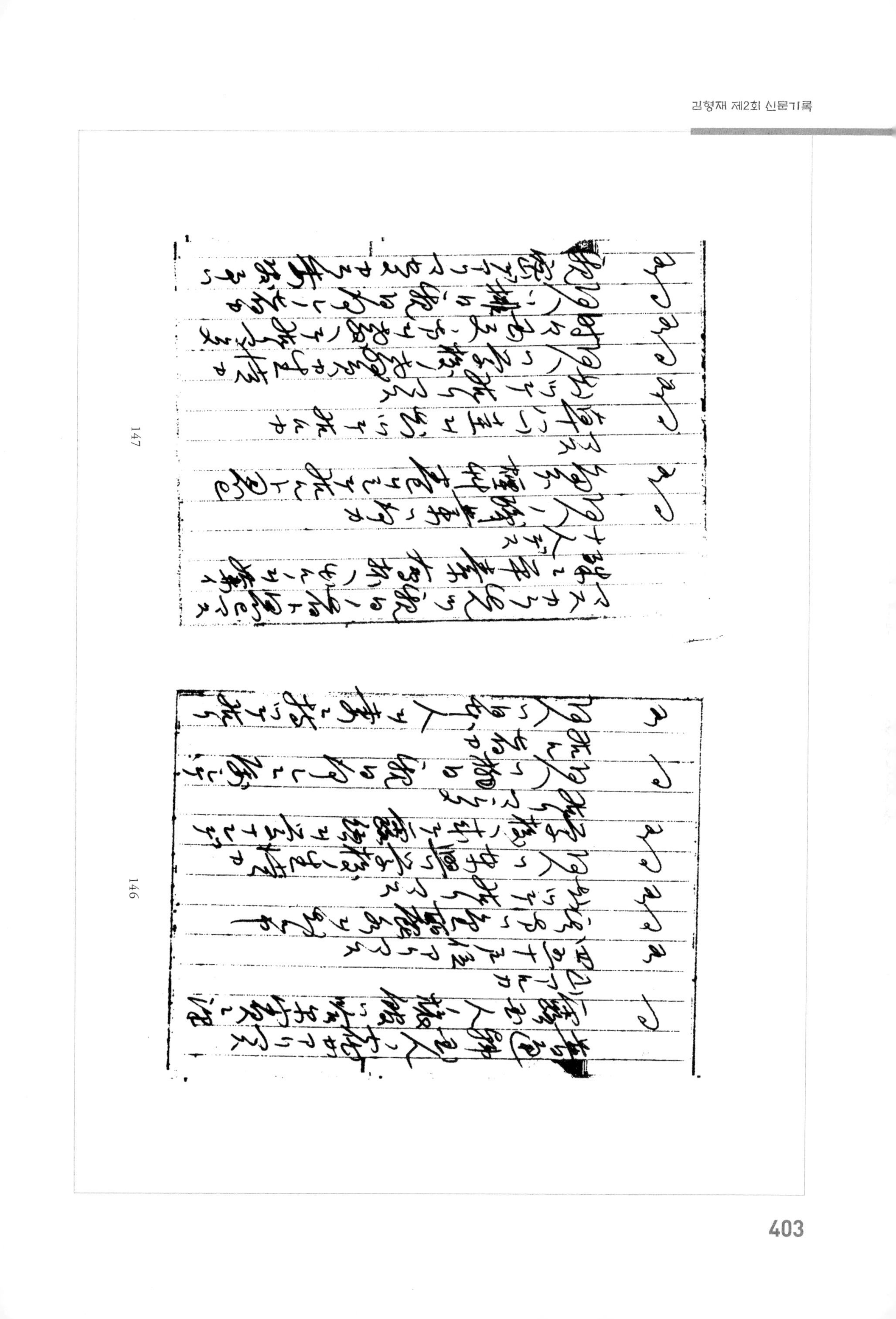

147

146

知リマセヌ
付財柳東夏ヨリ送セラレタ金ノ如ク
金衡生ト對質訊問シテミル
問 柳東夏ハ
九日夜南下安カ金東白ノ家
ヘ着シ又財付金衡生ト云フ
右ハ金東白ノ家ニ泊ツタカ
答 付人ハ來テ泊リマセナンダ
問 其後金東白ノ家デ酒ヲ飲ミ
テ泊ツタノデハナイカ
答 左様ナ事ハアリマセヌ
問 其方カ十日夜学校ヘ金東白ヲ

148

招イテ行キ其財ヲ入ハ中ヨリ学
ニテ張ツタカ
答 其様ナ事アリマセヌ
問 夫ハ確證カ
答 校舍室ニ這入ツテ書類ヲ受ケタカラ
招白テ張リマセヌ
問 其財付金衡生ハ学校ニ張ツタ
カ
答 張リマセヌ
問 其方ハ金東白ヘ金ノ張リヲ八百
受ケタカ
答 宣示ヘ呼出シテ張リ渡シマシタ

149

被告人 劉東夏
被告人 金衡在

右[illegible]ニ於テ十年二月十一日
[illegible]ニ付[illegible]自署[illegible]
印[illegible]記[illegible]所ニ於テ
従テ[illegible]ニ[illegible]以テ所[illegible]
ノ即日[illegible]

朝鮮総督府地方法院
裁判所書記 山[illegible]
[illegible]検事 [illegible]春雄
[illegible] 国本[illegible]

150

被告人訊問調書

被告人　方士驄

右ノ者ニ対スル殺人被告事件ニ付昭和四年
十一月三十日哈爾賓日本帝国総
領事館ニ於テ検察官事務取扱[illegible]
記[illegible]列席通訳[illegible]
[illegible]通訳
検察官ハ被告人ニ対シ訊問スルコト左ノ如シ

問　氏名年齢身分職業住所
本籍地及出生地ハ如何

答　氏名ハ　方士驄

153

年齢ハ 三十四年
職業ハ 齒醫師
身分ハ ノ
住所ハ [illegible]
本籍地ハ咸鏡北道會寧東面
石巨里
出生地ハ 同所
問 汝ニハ妻子ガアルカ
答 アリマス
問 同居シテ居ルカ
答 妻子ハ露領[illegible]ニ居ッテ居リマス
問 父母ハアルカ

154

答 父母ハアリマセヌ 私ノ兄ガ本籍
地ニ居リマス
問 兄ノ名ハ何ト云フカ
答 方士[illegible]ト云ヒマス
問 汝ハ[illegible]伊藤公爵ガ哈爾
賓驛デ暗殺セラレタ時汝ハ[illegible]
[illegible]ヤ
答 [illegible]
[illegible]
[illegible]
問 [illegible]伊藤公ヲ狙撃セラレタル
ヤ

155

答 其様ナ事アリマス
問 従前狙撃シマス者ハ如何ナル者カ
答 私ノ知ラヌ者デアリマス
問 下手人ハ一人カ二人カ
答 私ノ見タノハ一人デアリマシタト
思ヒマス
問 犯人ハ現場デ捕ヘラレタヤ
答 捕ヘラレテ税関口ノ所ヘ来タ時私ハ
見マシタ
問 従前ハ此者ヲ知リマスカ
答 此時私ハ安重根ノ写真ヲ見マス
確カ此者ト思ヒマス

156

問 捕ヘラレタ者ノ名前ハ知ッテ居リ
マスカ
答 此犯人デアルト云フ事ハ当時知ッテ居マス
位デ知ル人カ知リマセヌ
問 従前下手人ノ名前ハ知ッテ居タカ
答 新聞デ安ト云フ姓デアル事ヲ見
マシタ
問 従前安ト云フ者ハ知ッテ居ルカ
答 一切知ラヌ事デス
問 従前ハ曹道先、劉東夏ヲ知ッテ
居リマスカ
答 曹道先ハ知ッテ居リマス尚

157

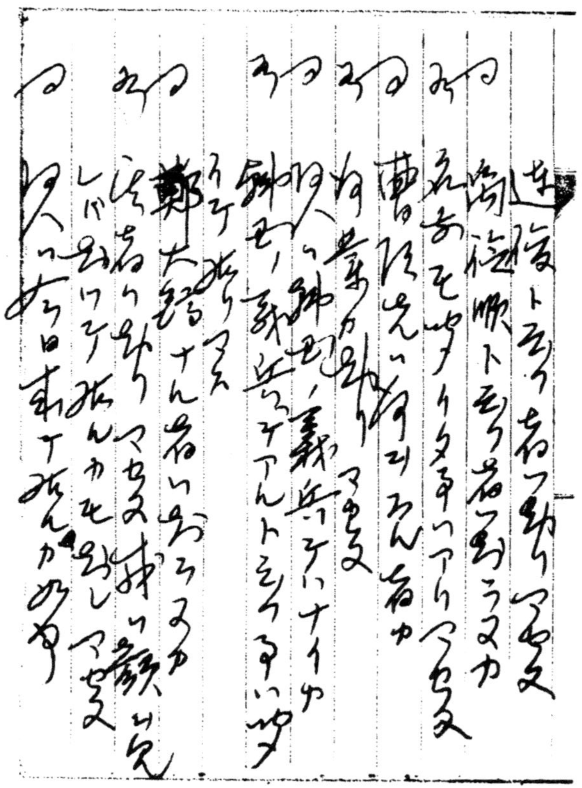

159

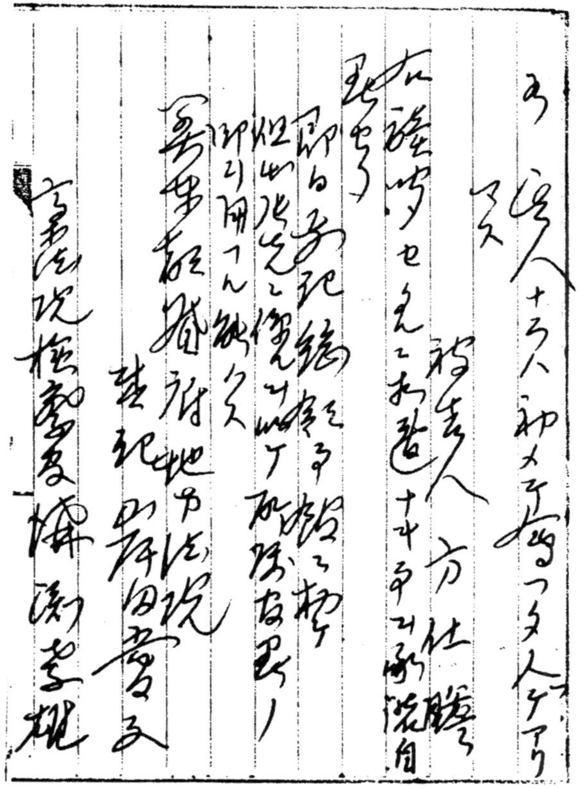

158

160

通譯生 園木末喜

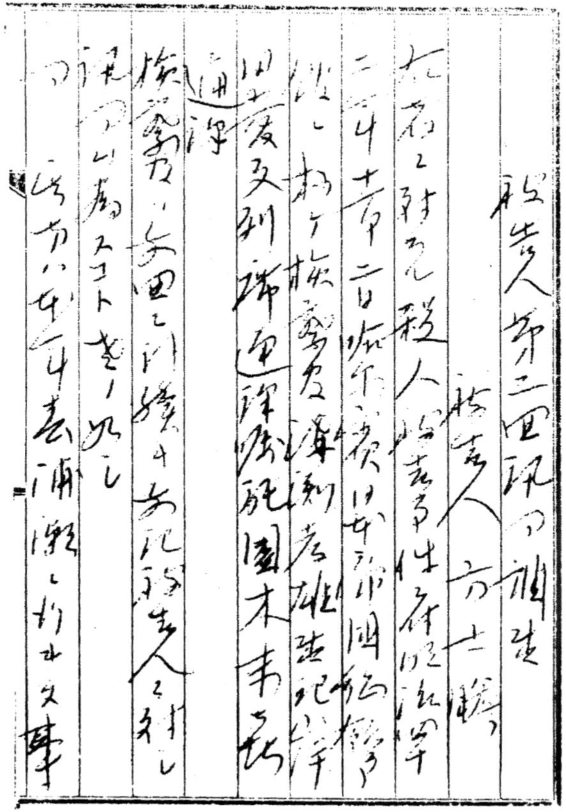

被告人第二回訊問調書

被告人 方士瞻

右者ニ對スル殺人被告事件ニ付明治四十二年十二月二日旅順地方法院ニ於テ檢察官溝渕孝雄書記岸田愛文列席通譯園木末喜通譯檢察官ハ通譯ヲ介シ左ノ如ク被告人ニ對シ訊問ヲ爲スコト左ノ如シ

問 [illegible]

163

カアルカ

答 其年ノ秋ニ行キマシタ

問 其ノ間何ヲ行キタカ

答 私ハ十八年ノ村ニ於テ母ト一人残シテ置キ
其ノ後已ニ本陣ニ参リマシタカラ一応隊ヲ出ル
様リテ近路ノ浦瀬ノ方ヘ行キマシ
タガ陳ニ一華不発見ガ在ル事
ヨリ付キマシタ日本人ノ仲カラ
私ハ發見サレ又陳ニ人ノ仲デ
ハ私ヲ探偵ト云フ人ニ誤ラレ危険デ

164

スカラ浦瀬デ二関係シテ居マシタ

問 何ン月ハ

答 三月頃ト思ヒマス大韓朝鮮一派カ様カ
ニテ浦瀬ノ独立運動ヘ勝利状大下
係リ粗ヒマシタカ下ニ又引コ
加セマシタ

問 其ノ後ノ其様デ行ヒ居リマシタ
シタカ

答 十月ノ頃ニ至リシテ止マシタ

問 其ノ頃ハ何事ヲシテアリタカ

165

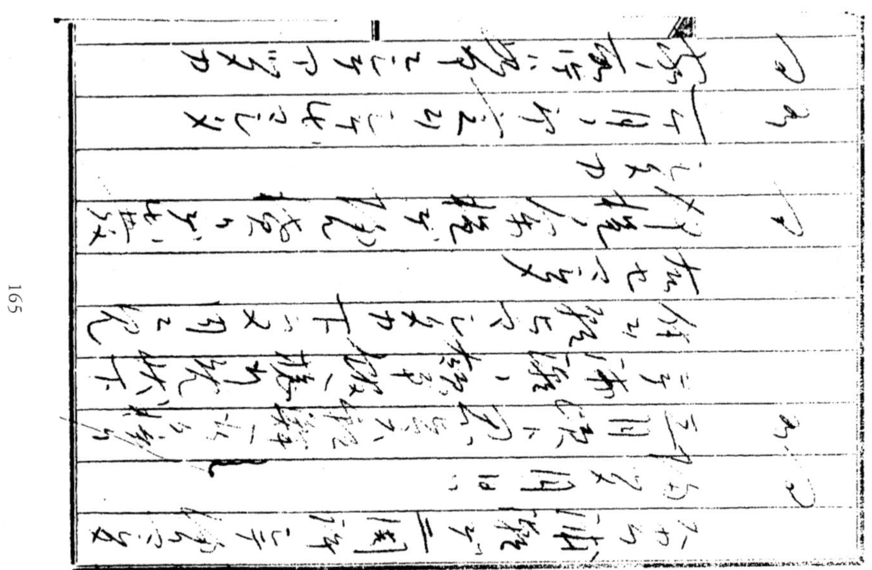

答 私ノ其他ノ事ハ妻カ尚言シテ居リ
マシタ私カ御尋ノ所ハ妻ニ露出サ
セテ隠シマシタ

問 前述デハ外ノ人ノ事ニ従ッテ居タカ

答 左様デハアリマセン佛國人ノ墓標
碑ト云フ者ノ意ニ従ヒマシタ

問 其墓標碑ハ何者デハナイカ

此時 証拠墓標碑ノ写真ヲ示ス

答 此ノ人デハアリマセヌ私ノ云フ村ノ
碑ハ呉氏望族ノ墓デス

166

問 今回佛國人ノ墓地改葬ノ話ヲ知
ッタノハ何時ノ事カ

答 昨年陰暦七月末カ八月ノ初メ
頃デアリマス

問 如何ナル理由デ改葬スル事ニ為ッタカ

答 佛國人ノ墓ヲ打捨テ置イタノハ
見苦シイカラ露國人ノ土地ヲ買
ッテ移スコトニ為リマシタ

問 露國ノ外國人ノ墓ヲ移轉セサリ
シカ

167

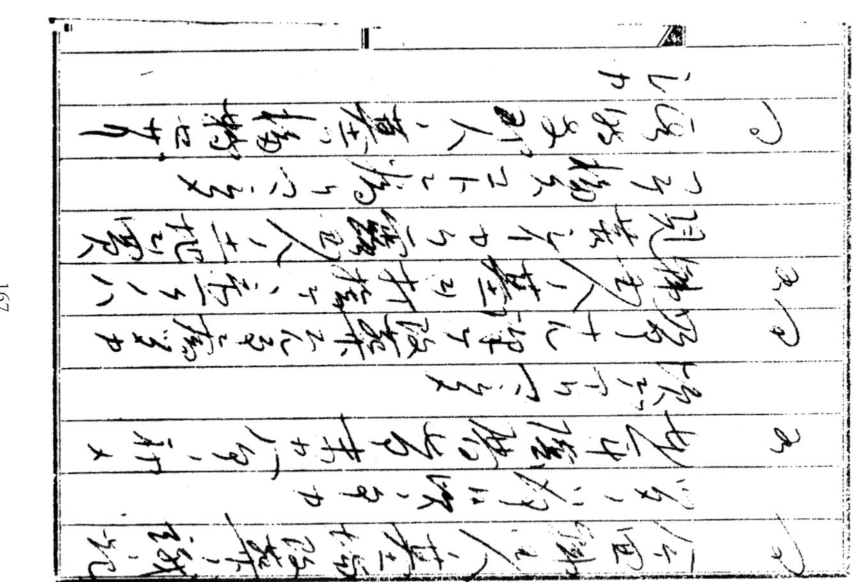

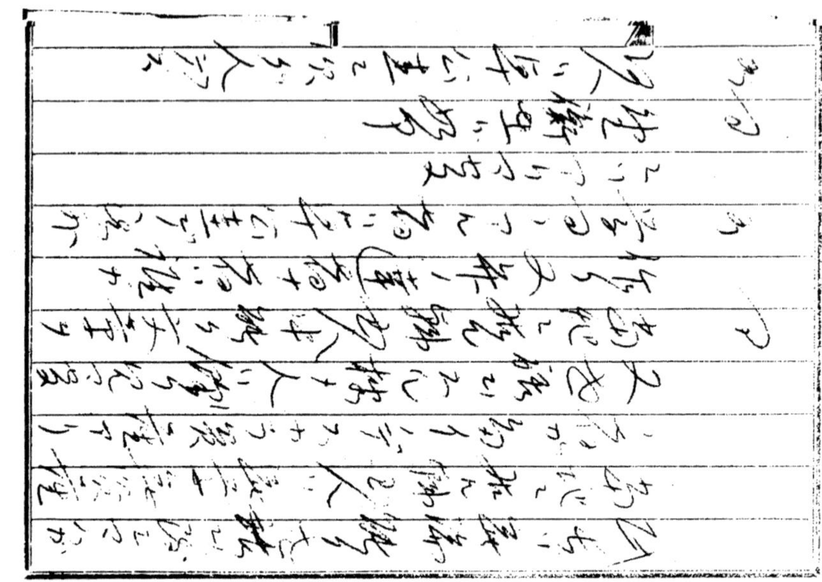

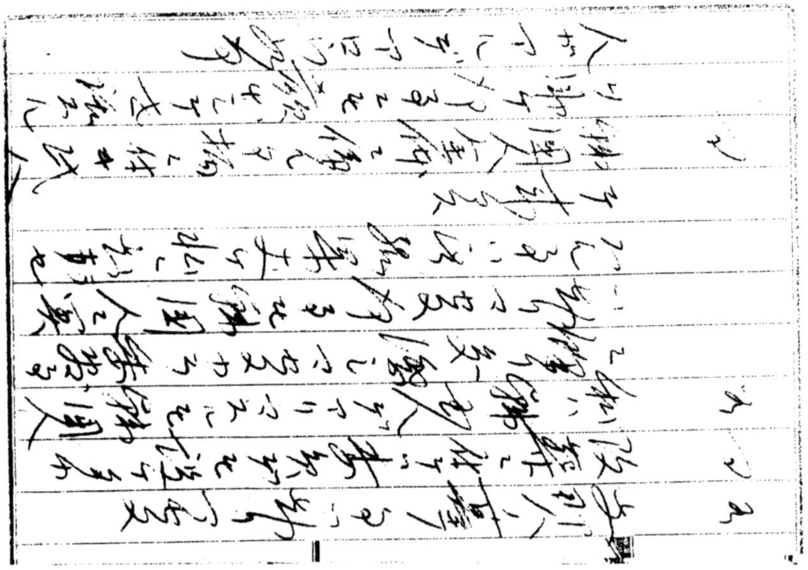

問 [illegible]衛生ハ何人カ

答 [illegible]衛生ノ係員ハ知リマセヌ

答 [illegible]デアリマス

問 [illegible]手許ヘ[illegible]ガ[illegible]タカ

答 [illegible]人墓地改葬ニ要スル[illegible]デス

答 [illegible]ハ[illegible]七松

問 [illegible]ハ[illegible]マセヌ

答 [illegible]ハ誰カ[illegible]タカ

答 [illegible]マセヌ

問 [illegible]ハ[illegible]ヤ

170

答 [illegible]人ハ[illegible]デス

問 [illegible]人ノ[illegible]ガアルカ

答 [illegible]アリマセヌ

問 [illegible]ニ依ラハ[illegible]

答 [illegible]ト云フ[illegible]ルガ[illegible]ガ[illegible]

ナイガ[illegible]人カ

答 [illegible]アリマセヌ[illegible]

[illegible]下[illegible]

大ケデス

171

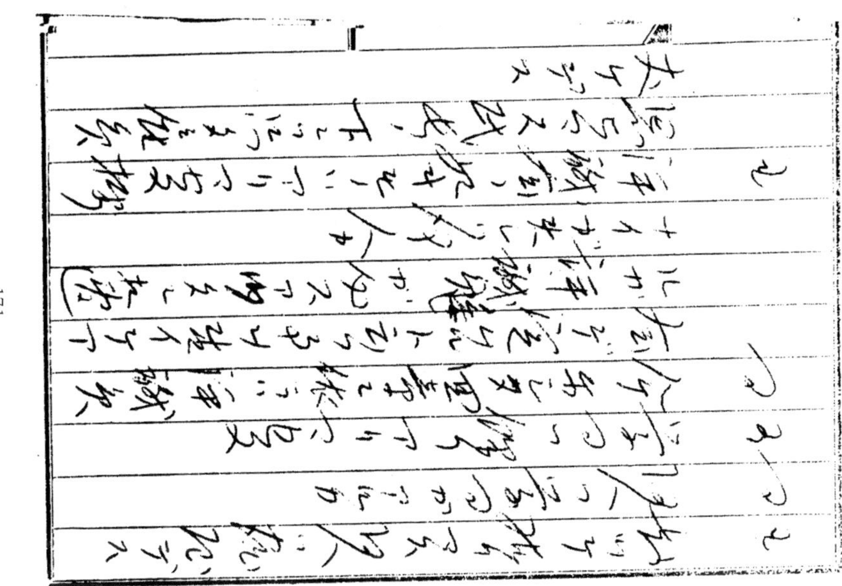

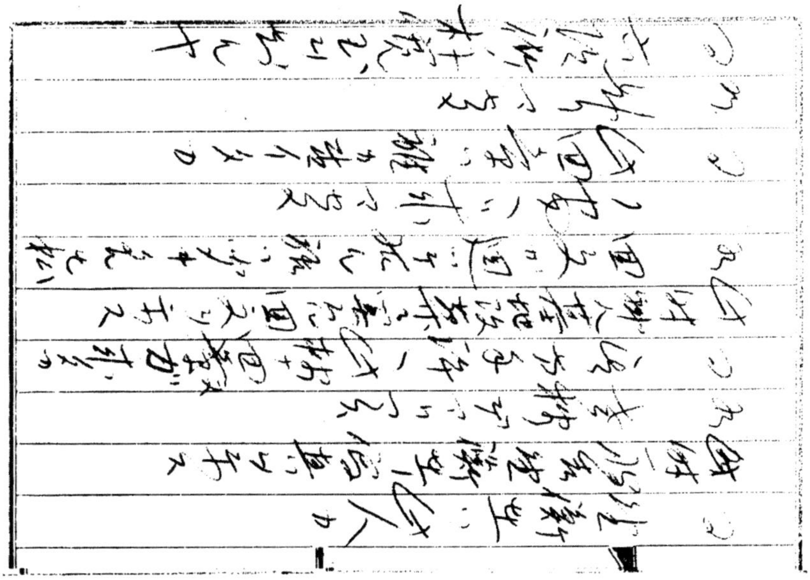

問 居留民ニ朝鮮人何程居ルノカ
答 人数ハ判リマセヌ
問 民會ニ副会長ガアルカ
答 ソレモ判リマセヌ
問 書記ハ誰デスカ
答 書記モ判リマセヌ
問 副会長ノ名前モ知ラヌト云フ事ハナ
イカ
答 副会長ガアルカナイカモ判リマセ
又ソノ職務名モ判リマセヌ

172

鐘林白ガ民長以上ハ已ニ亡キ方ノ
会長ノ名前モ判リマセヌ
問 民會ニ役員ガ何人居ルカ
答 ソレモ判リマセヌ
問 鐘林白ノ方ノ会長ハ誰ト云フ者
デアリマスカ
答 鐘林白ノ方ノ会長ハ判リマセヌガ
居留民ハ朴寛弘ト云フ者デ
方ノ会長ハ金ト云フ者デ住居ハ
判リマセヌ

173

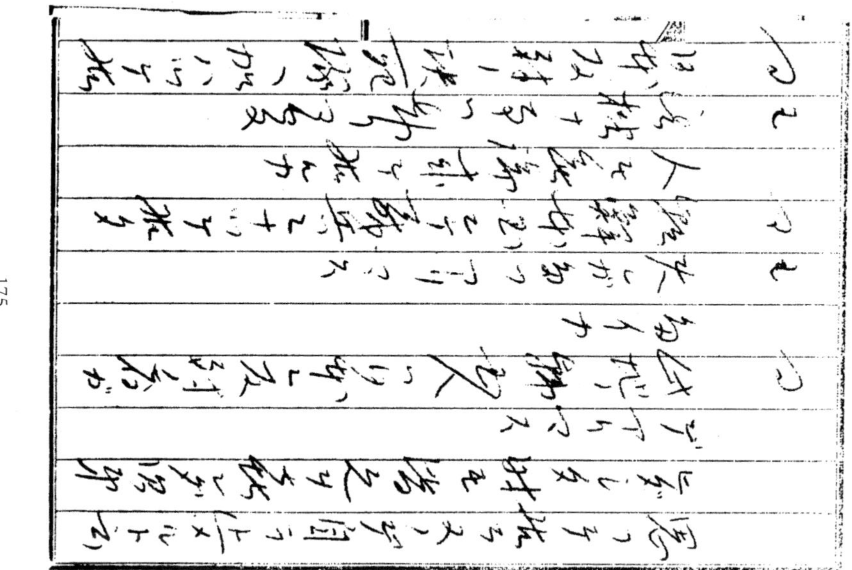

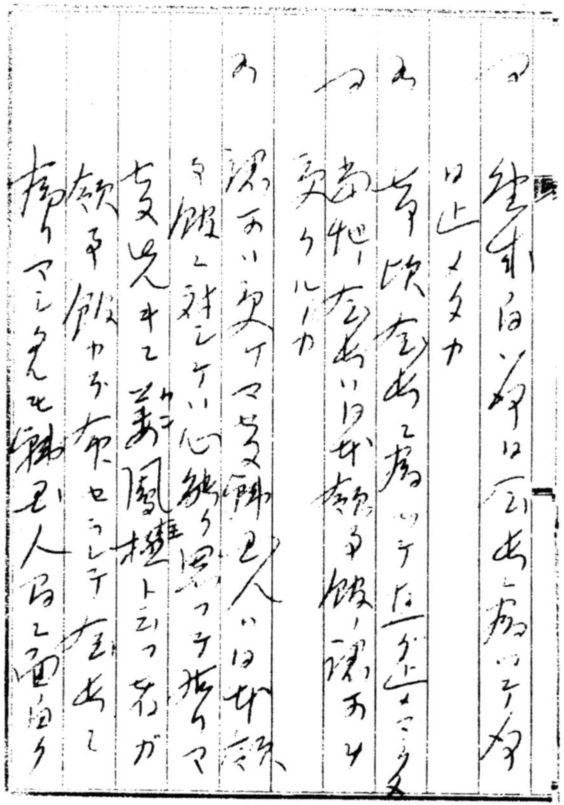

175

174

ル様ナ者ハナイカ

答 其様ナ者ハ私ノ友達ノ様ナ事

鳳柱ガ会長デアッタ時ニ此様ナ

者カ二三人來タノヲ接待シマシタ

ミソサリ暮シマシタ

問 然ラハ露国ヘ陶化シテ居ルカ

答 陶化シテ居リマス 鮮人ノ父ハ露

国モモニトテ服装迄陶化シテ

居ルノデ一家族皆陶化シテ居

マス

問 然ラハ自分ガ陶化シタノハ

答 然シ陶化シテ何カナイト思ッテ

居リマス

問 然ラハ自分ハ露国ヘ陶化シテ居ルノニ

何故韓国ニ尽シテ居ルカ

答 此様ハ答ヘマセヌ

問 朝鮮人ガ露国ニ陶化シテ居ル事ハ他ノ

韓国人ハ悪ク思ッテ居ルカ

答 大イニ悪ク思ッテ居リマス

問 然ラハ自分ハ自分ガヒイキカ思ハヌカ

答 儒教、仏化シテ来ル信テスカラ
サ仏デハアリマセヌカラ殊ニ今日ノ如キ
ニナレバ朝鮮人ハ日ガ比ーキノ者ハ
忘レテアリマスマイト思ヒマス
問 其他衛生ハ如何
答 朝鮮人ノ生活ガアリマスルモ実行ハサ
ニ付テハ面白クハ思ヘテ居リ
マスマイト思フ人
問 朝鮮人ハ米国ガ独立ヲ援助シテ呉ル
考ヘテ居ルカ

178

答 左様ナ事ハアリマスマイ朝鮮人ハ文
明ノ遠レト云フ状態ヨリ離レテ
独リデ文明諸国カラ見下サレテ
独ヒ独立モ望マヌマセヌ
問 然ラバ方ハ安順根ヨリ起ルヤ
答 知リマセヌ
問 然ラバ被告ノ手ノ署名捺印一致
否ヤ切レテ独立ガ望ムスカ
答 知リマセヌ
問 林ヶ信化ハ如何

179

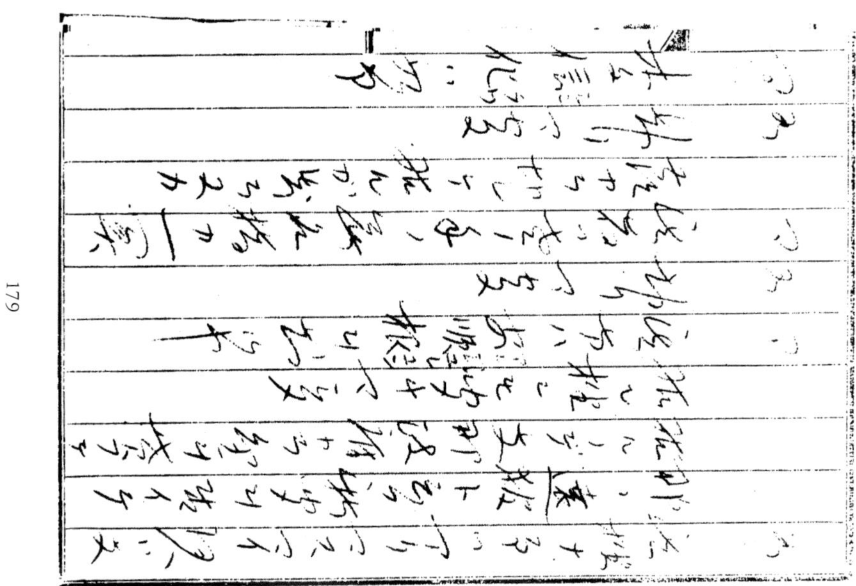

答　外ニハ無之

問　崔[illegible]謙ナル者ヲ知ランヤ

答　其者ハ知ッテ居リマス同人ハ崔
　　東鉉デス

問　同人ハ如何ナル人物カ

答　能ク知リマセヌ

問　金泰根ト云フ者ハ知ラヌカ

答　詳細ハ知リマセヌ

　　許仁鎬ハ如何

答　同人ノ事ハ知リマセヌ姓不詳名ハ仁[illegible]

180

謝ト云フ人ハ知ッテ居リマス

問　其者ハ何處ニ居ルカ

答　當地ニ来リマシテ煙草賣ヲ
　　シテ居リマス

問　今モ居ルカ

答　能ク知リマセヌ

問　韓人ノ墓ニ設葬ニ来ルハ陰
　　暦十四日デアッタカ

答　左様デアリマス

問　然ラハ一緒ニ設葬ニ行キタカ

181

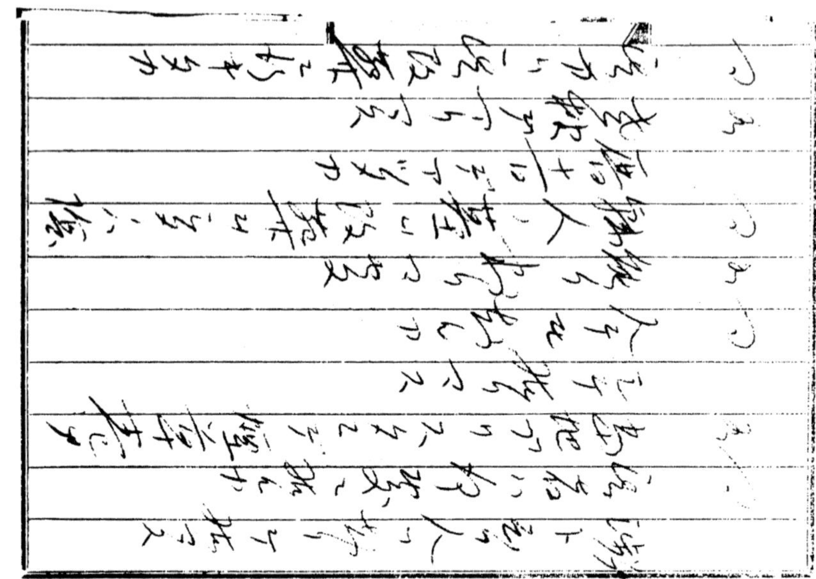

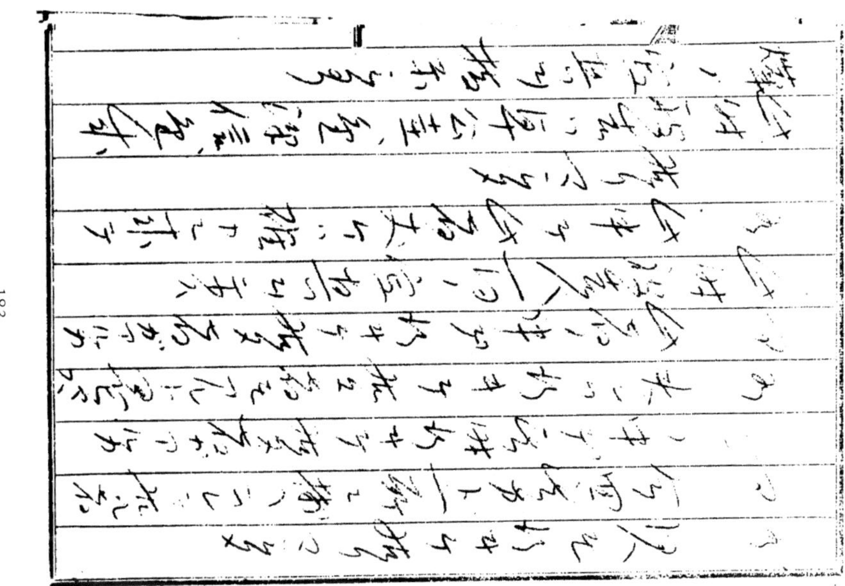

183

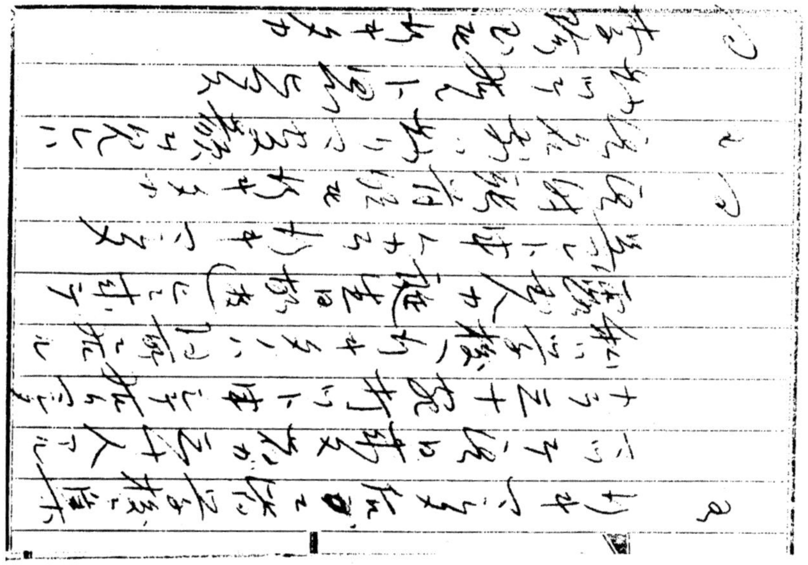

182

問 從前ハ誕生日ニ學校ヘ遊ビニシメ
サセタトコロガ何人ノ誕生日デアツ
タノカ
答 露國人ノ妻ヲ持ツテ居ル柳氏某
トユフ錦西人ノ娘ノ誕生日デアリ
マシタ
問 基政葬ノ回堂ト名ハ云フトア
ルガ何ナル意カ
答 夫レハ禮拜ノ方ヲ言フデアリマス
問 從前ハ東興學校ノ生徒カ

184

答 生徒デハアリマセヌガ折々遊
ビニ行キマシタ
問 從前知ツテ居ル東興學校ノ生徒
ニ知ツテ居ルモノハナイカ
答 李春瑞、金景烽、洪時瀅
保信ハ皆生徒デス
金麗範ハ元生徒ナリシモ今
ハ生徒デハアリマセヌ又金昇玉
ハ學校ノ教師デアリマス李學公
主ハ始カラ訓導兼教員ヲシテ

185

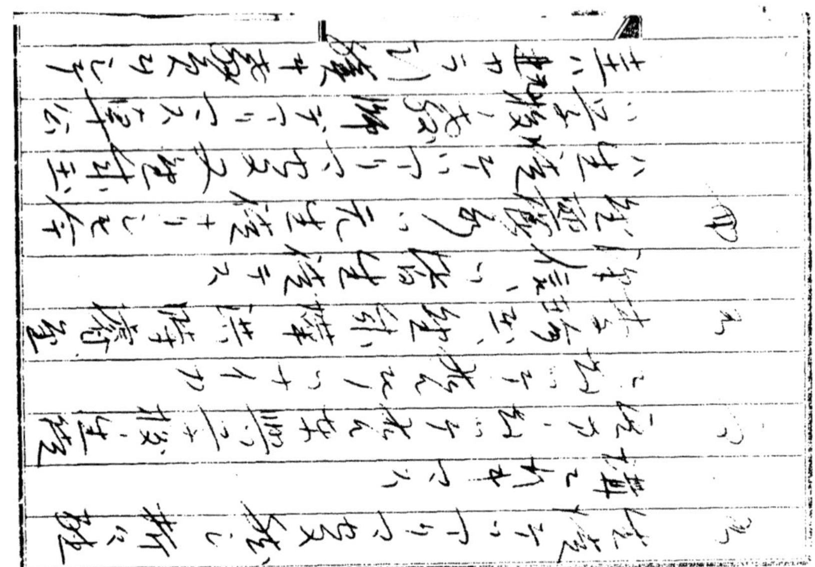

居リマス

〃 露語ハ露人ガ教ヘテ居ルカ

答 露西人ガ教ヘテ居リマス

〃 其人ハ元ヨリ居ル人カ

答 夫レハ新ニ来タカ元聖徒自ガ

校長ノ時ニ聖衛生学公主ヲ

教ヘテ居ルト露國王ガ憲ヘ居サ

テ居レハ中学校ノ卒業証ヲ持ッ

テ居ラヌデ教ヘ人ハ露國カラヤ

ルト云フ露西人カホヲテスト云シ

186

居ル露人ハ一人モ教ヘテ居リマス

〃 学校デハ演説会デモヤル事ガアルカ

答 時々演説会ヲヤリマス後ハ自

分ト反対ノ演説スルノハ有ル様

ナノ事デアリマス

又ソレカ聖衛生ハ能ク余ノ倅遠ッ

人デス

〃 伊藤公ガ来ラルル事ニ付キ日本

人ノ会ヘ歓迎方ノ事ヲ申シ込

ミタ事ガアルカ

187

答 左様ナ事ハ許シマセヌ

問 廿六日朝其方モ李珍玉モ駅ニ

迎ニ行キタカ

答 私ハ人ヲ迎ニ行キマシタ人ハ行キマセ

ナンダ

問 伊藤公ガ遭難ニ会ッタノデ其

方ハ郷ヘ逃ゲテ隠レタカ

答 私ハ逃ゲハ隠レハセヌ知リモ仕セ

人ノ所為デアルニ●気ノ毒ナ事

ニシタト思ッテ隠レマシタ

188

問 伊藤公ノ遭難ノ日ニ其方等ハ日本

人ノ内藤ト伝松ト云フ者カ行

キタカ

答 来マセヌ

問 名ハ其方等ヘ来タ卯ト云ッタガ

答 其人ハ私ニ伊藤サンノ遭難ヲ私

ニ係リノナイ事ヲ聴カニ云ヒ来マシタ

日本語ガ分ラ云ヘ常詞モ判ラヌ自

分ハ一言モ言ヒ聞キテヤルト申

シマシタ

189

問 韓龍雲氏ハ如何式辞ヲ述ヘタカ
答 式辞ハ述ヘマセナンダガ韓
龍雲氏ハ別ニ[illegible]ニシテ孫秉郎
外三十三人ニ式辞ヲ述ベテ[illegible]
マシタ
又私ハ[illegible]方ノ事ハ如何ニ[illegible]生ト云
フテ領事館ヘ[illegible]シテ如何方カ
ヨカロウカト相談シタレハ行ク方
ガヨカロートノ事デアッタカラ会
長ノ事ハ如何ニ式辞ヲ述ベ[illegible]

190

[illegible]李[illegible]ト一所ニ[illegible]督府ニ[illegible]
部サセル時[illegible]詞ヲ述ヘマシタ
問 其方ハ[illegible]公[illegible]欲遂ノ[illegible]
ニ[illegible]ダカ
答 私ト李[illegible]ト相談シテ私ハ[illegible]
ハ[illegible]件ニ[illegible]シテ[illegible]
サセル後シマシタ
問 夫レハ如何人ヨリ相談シ受ケタカ
答 相談ハ受ケマセン[illegible]
[illegible]事ガアラハ[illegible]件ニ[illegible]シテ[illegible]

191

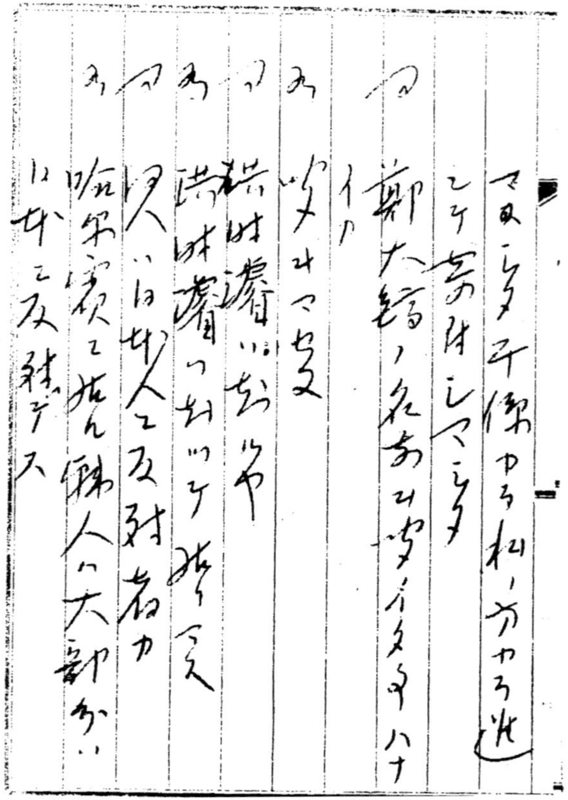

マデ云ヘテ御ヤカラ私ノ方カラ逃
ゲテ来タノデアリマス
問 鄭大鎬ノ名前ヲ聞イタ事ハナ
イカ
答 [illegible]
問 洪林濬ハ知ルカ
答 洪林濬ハ知ッテ居マス
問 同人ハ日本人ト反対者カ
答 哈爾賓デ鮮人ハ大部分ハ
日本ト反対デス

192

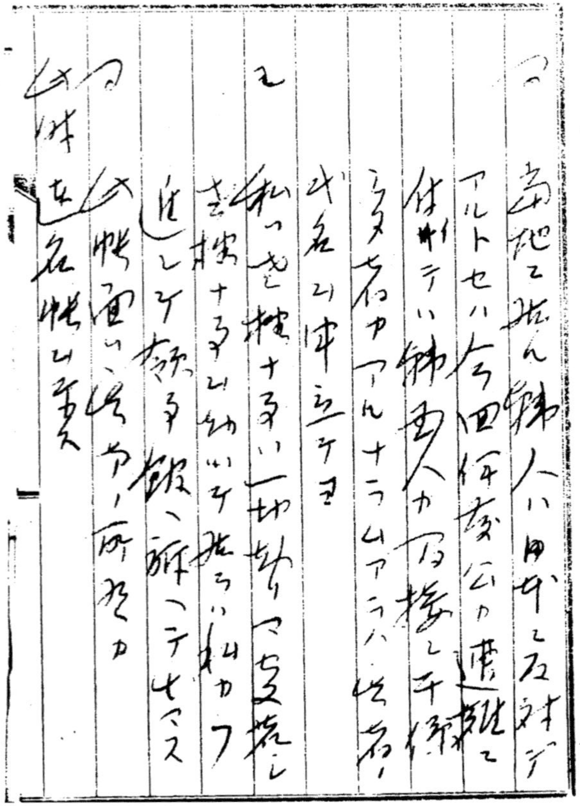

問 當地デ在ル鮮人ハ日本ト反対デ
アルトセハ今回伊藤公カ遭難シ
タ件デハ鮮人カ関係シテ居
ル[illegible]ナラバ其ノ
氏名ヲ申立テヨ
答 私ハ其様ナ事ハ一切知リマセヌ若シ
其様ナ事ヲ知ッテ居ルナラバ私カ
進ンデ申上ゲ[illegible]テ居マス
問 其帳面ハ其方ノ所持カ
答 [illegible]

193

答 左様デアリマス

問 ソレハ何ナル帳面カ

答 盗リシテ居ル弟分デ十人許リ有ルノデ
其者カ皆各々ニ持ツテ居リマス

問 御前ニモ其様ニ居ル弟分ノ盗リシテ
帳面ニ記スル事ガアルカ

答 内地デハ餘リ沢山アリハセヌガ
海外ニ出テ居ルカラ盗ミ込ムノ
デス

問 其帳面ニ記シテアル者ガ皆汝ノ子分カ

194

答 左様デス 汝ト初メニ云ツタ鄭高弦ハ一
等兄デス

問 鄭高弦ハ今何地ニ居ルカ

答 何地ニ居ラヌノデアロウト思ヒマス

問 其様ナ帳面ヲ拵ヘテ置クハ何ニスル
為メデナイカ

答 左様ナ事ハ決シテアリマセヌ

問 其帳面中ニ李珍玉ヲ書イテアル
カ

答 同人モ加入シテ居リマスカラ書込

195

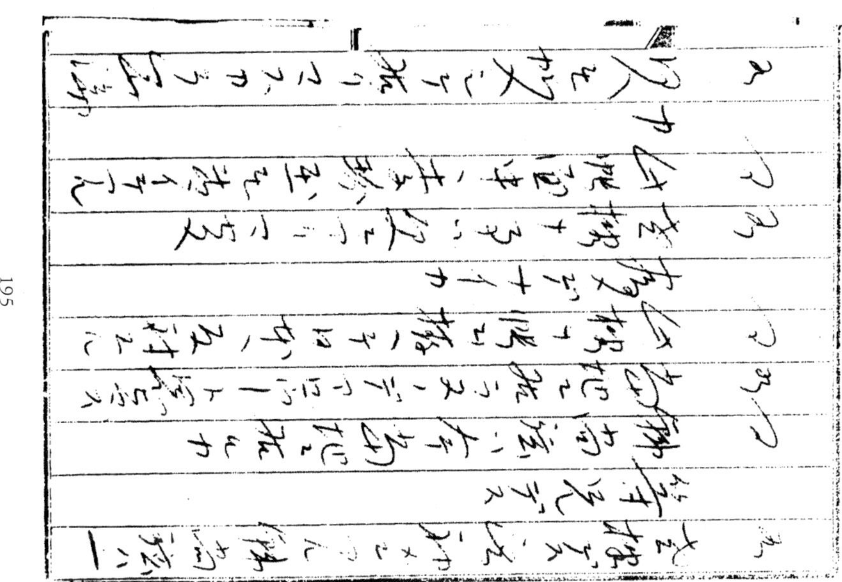

殺シテアルト思ヒマス
問 李珍玉ハ別名ハアルカ
答 錦玉ハ別名ガ沢山アリマシテ居ニ
称シテ居リマス
問 被告ハ安カラ短銃ヲ貰ツタカ被告ノ
所持カ
答 其様ナ事ハアリマス明治三十九年ニ
私ハ人ノ言見ト云フ人ト一ケ所ニ
居リマシタノデ、被告ノ安心ガ悪イ
ノデ言見サレタノ患者ノ露国人

196

カラ言見サレガ故ニ大ヨ又私ガ故人
ニマシタ
被告ハ言見ノ妻君ガ知ルケ居リ
マスカ、其人ハ今尚居留地ニ居リマス
被告ハ居所ハ十分知リマセヌ又居ニ
来ニマシタ言見ト云フ人ハ已ニ
死亡シマシタ
問 被告ハ何故何某方ト云フ名前
ニシテ居ルノカ
答 私ハ當年五十四年人ノ歯科医デ

197

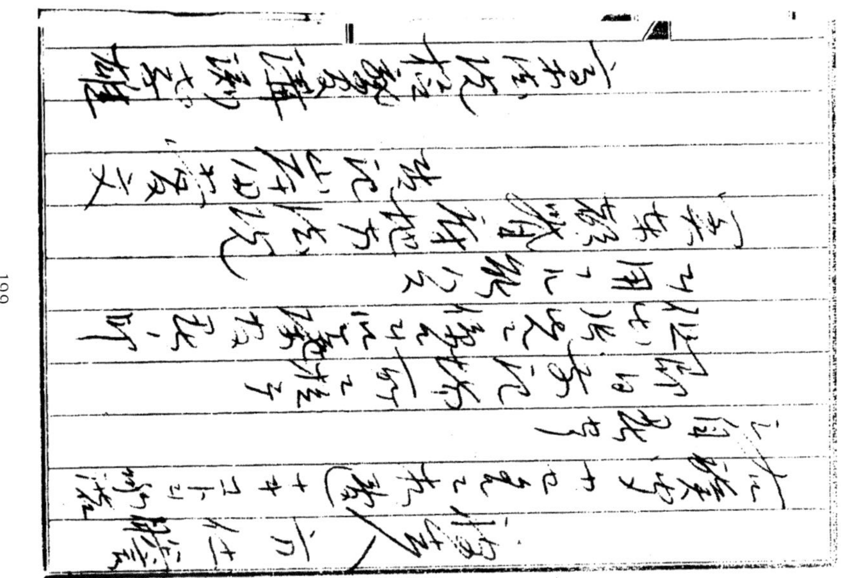

199

198

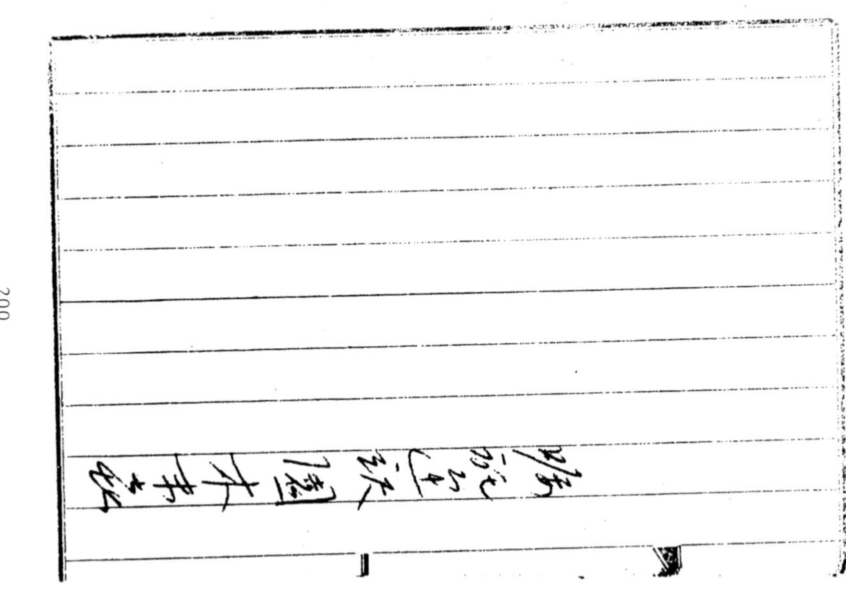

被告人訊問調書

被告人 李珍玉

右ノ者ニ對スル殺人被告事件ニ付キ
明治四十二年十月三十一日哈爾賓日本
帝國總領事館ニ於テ檢察官
溝渕孝雄書記岸田愛文列席
通譯生園木末喜通譯ノ下ニ
檢察官ハ被告人ニ對シ訊問スルコト
左ノ如シ

問 氏名、年齡、身分、職業、住所
本籍地、及出生地ハ如何

答 氏名ハ 李珍玉

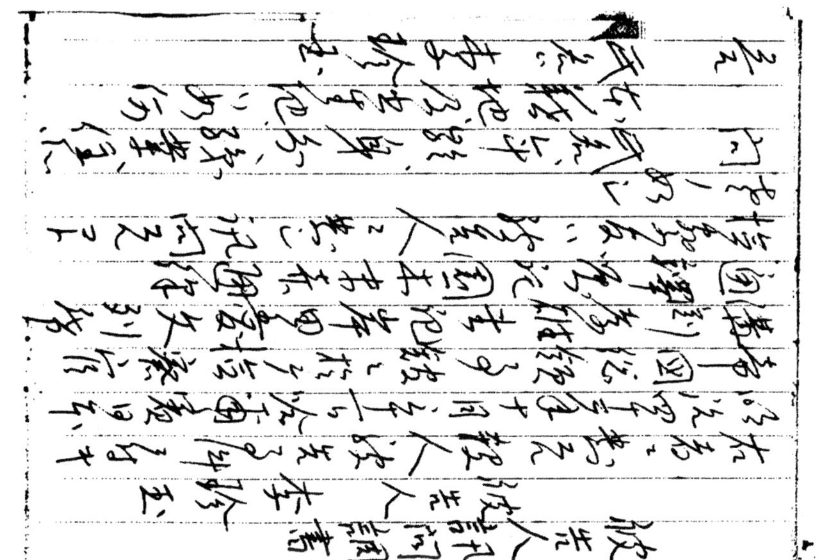

年齢ハ 三十四歳

職業ハ 農

身分ハ ノ

住所ハ [illegible]

本籍地ハ 韓國咸鏡南道 [illegible]

山中里 [illegible]

出生地ハ 同所

汝ハ妻子ハアルカ

アリマス

其父母ハアルカ

本籍地ニ父母共ニ居リマス

父ノ名前ハ何ト云フカ

204

李明化ト云ヒマス

汝ハ曹道先ヲ知ルカ

知リマセヌ

禹德淳ハ知ルカ

知リマセヌ

禹連俊ハ知ルカ

知リマセヌ

劉大信ハ知ルカ

知リマセヌ 私ハ伊藤公ト云フ

ヿ者ノ知ル韓人ニ三名アル丈ケ

デス

其名ハ知ルカ

205

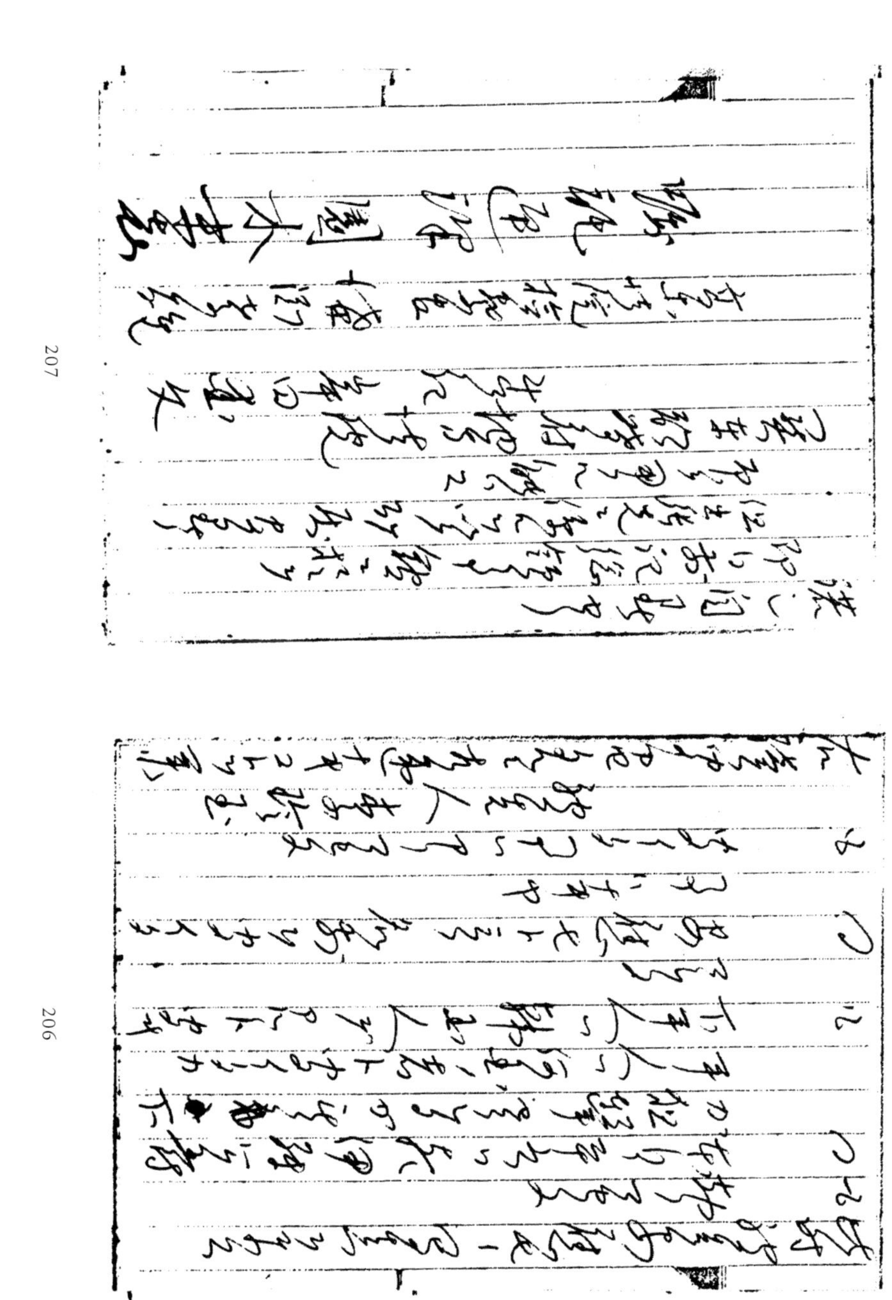

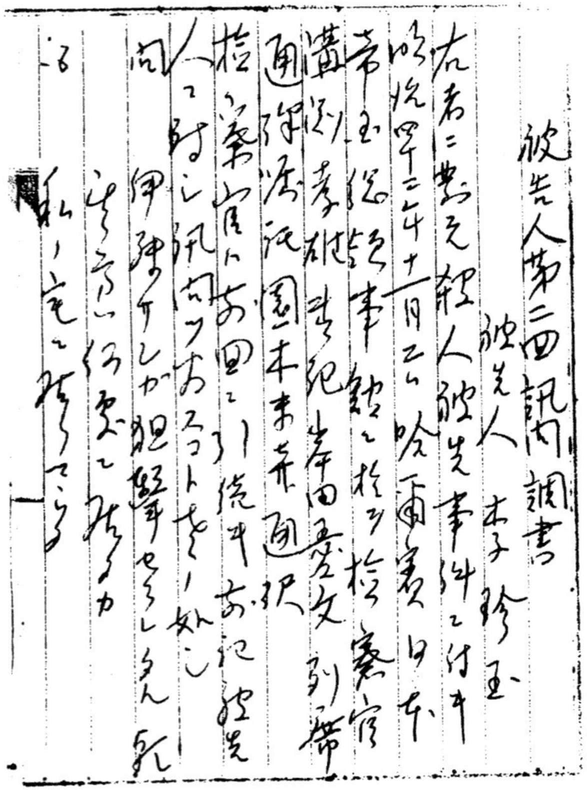

被告人第二回訊問調書

被告人 李珍玉

右者ニ對スル殺人被告事件ニ付キ
明治四十二年十一月二日哈爾賓日本
帝國總領事館ニ於テ檢察官
溝淵孝雄ハ書記岸田愛文列席
通譯囑託園木末喜通譯ノ上
檢察官ハ前回ニ引續キ右被告
人ニ對シ訊問スルコト左ノ如シ

問 伊藤公ガ狙撃セラレタル頃
其方ハ何處ニ居タカ

答 私ノ宅ニ居リマシタ

209

問 其晩ハ方吉晩ノ宅ヘ行キタ
コトガアルカ
答 アリマス 其時私ノ後カラ同
人宅ヘ日本人ガ二人宅ヘ来
マシタ
問 其日本人ノ名ヲ知ッテ居リ
マスカ
答 名前ハ知リマセヌガ其中ノ一
人ハ十二街ノ女楽屋ノ主人デ
一人ハ鉄道ト云フ人ノ宅ニ住
ム人デアリマス
問 其時日本人ト如何ナル話ヲ

210

シタカ
答 其時私ト方吉晩ト日本人二人
トガ伊藤サンノ様ナ偉イ人ガ来タラ
ト話シマシタ
其事ヲ話シテ私ハ幾ノ深
山ニ出テ張ニ日本人ノ宅ヘ行
キ金節同人ガ伊藤サンノ終
迄命ヲ取ラヌモ出シ居タ如何ト
申シタラ其時言フ事ニ出テ居タ
カ又其日当時武器事件ニ来
マシタカラ来シテ来ル事
問 方吉晩ノ宅ヘ行キ如何ナル話ハ

211

答 晝十二時頃デアリマス
問 其時伊藤公爵ガ狙撃セラレタ
事ヲ聞イテ知ラナカツタカ
答 無論新聞デ知リマシタガ私ハ
信ジテモ居リマセヌデシタ午後
吉田ト云フ人ノ宅ヘ行キ
飯ヲ食ベテ居ル時ニアツタ者ノ話ニ
聞イテ居リマス
問 其方ハ宅デハ伊藤公遭
難ノ事ハ聞カナカツタカ
答 日本人ガ話シテ居リマシタ
問 其遭難後梅ニ行キシカ

212

答 私ハ梅ニ行カネバ濟マヌト思
ヒ方ハ聴カヌガ當館ヘ
梅ニ来マシタ
問 伊藤公ガ暑カレタ時ニ其方
ハ何方ヘ行キタカ
答 私ハ宅ニ居テ行キマセンデシタ
問 方ハ聴イタ所何
答 同人ハ来テ私ガ同人方ヘ行
キ[illegible]マラヌラシイ伊藤公ヘ行
キマシタト申シ伊藤サンノ
狙撃セラレタノ話ガアリマ
シタルモ信ジマセナンダ

213

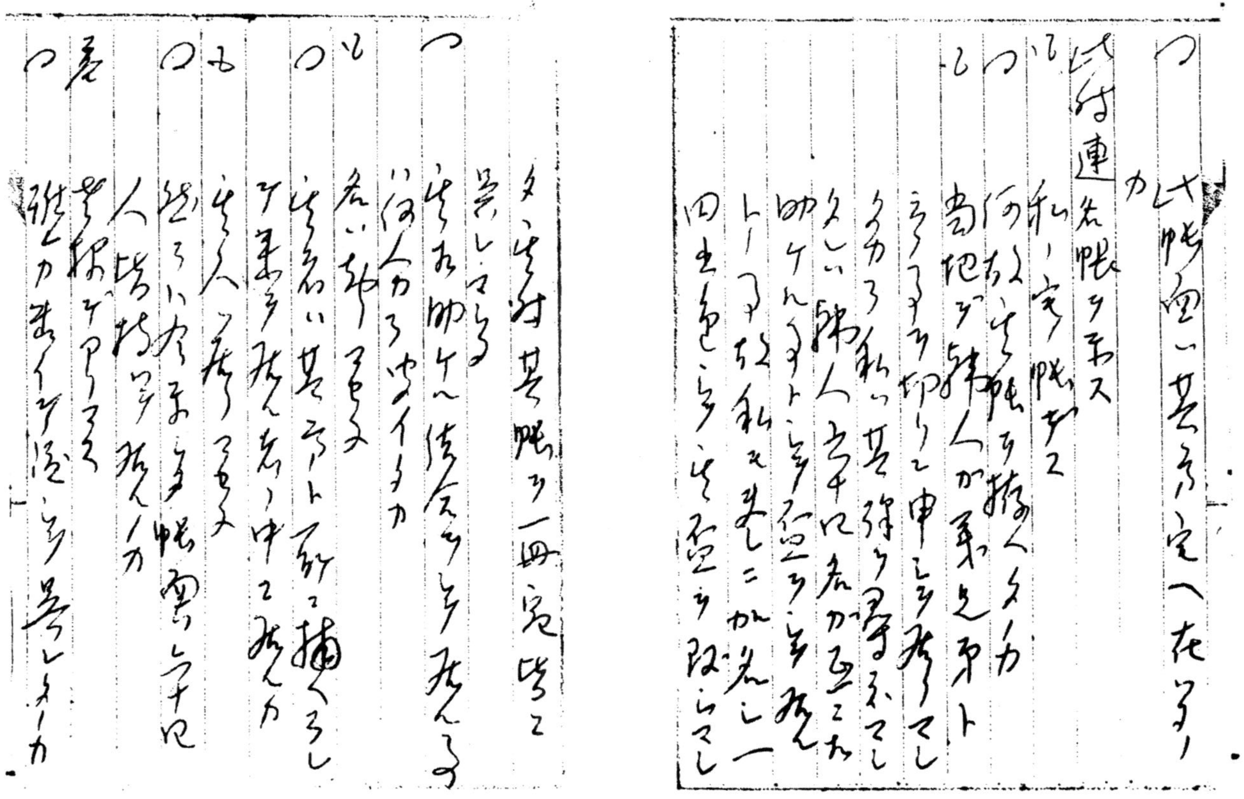

214

問 此帳面ハ其方ノ宅ヘ在ツタノカ
此時連名帳ヲ示ス
答 私ノ宅ノ帳デス
問 何故此ノ帳ヲ持ツテ居タカ
答 当地ヘ朝鮮人ガ来ツテ居ルト
[illegible]

215

[illegible]
問 [illegible]
答 名ハ知リマセヌ
問 [illegible]
答 其ノ人ヲ知リマセヌ
問 [illegible]
答 [illegible]
問 [illegible]

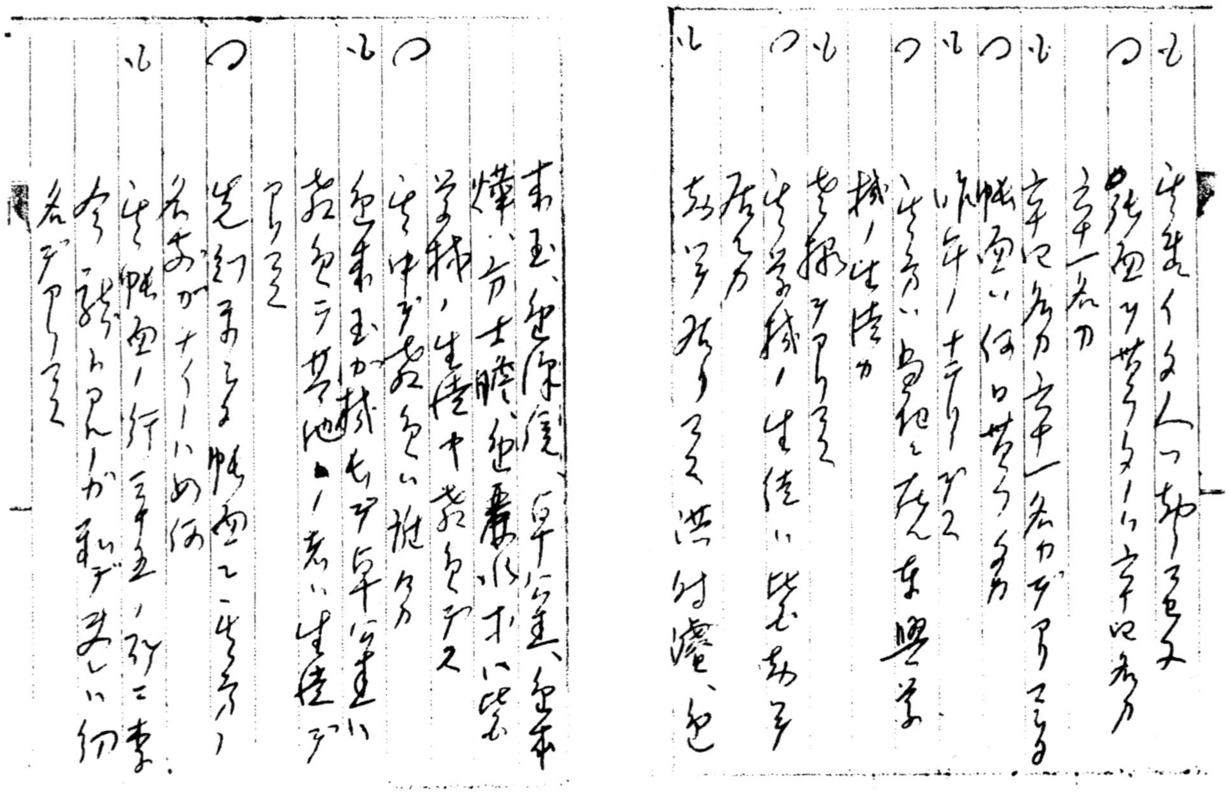

217

216

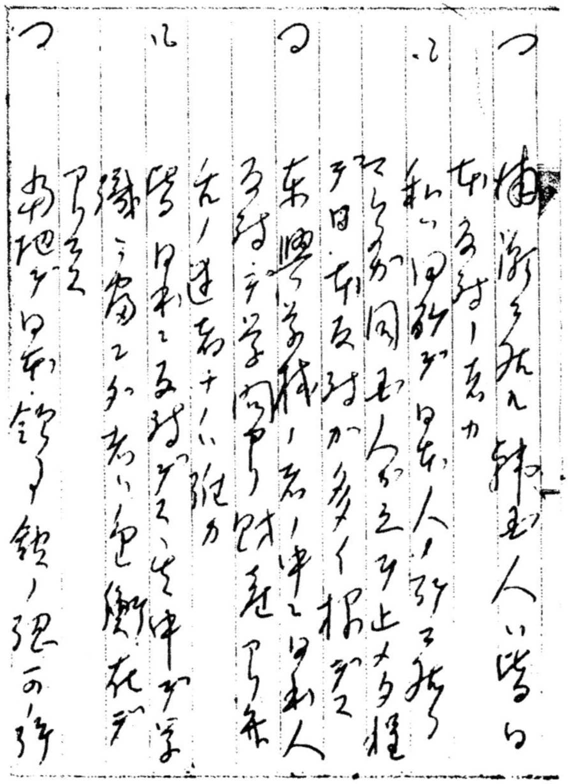
問 捕縛サレタル韓国人ハ皆[illegible]
知合ノ者カ
答 私ハ伊藤ガ日本人ノ為ニ殺サ
レタト聞キ韓国人ガ之ヲ止メタ[illegible]
[illegible]東京ニ居ル時ガ多イ[illegible]
問 東洋平和ノ為ノ中ニ日本人
ヲ殺シテ[illegible]
[illegible]
答 [illegible]
[illegible]
[illegible]
問 [illegible]

218

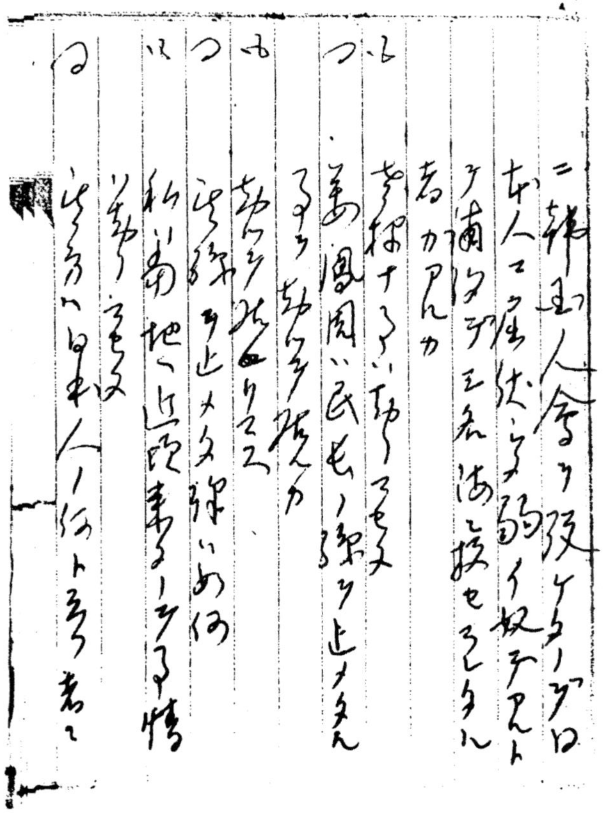
二韓国人[illegible]
[illegible]
者カアルカ
答 [illegible]
問 [illegible]ヲ止メタル
[illegible]カ
答 [illegible]
問 [illegible]ヲ止メタ[illegible]如何
答 私ハ[illegible]
[illegible]
問 [illegible]日本人ノ[illegible]

219

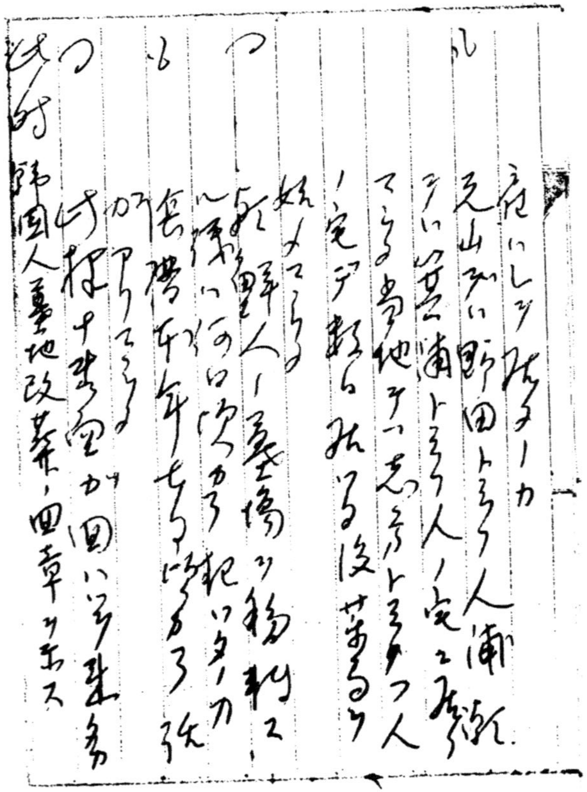

221

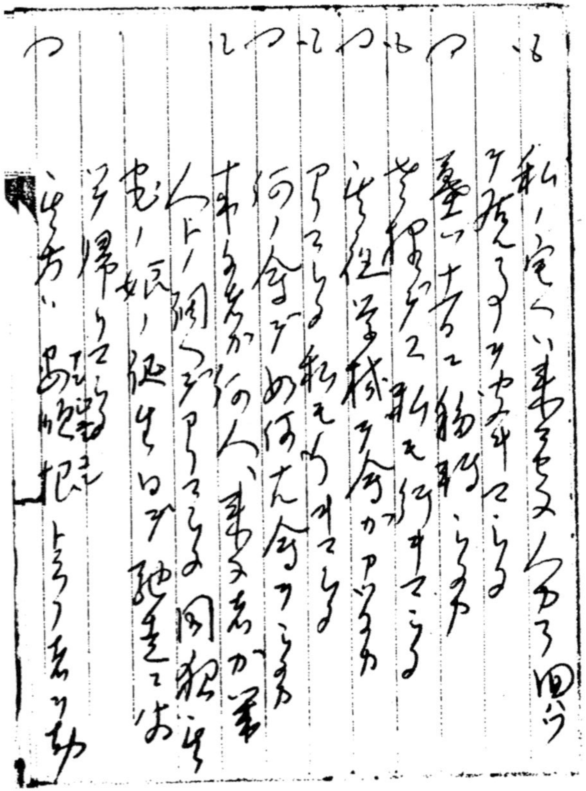

220

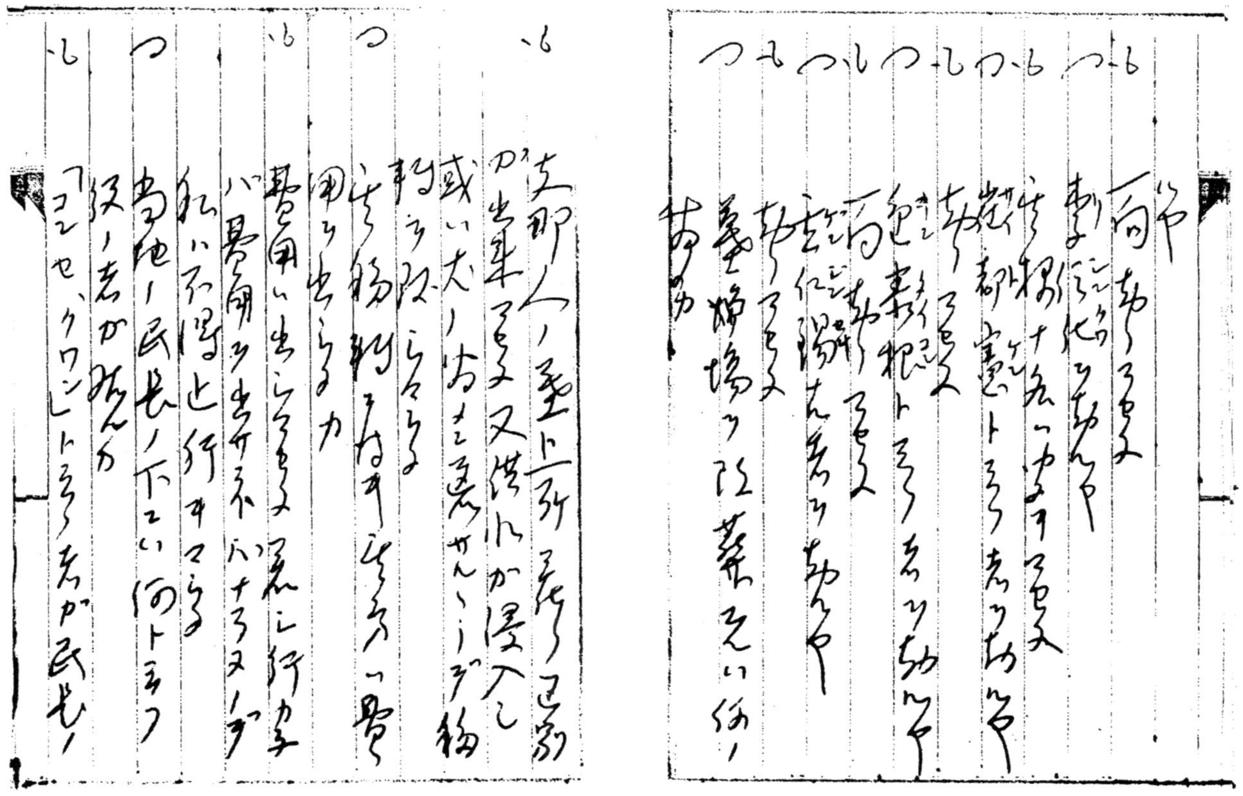

223

222

下ニ述ヘ居リマス
問 其ノ[illegible]一名アルカ
答 其ノ時陽ト云フ者一人来リ
其ノ者ハ[illegible]ノ者デ
名ハ知ッテ居リマス
問 民籍ニ[illegible]
[illegible]
[illegible]ナイカ
答 其レハ一向知リマセヌ
問 而シ[illegible]民籍モアルカ
答 其ノ[illegible]人ノ[illegible]

224

露西亜ニ帰化シ[illegible]
先ノ[illegible]デアリマス
問 何年頃ニ露国ニ帰化シタノカ
答 其ノ年ハ分ラヌ帰化シテ居ル[illegible]
マス
問 露西亜ニ帰化シタ人カ何故民
モ[illegible]居ルノカ
答 其ノ詳シイ事ハ知リマセヌ
被告人 李[illegible]
右[illegible]
[illegible]自署セリ
同日 於[illegible]

225

但出張先ニ付所属官署
ノ印ヲ用ユル能ハス
京城地方法院検事局
書記　岸田長文
京城覆審法院検事局　検事　佐藤[illegible]種

嘱託通訳　園木末喜

被告人訊問調書

被告人　張首明

右者ニ對スル殺人被告事件ニ付明治四十
二年十月三十一日哈爾賓日本帝國總領事館ニ
於テ檢察官溝淵孝雄書記岸田愛文
列席通譯囑託園木末喜通譯
檢察官ハ被告人ニ對シ訊問スルコト左ノ如シ

問　氏名年齡身分職業住所本籍地及
出生地ハ如何

答　氏名ハ　張首明
年齡ハ　三十一歲
職業ハ　煙草卷職

229

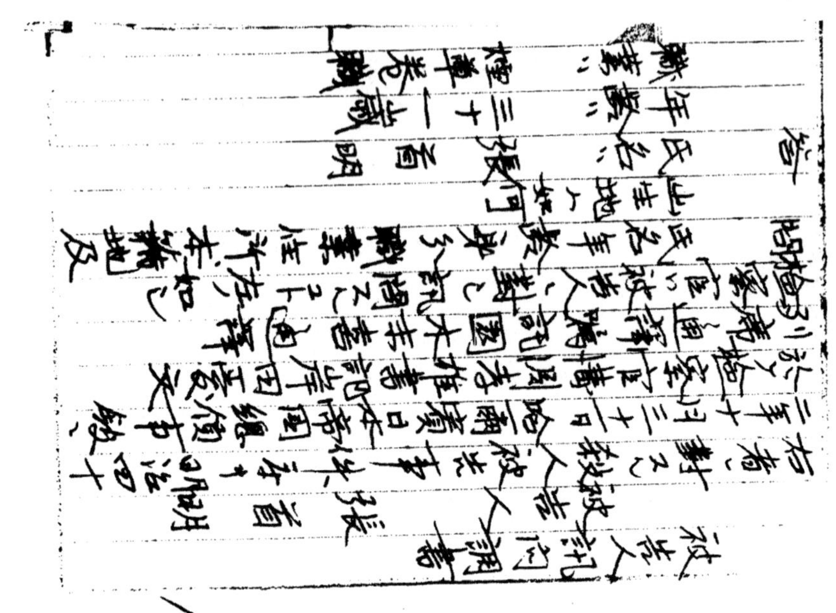

問 住所ハ
答 哈爾賓ナバサン
問 本籍地ハ
答 韓國慶尚北道居昌邑内
問 出生地ハ
答 同所
問 其方ハ妻子父母ガアルカ
答 妻子ハアリマセヌ父母ハ原籍地ニ居リマシタガ私ハ十數年前家ヲ出マシタカラ今ハ生存カドウカ知リマセヌ
問 其方ハ曹道先ヲ知ルカ
答 知リマセヌ
問 禹連俊ハ知ルカ
答 知リマセヌ
問 鄭大鎬ヲ知ルカ

230

答 知リマセヌ
問 方士瞻ヲ知ルカ
答 知リマセヌ[illegible]
問 [illegible]ヲ知ルカ
答 知リマセヌ此人ハ醫師デス
問 [illegible]ト云フ者ヲ知ルカ
答 知リマセヌ
問 安應七ト云フ者ヲ知ルカ
答 決シテ知リマセヌ
問 [illegible]
此時被告ニ安應七ノ寫眞ヲ示ス
答 知リマセヌ哈爾賓ニ[illegible]人[illegible]

231

問 何故事件ガ此ノ通リ実ニ相違セシガ

其ノ下手人ハ誰デアルト思ヒタカ

答 私ハ其当時私ハ信仰スル所ノ神ノ上ニ

立テ死ナシタレバ殊更予等ニ捕ヘラレ

テ来マシタ

問 方士體ハ日本語ヲ解スルカ

答 少シ許リ分リマス

右読聞ケタルニ相違ナキ旨述ベ承認ノ上自署

セリ

被告人 장유명

即日拘置所ニ於テ

但シ出張先ニ付所属官署ノ印ヲ用ヰス

232

関東都督府地方法院

書記 岸田愛文

高等法院検察官 溝淵孝雄

関東都督府通訳嘱託 園木末喜

233

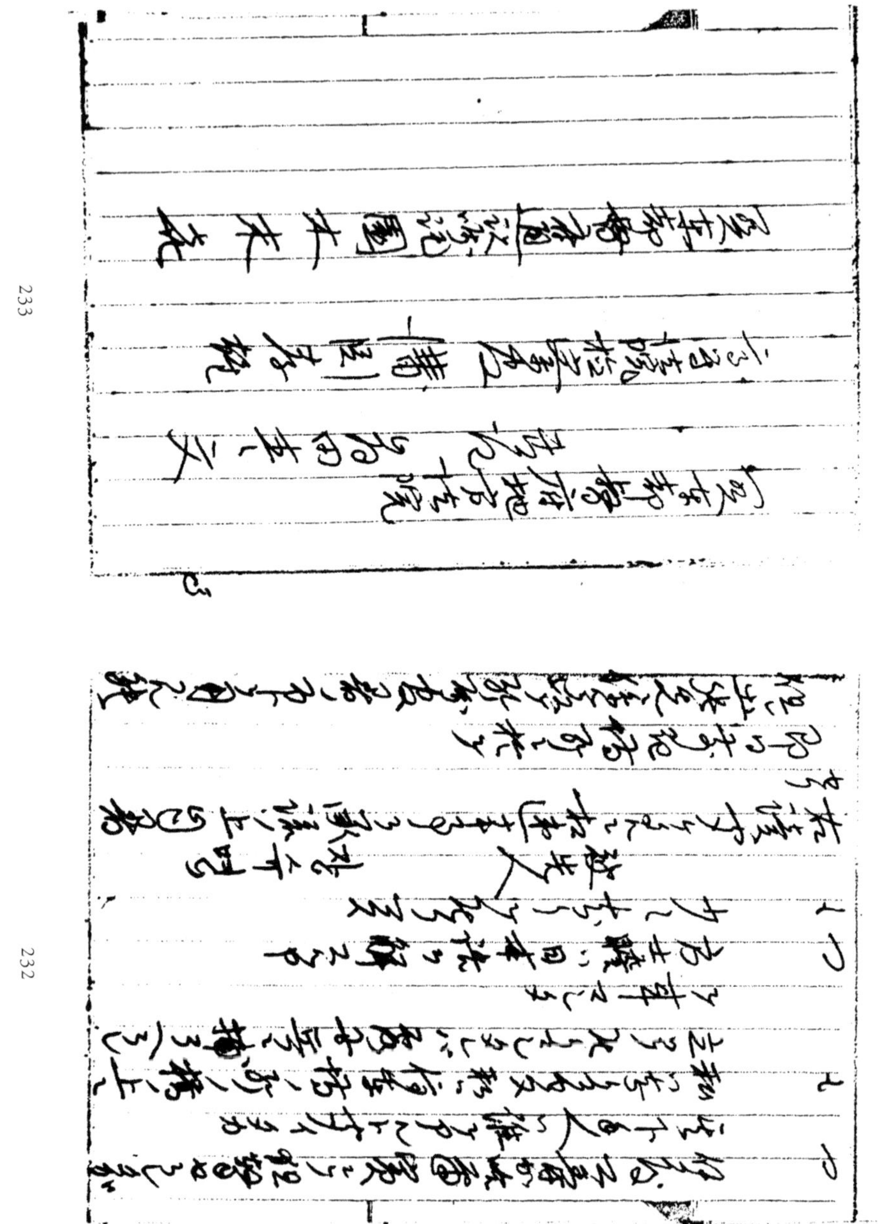

被告人第二回訊問調書

被告人 張 首明

右殺人被告事件ニ付 ...
二年十月五日 ...
ニ於テ 検察官 ... 書記 ...
列席ノ上 ...
検察官ハ前回ニ引續キ前記被告人ニ對シ
訊問スルコト左ノ如シ

問 ...方ハ安順根ト云フ名前ヲ聞イタ事
ガナイカ

答 ...見タレバ ...死ンタ人 ...

七又

235

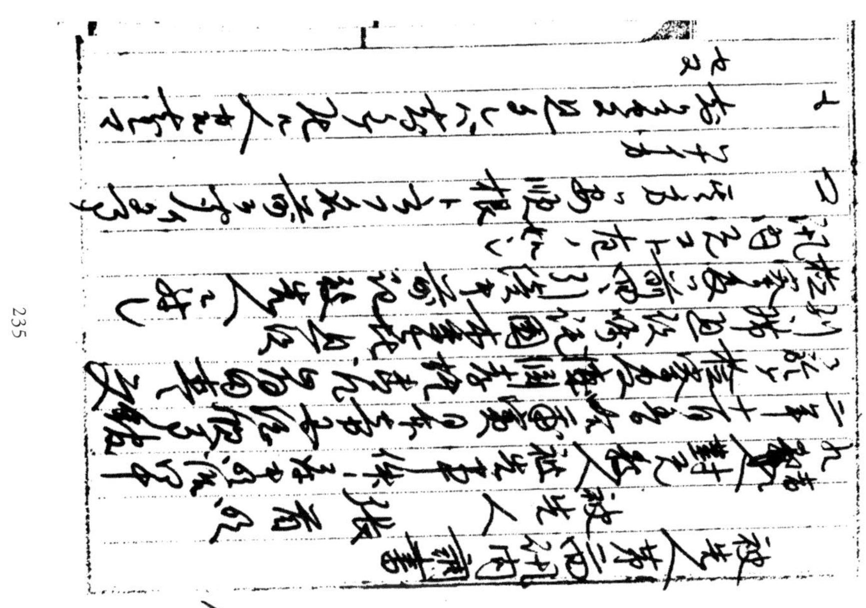

問 李完化、崔都憲ト云フ者ヲ知ルカ
答 知リマセヌ
問 崔都憲ト云フノハ郡内ノ義兵デアルト
ノコトデアルガ如何
答 知リマセヌ
問 金素根、玄仁錫ナル者ヲ知ルカ
答 知リマセヌ
問 其方ハ何日何處デ逮捕サレタカ
答 陰暦九月十三日ノ二時頃デアリマシタ
問 何レデ捕ヘラレタカ
答 私ハ家カラ信[illegible]橋ヲ渡ル途中ニ在ル橋
ノ手前四五十間ノ所デ捕ヘラレマシタ

236

此時被告ハ[illegible]ノ如キ兵服帽ヲ作ラシメ
為メ兵隊ヲ組織セシメタリ
問 [illegible]何ノ目的デ途中ニ出タカ
答 私ハ家ガ[illegible]タシタガ
[illegible]ヲ持ッテ出テ途中
デ捕ヘラレマシタ
問 捕ヘラレタ時其方ハ[illegible]
アッタカ
答 [illegible]
問 其方ノ[illegible]持ッテ居タカ
答 持ッテ居リマセヌ
被告人 [illegible]

237

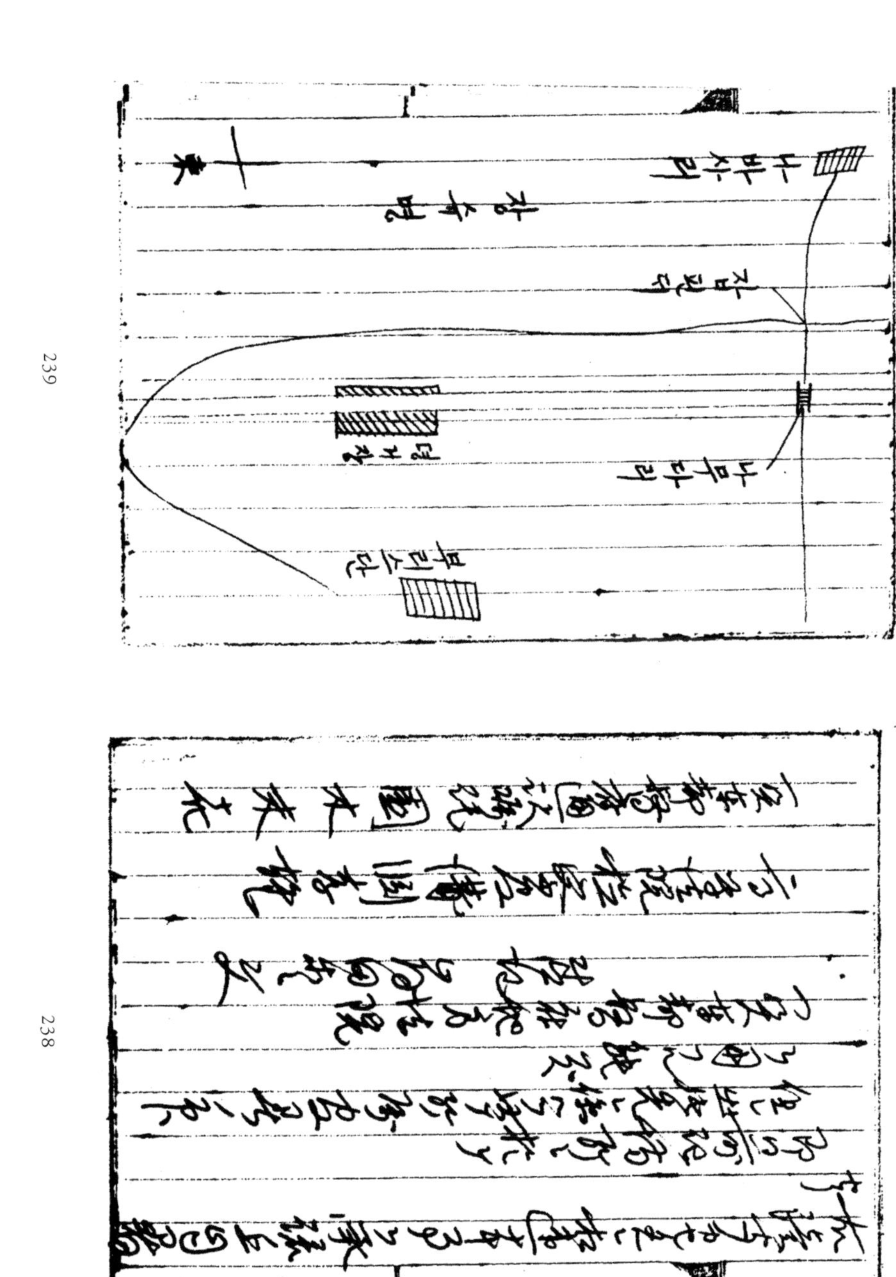

被告人訊問調書

被告人　卓公圭

右ノ者ニ對スル殺人被告事件ニ付キ
明治四十二年十月三十日於哈爾賓日本
帝國總領事館ニ於テ檢察官
溝淵孝雄ハ書記岸田愛文列席
通譯嘱託園木末喜通譯
ノ上檢察官ハ被告人ニ對シ訊問スルコト
左ノ如シ

問　氏名年齢身分職業住所
本籍地及出生地ハ如何

答　氏名ハ　卓公圭

241

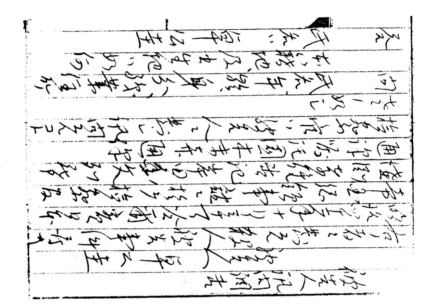

年齢ハ 三十六歳
職業ハ 筆商
身分ハ ノ
住所ハ 露國モストワヤ、ウリ
チエレ三十八號
本籍地ハ 韓國咸鏡南道
咸興邑中荷里
出生地ハ 同所
問 其方ハ公爵ヲ殺害シタ
ヲ知ルカ
答 モストワヤデ聞キマシタ
問 其方ハ妻子父母ガアルカ

242

答 妻子ハアリマスガ父母ハアリマセヌ
問 妻子ハ何處ニ居ルカ
答 モストワヤデ居リマス
問 其方ハ何處デ捕ヘラレタ
カ
答 當停車場デ捕ヘラレマシタ
問 其方ハ安重根ヲ知ツテヰルヤ
答 知リマセヌ
問 何處デ住ンデ居ルカ
答 住所ハ事件ガアルトイフ事デ
ス
問 同人トハ何カカル關係ガアルカ

243

245

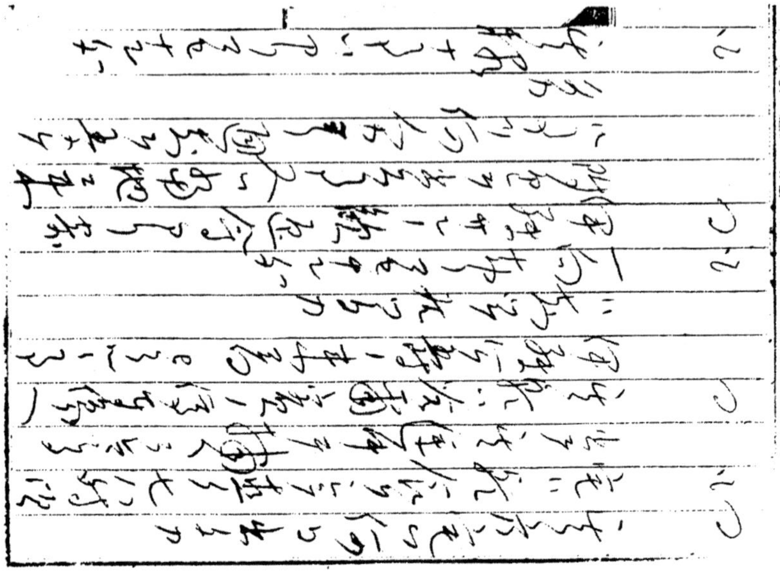

244

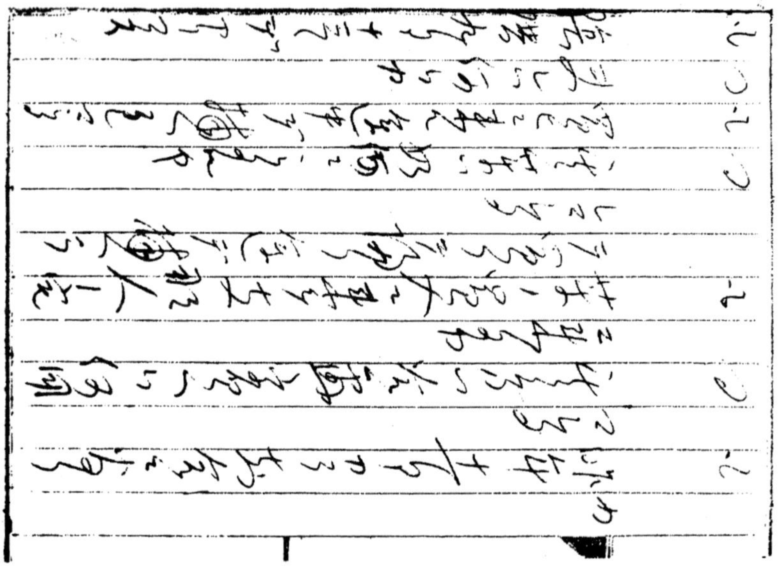

問 汝ハ鄭玉人ノ如キ者ト
云フ者ノ宅ヘ寄食シテ居ルカ
否カ
答 墓ヲ移転スルヲ仕ヘテ二三日
アナタ方ニ寄食シテ居マス
又
問 汝ハ移転ニ付テハ何ト云フカ
答 穏便ナリト思ヒマス
問 墓ヲ移転シタカ
答 其ノ時ニ移転シマシタ
問 鄭玉人ノ墓ヲ移転シテ
居ル民衆モ一定ノ命

246

同人ノ家ニ宿泊シタ事ガアッタカ
答 其ハ今同人ト一緒ニ居リマス
移転シタル時ハ明日デアリマシタ
墓地ニ就テ葉書ヲ出シタト云フ話ハ
キマセヌ
問 汝ノ墓山ハ何人ノ墓カ
答 何人ノ墓カ知リマセヌ 又
問 墓ハ何山アッタカ
答 十七箇所許リアリマシタ
問 墓ノ移転ニ就テ上申シテ行
キ又誰カ移転シタト申シ
出タ人ヘ来テ移転シテ居ルカ

247

問 日暮ニ客桟ニ集マツテ居タト云
フ人モ東ヨリ一所ニ来タ者カ
答 客桟ノ方ヘハ行キマセヌカ
ラ其ノ人ハ知リマセヌ
問 汝ハ曹道先ト云フ者ヲ
知ルヤ
答 存シマセヌ
問 禹徳淳ヲ知ルヤ
答 知リマセヌ
問 禹連俊ハ知ルヤ
答 知リマセヌ

248

問 鄭大鎬ハ知ルヤ
答 知リマセヌ
問 金成白ヲ知ルヤ
答 知リマセヌ
問 洪時濬ハ知ルヤ
答 知ツテ居マス
問 柳江露、金澤信ヲ知ルヤ
答 金澤信ハ知ツテ居リマス
柳ハ知リマセヌ
問 李珍玉、金麗水ハ何レモ
知ルヤ
答 知リマセヌ

249

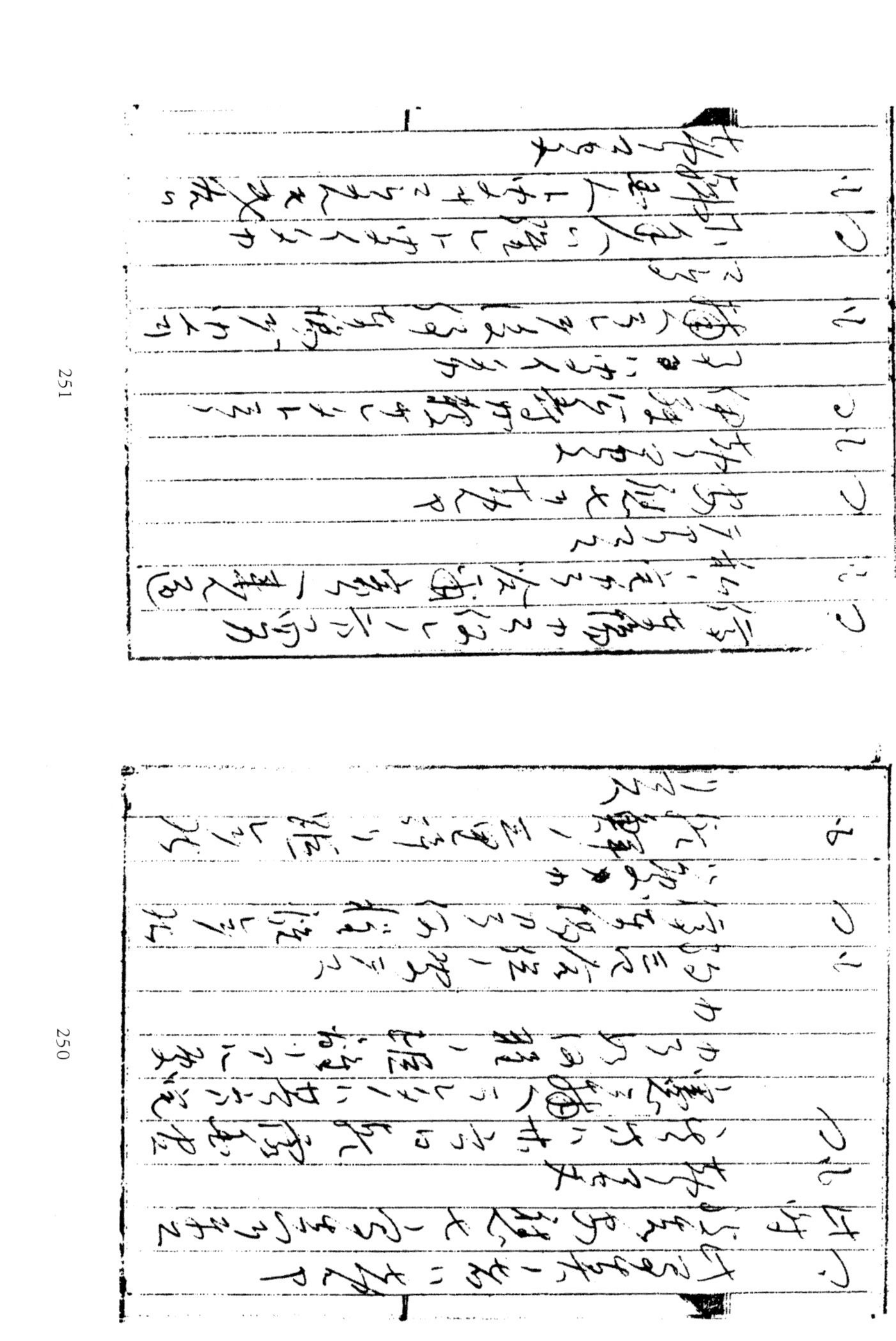

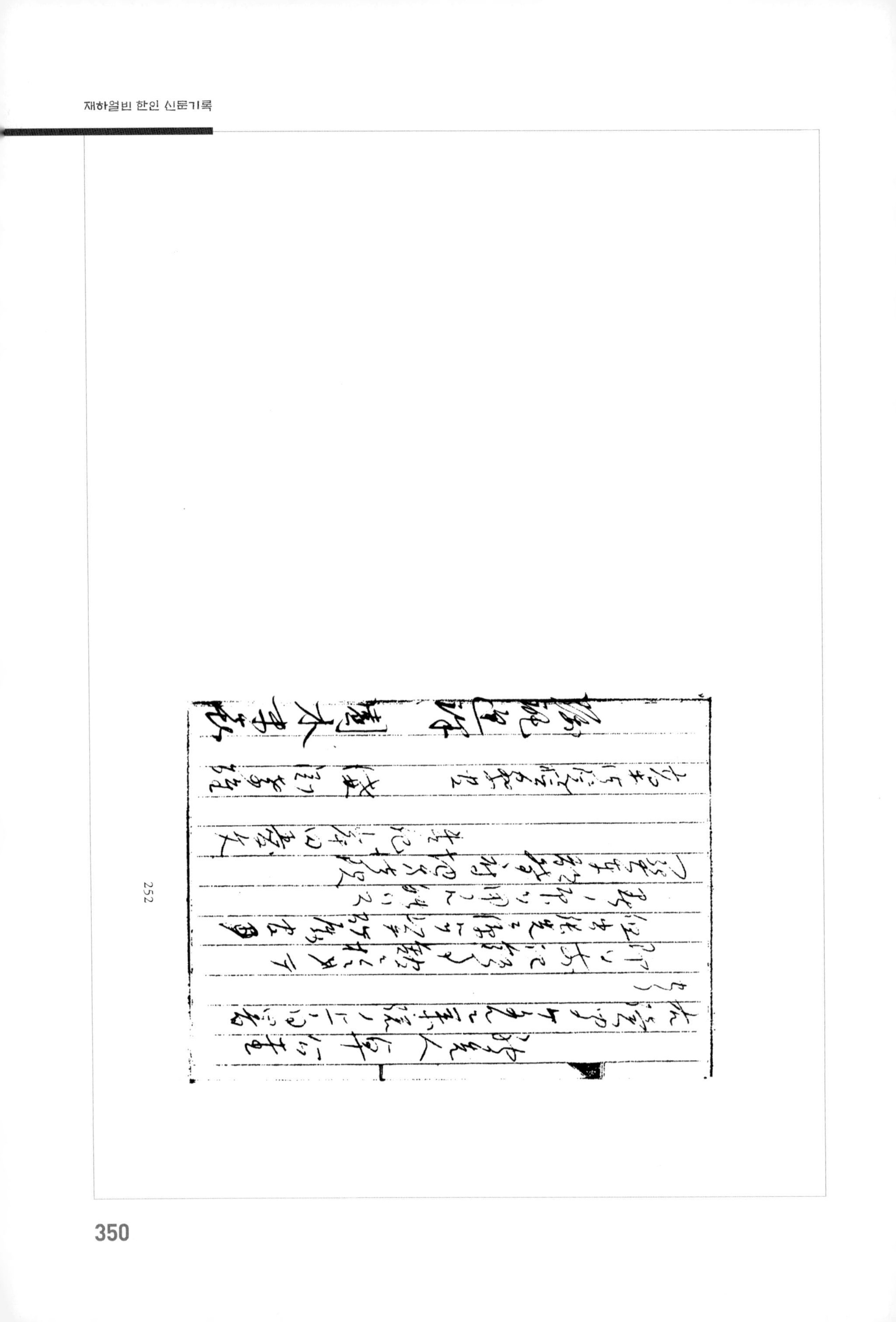

252

被告人第二回訊問調書

被告人 卓公圭

右ノ者ニ對スル殺人被告事件ニ付キ
明治四十二年十一月二十日關東都督府
監獄署ニ於テ檢察官溝渕孝雄
書記岸田愛文列席ノ上通譯
園木末喜通譯
檢察官ハ前回ニ引續キ右記被告
人ニ對シ訊問スルコト左ノ如シ

問 其ノ方ガプリスタンモストウヤヘ
來テ住居シタノハ何レカ

答 本年陰暦六月デス

255

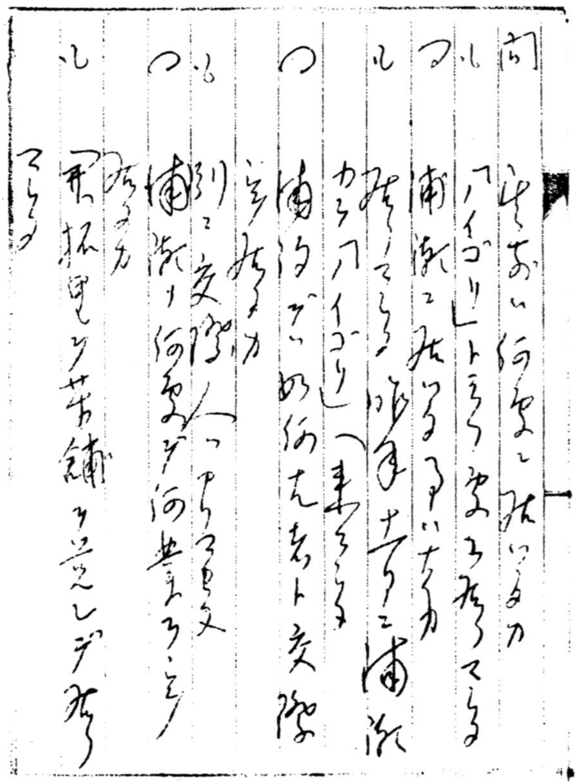

257

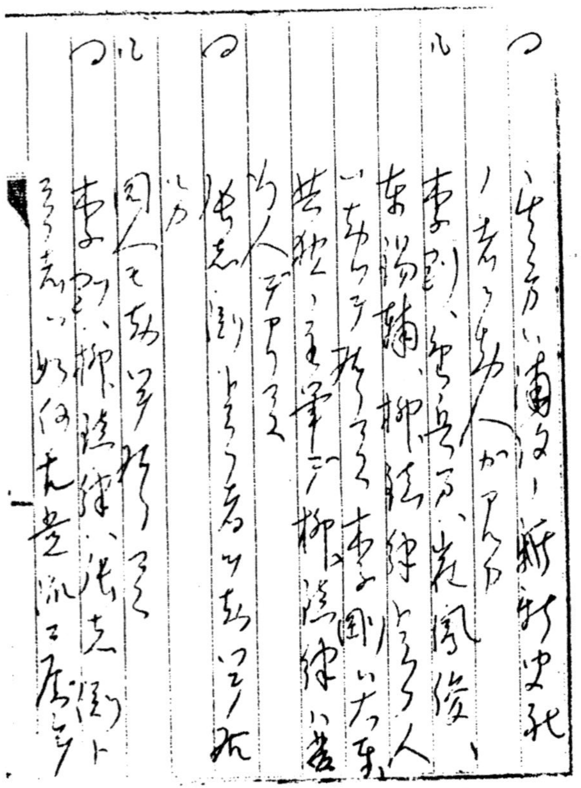

256

[illegible]居ルカ

答 夫レハ知ッテ居マス　又

問 大東社ハ事業トシテ何ヲ[illegible]
ノ論説[illegible]掲ゲテ居ルカ

答 [illegible]及[illegible]者[illegible]等ノ
[illegible]ヲ聞[illegible]掲ゲ
テアッテ居ル

問 同社ハ[illegible]ノ[illegible]カアルト云フ[illegible]
ナ[illegible]ヲ以テ掲ゲタ[illegible]カ

答 [illegible]ナ記事カアルノデ見
テ居ル

問 大東社ノ[illegible]ハ何ト云フ

258

者カ

答 私ハ[illegible]ヲ[illegible]ハ[illegible]人デア
リマス

問 [illegible]ハ同紙ハ[illegible]ノ
以カ

答 [illegible]ナシ

問 朴烈ハ[illegible]ト云フ者ハ
[illegible]カ[illegible]
リテ居ルカ

答 朴烈ハ[illegible]ヲ[illegible]
[illegible]

259

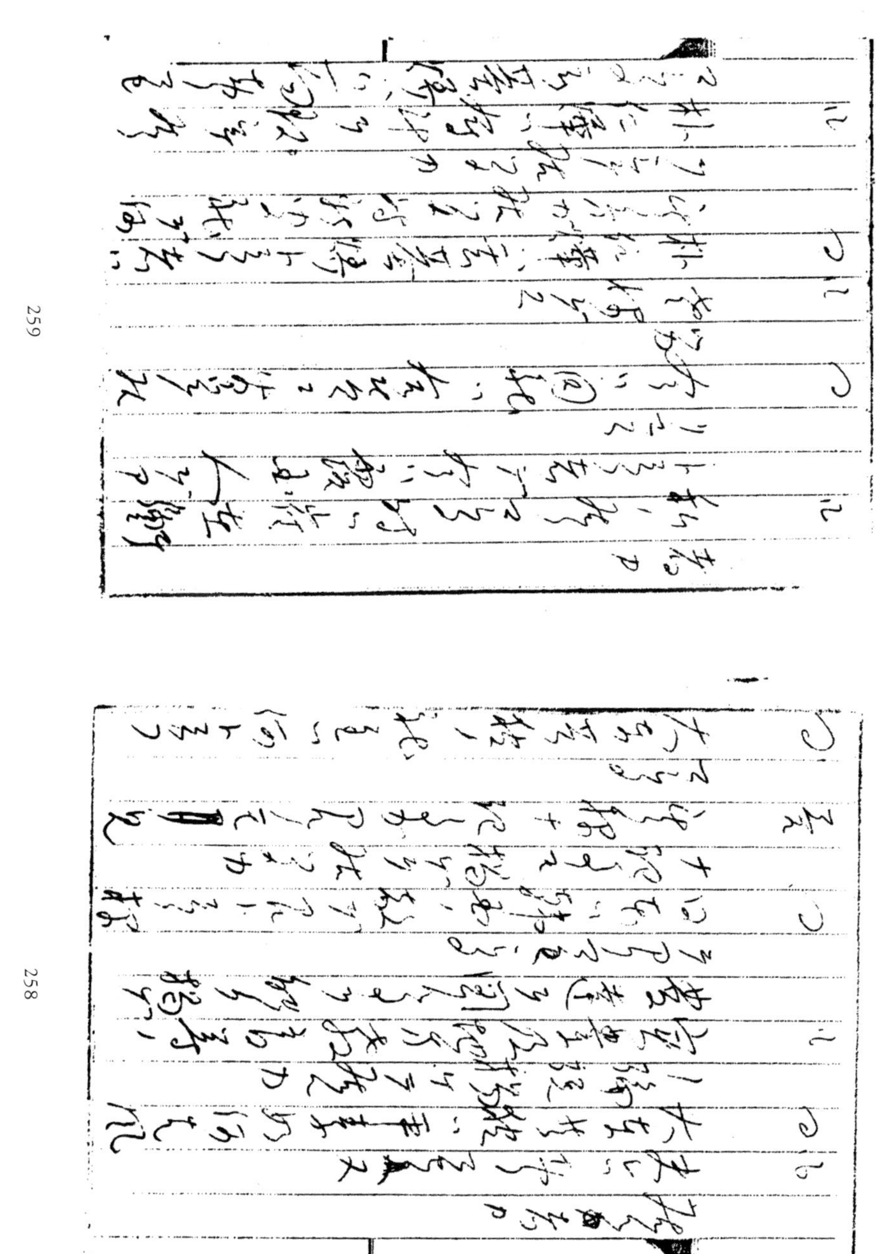

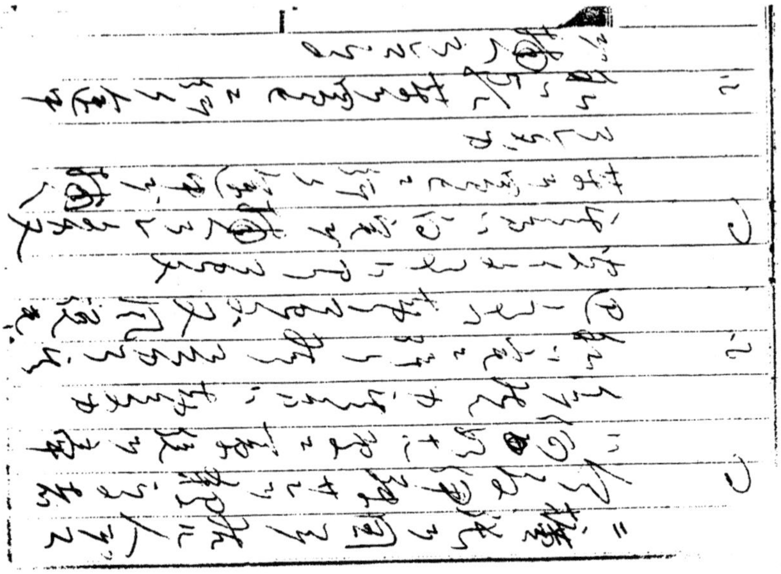

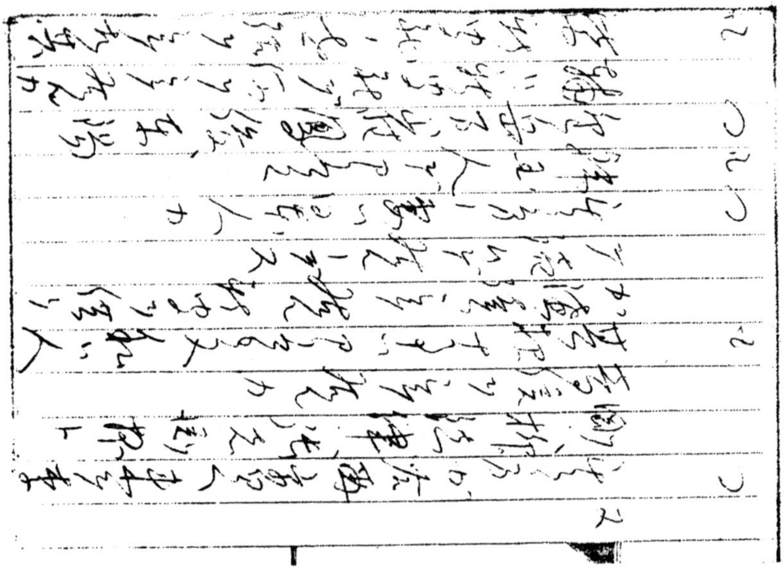

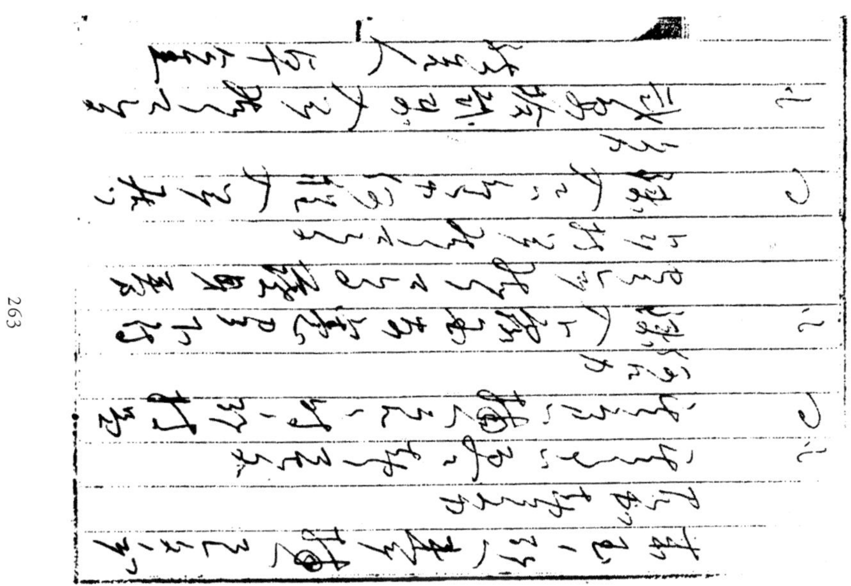

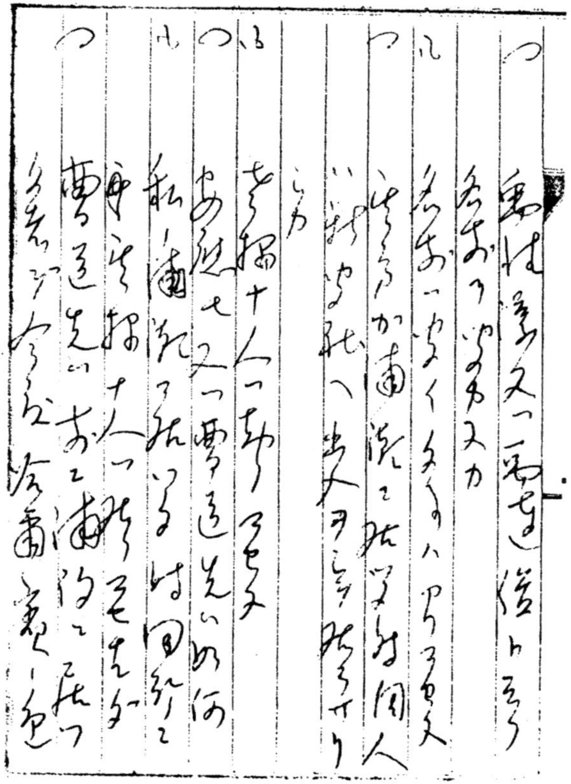

263

262

右讀聞カセタルニ相違ナキ旨ヲ承
諾シ自署ス
即日於領事館ニ於テ
但出張先ニ付所属長ノ印ヲ用ヒス
ノ官印ヲ用フ
哈爾賓總領事館
書記　岸田愛文
高等法院検事　境田喜
訊問通譯　園木末喜

264

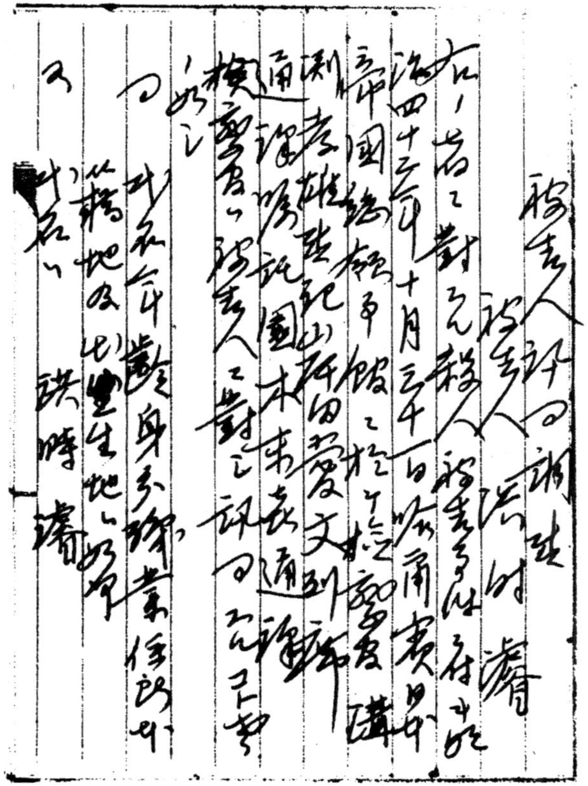
被告人訊問調書

被告人 洪時濤

右ノ者ニ對スル殺人被告事件ニ付[illegible]

昭和[illegible]年十月三十一日[illegible]

[illegible]

[illegible]

[illegible]

檢事ハ被告人ニ對シ訊問スルコト左ノ如シ

問 氏名年齢身分職業住所ハ

本籍地及ビ出生地ハ

答 氏名ハ 洪時濤

267

一 年齢ハ　廿八年

一 職業ハ　煙草[illegible]

一 身分ハ

一 住所ハ　浦潮ブリスタン四路街
　朴文[illegible]方

一 本籍地ハ　韓國咸鏡[illegible]鏡城郡
　南關內下西里

一 出生地ハ　同所

問 汝ハ父母妻子カアルカ

答 何レモアリマス

問 汝ハ露西亞官憲ニ何故ニ
捕ヘラレタカ

268

答 四路街ノ途中ヲ[illegible]中呼止
メラレマシタ

問 捕ヘラレシハ何日ダ

答 陰暦九月十三日正午過ギアリ
マシタ

問 何レヘ行ク途中デ捕ヘラレタ
カ

答 仕事先カラ食事ニ歸ル途中
デアリマシタ

問 仕事ニハ何處ヘ行キ居タハ何
[illegible]ダ゛ミンノカ

答 露西亞人ノ家ヘ傭ハレテ行キマ

269

ヨリ私ハ泊ル所ト食事ニ困リ
マス
問 汝ハ露國人ノ名ハ何ト云フカ
答 フアルロ、ウヰスキーレト云フ人デア
リマス
問 汝ハ其ノ人ト何處デ逢タカ
答 露國領事館ノ横ノ辻ノ向フ手ノ
[illegible]ノ傍ニ[illegible]酒屋デアリマス
問 汝ハ[illegible]
警察[illegible]
答 [illegible]
問 汝ハ[illegible]

270

答 [illegible]
[illegible]
問 下手人ハ誰レデアルト云フ事ヲ
[illegible]カ
答 [illegible]
問 安應七ト云フ者ヲ知ツテ居ルカ
答 知リマセヌ
問 [illegible]
答 [illegible]知リマセヌ
問 汝ハ[illegible]
答 知リマセヌ
問 [illegible]

271

答 其ノ外ハ知リマセヌ
問 李珍[illegible]、方士瞻ヲ知ツテ居ルカ
答 知ツテ居マス
問 鄭大鎬ヲ知ツテ居ルカ
答 知リマセヌ
問 卓公圭ヲ知ツテ居ルカ
答 知リマセヌ
問 張首明、金成[illegible]、[illegible]ヲ知ツテ居ルカ
答 知リマセヌ
問 柳江露、金澤信ヲ知ツテ居ルカ
答 金澤信ハ知ツテ居リマス、柳
江露ハ知リマセヌ

272

問 [illegible]君ハ知ツテ居ルカ
答 其時[illegible]安應七ノ宿ニ居マス
答 知リマセヌ
問 朝鮮人ノ墓地ヲ改葬シタ
事ガアルカ
答 アリマス
問 夫レハ何日カ
答 陰暦九月十日ノ日曜日カ知リ
マセヌ
問 何故改葬シタカ
答 鮮人ノ部落ヨリ外国人ノ部
落ニ散在シテ居リマス墓

273

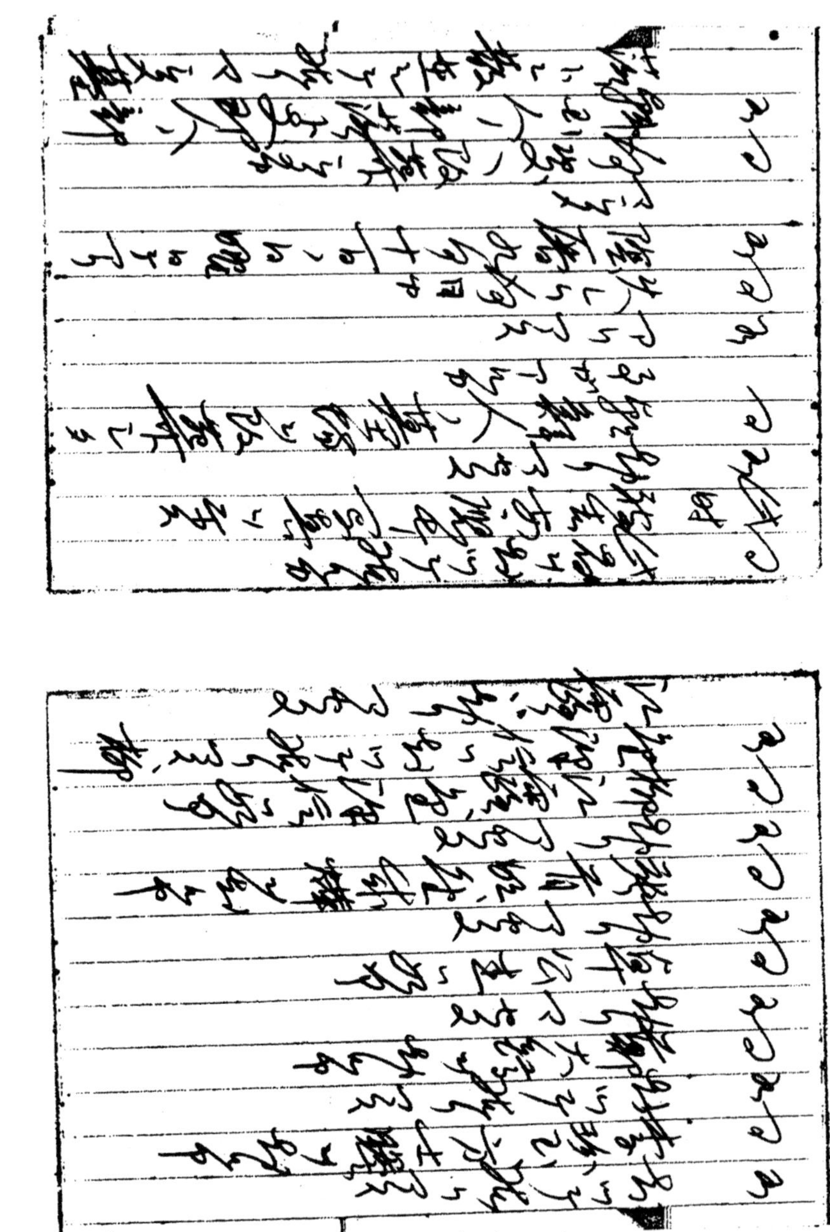

リヶ所ニ集メマシタ
問 墓ハ何ヶ所アツタカ
答 廿七ヶ所アリマシタ
問 其公墓ヲ如何シタカ
答 掘リマシテ改葬シタ者モアリ又
ハ一ルーブル宛出サネハナラス
事ニ為ツテ居リマシタ[illegible]
為メニ尽力シタノデアリマス
被告人 洪時濬
右録取シ読聞カセタルニ相違ナキ旨申立
署名[illegible]
即日於[illegible]

274

但[illegible]所属[illegible]
[illegible]
[illegible]
[illegible]文
[illegible]雄
[illegible]

275

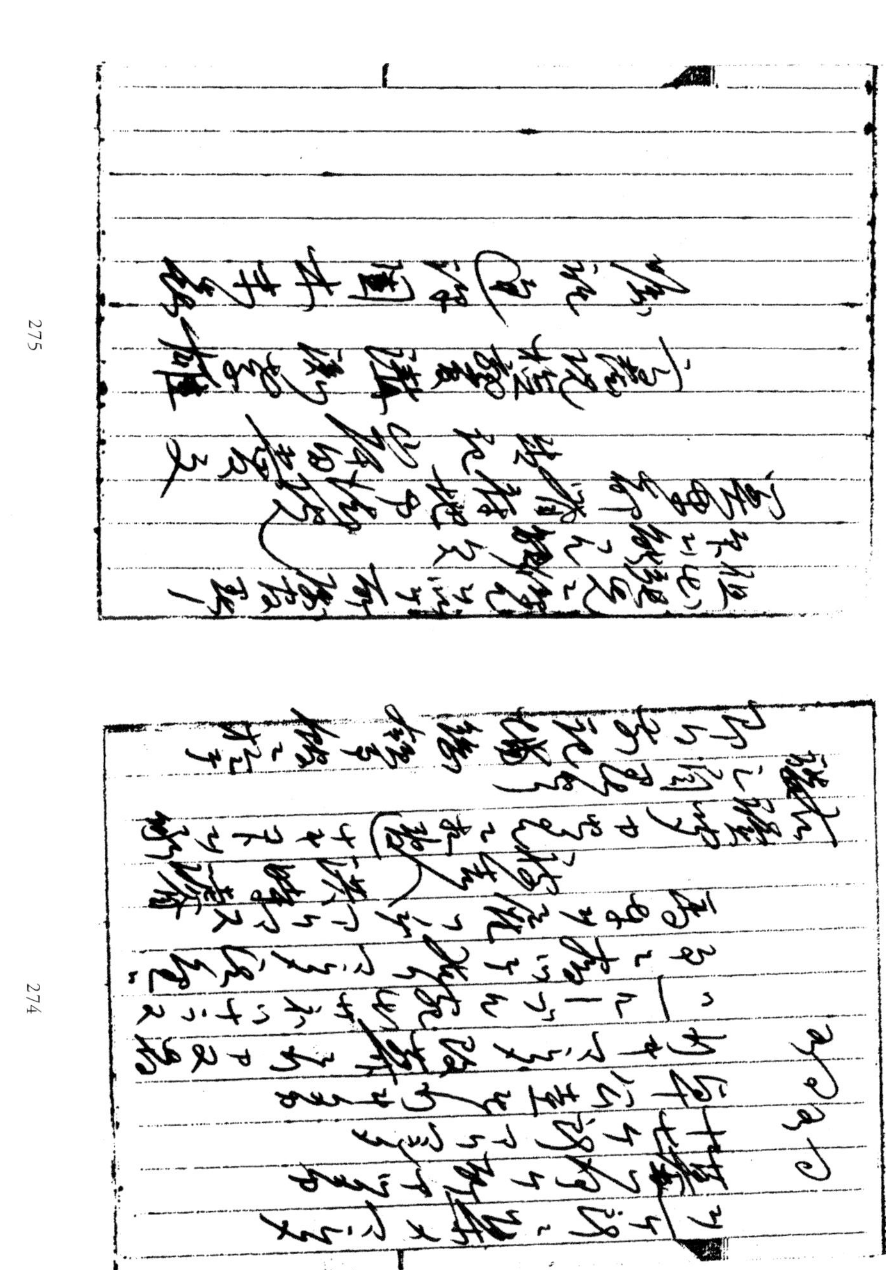

訊問調書

伊藤公殺害事件ニ関シ参考人トシテ韓國人姜鳳周ヲ通譯渡邉百馬ヲ介シ訊問スルコト左ノ如シ

氏名、年齢、國籍、住所、職業等ヲ畧ス

問 金成伯ト安應七ト事件ニ関シ何等カノ関係アリト思惟セズヤ

答 柳江露(东夏)ト安ト浦潮ヲ同時ニ出發シ安ハ先ツ来リシカ又ハ長春ニ時赴キシナラン、柳ハ後レテ来リ金成伯方ニ宿シ安ハ停車場ニ宿セリト聞ケリ

問 安ハ常ニ停車場ニ在リシヤ

答 否、浦潮ヨリ来リテ停車場ニ宿シ一時長春ニ赴キテ帰リ来リ再ヒ停車場ニ宿セリト聞ケリ、

問 其方ハ當市共立會長タリシコトアリヤ、

277

答 卓公圭ハ浦潮ヨリ来リ金成伯ト金成玉等ニ謀
リ設立セントシ會長タランコトヲ求メタレモ同時ニ領
事館ノ命ニヨリ民會設立セシントシ之ニ反キテ共立
會ニ入ルハ不可ナルヲ以テ之ヲ拒ミタリ、之レ彼等ト
意見ヲ異ニセル初メナリ、
問 其後何人カ會長トナリシヤ
答 會員五十余名入會セシモ孰レモ其後會ノ無
益ナルヲ知リ解散セリ會長ハ定マラサル中ニ消
滅セリ、
問 其方ガ共立會長トナリ尹根成カ副會長トナ
レルコトヲ聞キ居ルガ如何
答 事実ナシ、尹根成ハ自分カ民會長タリシ時副
會長ナリキ金成伯ハ民會ヲ止メント云ヒシ故自分等一

278

派ハ民會ヲヤメルナラバ共立會モヤメルヘシト主張シ其
後ハ會ナルモノナシ卓公圭ト金成伯トハ常ニ同意見
ナリキ
問 然ラハ現在ハ當地ニ共立會ナルモノナキカ
答 之ナシ五六箇月前ナリ
問 東東興學校ノ成立如何
答 金成伯多額ニ出金シ金衛在、卓公圭ハ其教員ナリ、
金成伯カ校長ナリ、他ニ寄付者アリシモ自分ハ出
金セサリキ三百円程醵製シテ集メタリト聞ケリ
問 東興學校ト共立會トノ関係如何
答 共立會閉設ノ運動カ止ミテ學校出来タリ共立会
カ學校ナリトイフベシ
問 金衛在ト共立會トノ関係如何

279

答 関係ナシ
問 浦港刊行ノ大東共報ヲ知レリヤ
答 見タルコトアリ
問 大東共報ハ何人カ経営スルヤ
答 崔鳳俊ナリ同人ガ金出シ居タリ後商買上ノ都合ニテ之ヲ譲渡シタリ其後ハ多数ノ人カ出資シテ経営セル由ナリ
問 李剛ナルモノヲ知レリヤ
答 人ハ知ラサルモ其名ハ聞ケリ新聞社ノ主筆ナリ
問 俞真律ナルモノヲ知レリヤ
答 名ヲ聞キタルコトアリ何ヲナセルヤ知ラス露國帰化シ居レル由ナリ
問 安等ト大東共報社ト何等カ関係ナキヤ

280

答 存セス
問 浦港ニ青年會ナルモノアリヤ
答 アリト聞ケリ
問 浦港ニ独立會ナルモノアリヤ
答 アリト聞ケリ
問 右両會ハ同一物ナリヤ
答 多分別々ナルベシ
問 然ラバ青年會ノ目的ハ何ナリヤ
答 多分青年ヲ集メテ教育スルナラン
問 宗教上ノ意味ハナキヤ
答 存セス
問 独立會ノ目的ハ何ナルヤ
答 存セス浦港ニハ長ク行キタルコトナシ

281

問 青年會ハ主トシテ何人カ経理スルヤ
答 資産家二十人程金ヲアツメテ立テシモノナリ
問 其主ナル人々ハ
答 李剛ナリ
問 李剛ハ資産アルヤ
答 金ハナキモ相當ノ事ハ何事ニ依ラズ為シ得ル人ナリ
問 同義會ナルモノヲ知ルヤ
答 存セズ
問 倡義會ヲ知レルナラン
答 存セズ新聞ニモ出テ居ラズ
問 如何ナル會名ノモノガ新聞ニ表ハルヽヤ
答 最初ハ青年會ナリ其後ハ何會ノ名モ見ズ
問 共立會ノ名ハ新聞ニハ出テサルヤ

282

答 出テタルコトナシ
問 青年會ハ尚ホ現存セルヤ
答 アリ今日ニテモ新聞ニ名顕ハル
問 何人ガ同會ヲ経理スルヤ
答 會長ハ車石宝ナリ露国ニ帰化セリ財産アリ
問 副會長ハ何人ナルヤ
答 李剛ナリ卓公圭モ昨年迄全會ノ副會長ナリキ
問 其他ニテ同會中勢力アルハ何人ナルヤ
答 其他ニハ知ラズ
問 俞真諸ハ入會シ居ラサルヤ
答 皆入會シ居レリ
問 李範允ヲ知レリヤ
答 名ハ聞キ居リ四五百ノ兵ヲ今日ニテモ引率セリ

283

烟秋、ニコリスク、秋豊等ノ間ヲ往来セリ

問　李堣鐘ナルモノヲ知レリヤ

答　李範允ノ兄李範晋ノ子ナリ佛語ニ通シ佛人ヲ
妻トセリ三年前四万圓持チテ浦港ニ来リ李
範允ヲタヨレリ

問　李堣鐘ハ何ノ為ニ浦港ニ来リシヤ

答　知ラズ間モナク露国本国ニ帰レリ浦港ニ僅カ三
四ケ月居レリ

問　浦塩ニ共立会アリヤ

答　今年ノ春頃迄ハ新聞ニ表ハレタリ

問　共立会ハ何人カ経理スルヤ

答　知ラス

問　共立会ノ本部ハ何地ニ在リヤ

284

答　専ラ浦港ナルヘシ

問　安鷹七ト浦塩新聞社トハ関係アラサルヤ

答　以前安ハ新聞社ニ関係アリシト聞ケリ左モ之ハ事
件後ニ此ニ出テタルナリ、ポグラニーチナヤニケ月
程在リテ哈爾賓ニ来レリト聞ケリ

問　事件ニ就キ安ト新聞社トハ干係アリトハ思ハレ
サルヤ

答　ソウハ思ハズ

右録取シ通訳ヲ経テ読聞セタルニ相違ナキ旨ニテ
共ニ左ニ署名捺印ス

明治四十二年十二月二十九日

参考人

姜鳳周

285

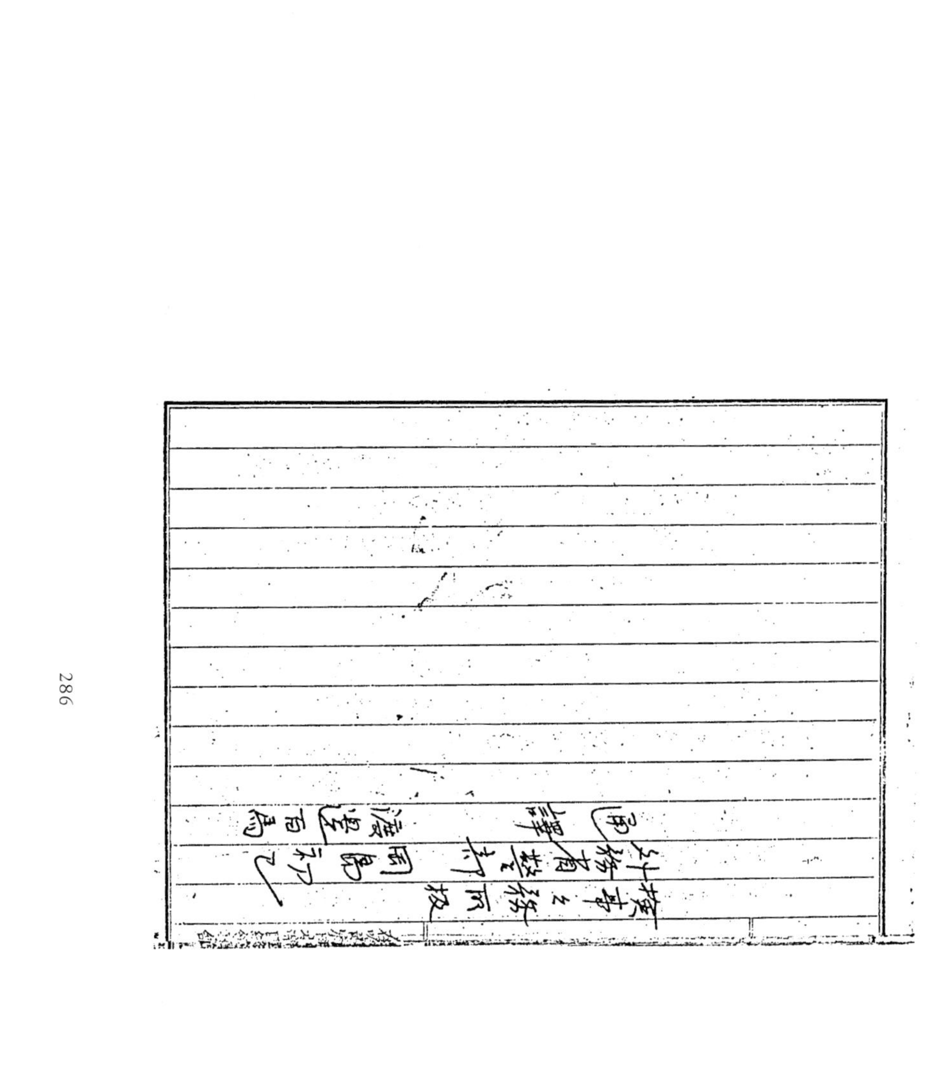

訊問調書（写）

伊藤公殺害事件ニ関シ参考人トシテ韓国人金成玉ヲ通訳渡辺百馬ヲ介シ訊問スルコト左ノ如シ

氏名、年齢、国籍、住所職業等畧之

問　九月初旬夜曹道先ハ金衛在其他三人ヲ伴ヒテ夜来訪セシナラン

答　金衛在カ安應七、禹連俊ノ両名ヲ伴ヒテ来レリ

問　柳東夏ハ来タラサリシヤ

答　来ラズ

問　安、禹ハ何ノ為メニ来リシヤ

答　金衛在ノ言ニ依レハ両人ハ浦潮ヨリ新聞代ヲ取リニ来リシナラントイヘリ

問　酒食セシヤ、其方モ列席セシヤ

289

答 曹道先カ酒ヲ買ヘリ、自分モ出テ面會セリ
中途退席シ面會セシハ彼等カ帰ル時ナリ

問 其後彼等ハ来ラサリシヤ、金永煥ハ其後彼
等ノ来レルコトヲ明言セリ如何

答 金永煥ノ言ノ信スヘカラサルハ有名ナルモノナリ、
其後彼等ノ来レルコトナシ

問 浦潮ヨリ来リシ人カ別ルル時泣キタルトイフニ
非スヤ

答 金衛在ヨリ聞ケル所ニ依レハ其後彼等
ハ金衛在ヲ訪問シ別ルル時再會ヲ期シ難
ミトイヒテ別レタルコトヲ金衛在ヨリ聞キタ
リ、金衛在ハ之ヲ不思儀トシ自分モ之ヲ奇
妙ニ思ヒ翌日顔ヲ洗フ時金永煥ニ話レリ

290

問 然ラハ二度目ニハ安、禹ハ金成玉方ニ来ラスシテ金
衛在方ニ来リシナルカ

答 否、曹道先カ酒ヲ買ヒテ安、禹ヲ饗食セシ晩ニ
アリシコトナリ、金永煥ノ言ノ偽ナルコトハ人皆
之ヲ知レリ

問 柳江露ヲ知レルナラン

答 知ラス

問 其方ハ金成伯方ニ出入セシナラン

答 出入ハセシモ柳ナルモノ在リシ時ハ行キシコ
トナシ

問 其方方ニテ酒宴ノ夜何故ニ曹道先ハ酒ヲ
買ヒシヤ

答 何故ニ酒ヲ饗食セシヤ知ラス

291

問 曹ト禹・安ハ以前ヨリ知己ナリシナラン
答 夫レモ存セス
問 其方ハ一家ノ主人トシテ曹カ他ヨリ来リシモノヲ饗食スルヲ許スヤ
答 曹ノ言初来リシ時ニ一日程世話ニナリタシトイヘリ其後ニ日ヲ経ルモ出テユカス自分ハナレトモ之ヲ構ハサリキ他人ニ酒ヲ出スモ自分ハ一向関係セス
問 安、禹ノ如キ罪人ヲ其方方ニテ饗應セシヲ今日ニ於テ後悔セサルヤ
答 曹道先ヲ自宅ニ宿セシメシハ今日ニ於テハ後悔セリ、子孫迄モ不知ノ人ヲ宿セシメサルコトヲ申傳フヘシ

292

問 安又ハ曹ヨリ金員ノ貸借ヲ申込マレタルコトナキヤ
答 之レモ初対面ノ人ナリシ故斯ルコトナシ一回面會セシノミニテ再會セシコトナシ
問 其方ノ陳述ト金永煥ノ陳述ト全ク相違セルハ本職ノ不審トスル所ナリ如何
答 夫レハ自分ニ御下問アルヨリモ當地韓人ニ御尋ネアラハ自ラ明白ナルヘシ金永煥ノ虚言ハ有名ナルモノナリ
問 其方ハ金永煥ト何地ニテ知合ヒトナリシヤ
答 吉林ニテ少シ知レルモ當地ニテ懇意トナレリ
問 吉林ニテ其方ハ何ヲナシツヽアリシヤ
答 飲食品販賣業ヲナセリ

293

問　全永煥ハ吉林ニテ何ヲナセシヤ
答　何モセス一両日、自分方ニ来リシノミニテ其消
息ヲ詳ニセス
問　曹カ酒ヲ安、禹ニ出セシ時誰カ酒ヲ買ヒ来タリ
シヤ
答　曹自ラ買ヒ来レリ何人モ買ヒニ行タキ人ナシ
問　飯焚キモ通訳モ居ルニアラスヤ金永煥モ居
ルニ非スヤ
答　曹カ饗スル事故ヲ分自ラ買ヒニユキシナ
ラント申セシナリ
問　當夜安、禹、曹、金衛在ノ四名カ何ヲ談
セシヤ知レルナラン
答　自分ハ薬局ニテ調剤シ居タル故何事モ

294

知ラス他人客ナルト自分カ酒ヲ飲マサル故席ニハ
列セサリキ
問　當夜ハ安、禹、曹、金衛在ノ四名ニハアラサルヘシ他
ニモアリシナラン
答　他ニハ来リシ人ナシ
問　現ニ金永煥ハ浦潮ヨリ不知ノ人ニ人来レリト明
言セルニ非スヤ
答　ソンナ答ハ之ナシ
問　慥カニ柳江露ハ来ラサリシヤ
答　来ラサリキ
問　曹道先ハ其方宅ヨリ何処ヘ行キシヤ
答　失踪セシノ不都合ノ奴ト思ヒオリ、モシ彼カ
髪ノ一先ニテモ怪シキ挙動ヲナセシナラハ恐ラ

295

ク今度ノ事件ハ起ラサリシナルヘシ

問 金永煥ノ言ニヨレハ曹ハ弟ヲ迎ヘニ長春ニ行キタルコトヲ其出立後其方ヨリ聞ケリト云ヘリ、如何

答 其咄シハ以前ニ間接ニ聞ケリ曹カ金永煥等ニ咄シタルモノノ如シ曹自身ハ自分ニ語ラス何モ咄セシコトナシ全ク失踪セリ

問 曹カ弟ヲ迎ヒニ長春ニ行キシコトカ真ナラハ無断ニテ出奔セシハ奇ナリト思ハスヤ其方ハ考如何

答 弟ヲ連レ来ルナルヘシト深ク怪マサリキ

問 然ラハ事件後ハ如何ニ考フルヤ

答 (答辯渋滞了解シ難シ)

296

問 明白ニ答ヘヨ

答 格別ノ考ナシ

問 其方ノ室ヲ貸與セシ曹カ無断ニテ失踪シタル後間モナク伊藤公ノ事変起レリ、曹ノ行動ニ就キ不審ナリト思ハスヤ明白ニ申立テヨ

答 失踪当時ハ別ニ何トモ思ハサリシカ後チ逮捕セラレテヨリハ自分ハ恐シト思ヘリ斯ル人ヲ宿泊セシメタルヲ恐レト思ヘリ

問 然ラハ其方ハ曹ヲハ事件ニ関係アリト信スルヤ

答 勿論罪アリト思フ

問 斯ル犯人ヲ其方ニ宿泊セシメタル故ニ其方ニ嫌疑アルハ至当ナルヘシ如何

答 御尤モナリ

297

問 曹カ拳銃ヲ有セシハ其方ハ知レリヤ
答 一向存セサリキ旅順法院ニテモ申立テシカ曹カ自宅ニ来リシ時ハ烟管一本モ携帯セサリキ夫レカ拳銃ヲ何人ヨリ得タルヤ御取調ナ乞フト三度程申立テタリ
問 拳銃ノ出所ハ其方ハ全ク知ラサルヤ
答 全ク存セス
問 曹ノ失踪近因人ハ何モ所持品ナカリシヤ
答 全クナシ
問 曹ハ其方宅ニテ平素何ヲナシツヽアリシヤ
答 諸方ヘ遊ビニユクノミニテ食事ヲスマセハ出テ帰ラズ何ヲナシツヽアリシヤ不明ナリ
問 曹ハ金銭ヲ持チ居リシヤ

298

答 當初来レル時ハ自分モ金ハ多少アルヘシト信セシモ其後ノ様子ニテハ金ナカリシ如シ
問 曹ハ何地ヨリ哈爾賓ニ来リシヤ
答 イルクツクヨリ来レリ
問 曹ハ露國ノ本國ニ行キシコトナキヤ
答 一向存セス
問 曹ハ浦潮ト手紙ヲヤリ取リセルコトナキヤ
答 見聞シタルコトナシ
問 新聞代ヲ取リニワザヽ浦潮ヨリ二人モ来ルヘキコトアリヤ
答 單ニ金衡在ヨリ之ヲ聞キタルノミニテ何モ考ヘサリキ
問 金衡在ト安、禹ハ懇親ナリシヤ

299

答 ヨク知ラサス別ルヽ附泣キタルコトヲ聞ケルノミ
問 其方ノ意見ニテハ金衡在ハ安、禹、曹等ト事件ニツキ関係アリト思ハスヤ
答 事件後ニナリテハ安等ト金衡在トノ間ニハ関係アリシナラント思ヘリ、シカレ之ハ考ヘルダケニテ証跡ハナシ
問 安、禹ハ浦潮ヨリ来リシレカ
答 彼等ト初メテ會ヒシ時金衡在ヨリ聞ケリ
問 李剛（李尚）ナルモノヲ知レリヤ
答 初メテ聞ク所ナリ
問 俞智律ヲ知レリヤ
答 知ラス
問 李剛、俞真律ノ名ハ旅順ニテ聞キタルヘシ

300

答 尋ネラレタルコトナレ今初メテ聞ク所ナリ
問 安、禹ト浦潮新聞社ト如何ナル関係アリヤ
答 存セス只浦潮ヨリ新聞代ヲ取リニ来レリト聞ケリ
問 曹ト金成伯トハ心安カリシレヤ
答 ヨク知ラサルモ親密ニナルヘキ筈ナレト思フ
問 安ト禹トハ如何ニシテ金成伯方ニ宿セシレヤ
答 如何ナル関係ナリシレヤ知ラス
問 其方ハ金成伯ト懇意ナリシニアラスヤ
答 懇意ニハアラス
問 其方ハ妻女ヲ金成伯方ニ預ケ居リシニ非スヤ
答 別ニ依頼スル所ナキ故金成伯ニ頼メリ同國

301

人ナル故ナリ
問 其方ノ妻女ハ自ラ金成伯方ニユキシナリ汝ノ依頼ニヨルニアラス之レ平生懇親ナリシ証據ナラスヤ
答 他ニ全國人トシテ依頼スル所ナキ故妻ハ金成伯方ニ行ゲルナリ
問 妻自分ニ行ク位ナル故平生往来セシニ相違ナシ然ラハ汝、婦カ如何ニシテ金成伯方ニ在ルヤ知ラサル理ナシ如何
答 婦人ハ何モ判ラサル故止ムヲ得ス金成伯方ニ赴キシナリ平生懇意ナリシニ非ラス
問 青年會、獨立會ヲ知レリヤ
答 知ラス社會ノコトハ何モ知ラス

302

問 共立會ヲ知レルナルヘシ
答 知ラス
問 共立會ハ哈爾賓ニモアリ知レルナルヘシ
答 名稱ハ聞キタルコトアリ
問 會長ハ何人ナルヤ
答 鄭鳳周ノ組織セルコトハ聞ケルモ會長ハ誰ナルヤヲ知ラス
問 尹根成ヲ知レリヤ
答 顔ノミ知レリ
問 共立會ト関係アリヤ
答 存セス
問 本件ニ関係アリト思ハル、曹道先ヲ宿泊セシメタル其方カ事件ニ関係ナキコトハ其方

303

答 自ラ証據立ツル必要アルベシ如何

領事館ノ恩恵ニヨリ免状ヲ下付セラレ葉業ヲ営ミ居ルコト故モシ事件前ニ曹ナルモノニ一寸ニテモ不審ノ点アリシナラハ直ニ告白スル積リナリキ其辺御覧察ヲ乞フ

問 領事館ノ恩恵ヲ感シ居ルナラハ事件ニ関シ其方ノ知ルコトハ包マス申立テハ宜シキニ非スヤ

答 知レルコトハ悉ク申立テ居レリ知サルコトハ實際判ラサル故知ラズト申スナリ

問 然リト認ムル能ハス現ニ判明セル事實ニテモ包ミ居リシニ非スヤ

304

答 決シテ包ミ隠シタルコトナシ自分ハ永ク當地ニ住スル積リナル故モシ隠セハ將来顕ハルル事ナルニツキ決シテカクシ申サス

右録取シ通譯ヲ經テ讀聞セタルニ相違ナキ旨ニテ共ニ左ニ署名捺印ス

明治四十二年十二月廿八日

在哈爾賓日本帝國総領事館ニ於テ

參考人 金成玉

檢事事務取扱ノ

外務省警部 國島初巳

通譯

305

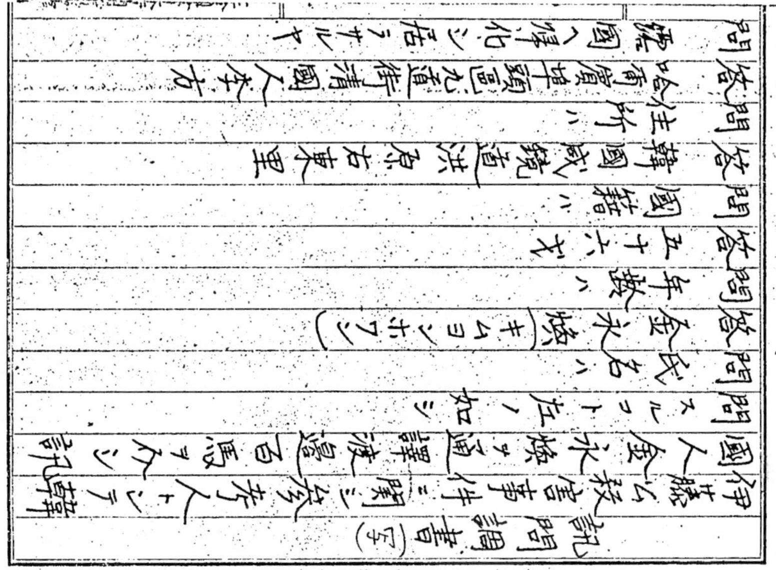

訊問調書（写）

伊藤公殺害事件ニ関シ参考人トシテ韓國人金永煥ヲ通譯渡邉百馬ヲ介シ訊問スルコト左ノ如シ

問 氏名ハ

答 金永煥（キムヨンホワン）

問 年齢ハ

答 五十六才

問 國籍ハ

答 韓國咸鏡道洪原右東里

問 住所ハ

答 哈爾賓埠頭區九道街清國人李方

問 露國ヘ帰化シ居ラサルヤ

307

答 否

問 哈爾賓ニハ何時来リシヤ其後何ヲナシツヽアリシヤ

答 昨年八月當地ニ来タレリ金ヲ百円程所持セシモ之ヲ失ヘリ困リタルニ付金成玉方ニ寄食シ煙草ノ行商ヲナシ居レリ金成玉トハ吉林ニ居リシ時之ヲ知レリ

問 金成玉ハ吉林ニテ何ヲナシツヽアリシヤ

答 金成玉ハ吉林ニテ露人ニ食料品ヲ賣リ居タリ自分ハパンヲ賣リ居タリ

問 金成玉ハ吉林ニ長クアリシヤ其以前ハ何地ニ居リシヤ

308

答 彼ハ三年程吉林ニ在リ其以前ハ知ラス吉林ニテ知合ヒトナレリ吉林ヨリ直ケニ當地ニ来タレリト彼自ラ語リタルコトアリ

問 安應七ナル者ヲ知レリヤ

答 存セス伊藤公事件後其名ヲ聞ケリ

問 禹德淳ナル者ヲ知レリヤ

答 存セス

問 曹道先ヲ知レリヤ

答 曹ハ二十日以上金成玉方ニ在リ能ク承知セリ

問 何時頃ヨリ何時迄カ

答 旧八月頃ト覚エ

問 伊藤公事件前ニハ金成玉方ニ在ラサ

309

リシヤ

答 旧八月末ヨリ九月五日頃迄金成玉方ニ
在リ其後ハ何処ニ行キタルヤ知ラス

問 曹適先ハ何ヲナシ居リシヤ

答 毎日外出シ居リ夜ニ入リ帰ヘルヲ常トセリ

問 柳江露（柳東夏）ヲ知レリヤ

答 存セス

問 金衡在（金鳳雛）ヲ知レリヤ

答 校長ナリ顔ハ能ク覚ヘサルモ面会セシコトアリ

問 金成玉、金衡在、曹適先ノ三人ニテ密談セ
シ如キコトナキヤ

答 能ク知ラス自分ノ居室ハ離レ居レリ

問 浦潮ヨリ金成玉方ヘ来タリシ者アルヘシ申

310

立テヨ

答 事件前浦潮ヨリ来タリシ者ナシ

問 来タリシ者アル筈ナリ申立テヨ

答 見タルコトナシ

問 慥カニ来タリシ人アル筈ナリ

答 或朝台所ニ飯アリシ故他ノ雇人ニ尋ネ
タルニ昨夜金衡在曹適先金成玉ノ三
人ニテ酒食セシナリト聞キタリ

問 三人ニハアラサルヘシ

答 其他ニハ知ラス

問 其酒宴セシハ何日ナリシヤ

答 曹適先出発ノ三四日前ナリキ旧九月ノ初
メナリ

311

問 親族ヲ迎ヘニ長春ニ趣キシ者アルヘシ
答、曹ハ弟ヲ迎ヘニ長春ヘ行キケルコトヲ其
出发後聞ケリ
問 曹ハ一人ニテ出发センヤ
答 後ニテ聞ケル故知ラス
問 曹ノ出发ハ何人ヨリ聞キシヤ
答 金成玉ト其妻ヨリ聞ケリ
問 浦潮新聞社ヨリ韓人ノ来タルコトヲ慥カ
ニ知ラサルヤ
答 九月六、七日頃夜曹ト金衛在及知ラサル
人二人ト来タリテ金衛在ヨリ茶ヲ呉レ
ヨト金成玉ニ乞ヘリ玉ハ何人ナリヤト問
ヒシニ浦汐新聞社ヨリ来タレリト答ヘシ

312

ニ玉ハ然ラハ茶ヲヤメテ酒ニセントテ他ノ雇人
ニ酒ヲ買ハシメタリ其後自分ハ就寝セシ
故何事モ知ラス
問 其後又来レルコトナキヤ
答 曹ハ金衛在外一人ヲ伴ヒテ翌日カ又ハ翌
々日夜遅ク来レリ別ルヽ際浦汐ヨリ来
レル人カ再會シカタシトテ泣ケルコトヲ
翌日金成玉ヨリ聞ケリ玉ハ不思儀ニ
思ヒル様子ナリキ自分モ不思儀ニ思
ヒリ後何日モ経スシテ事件起レリ其
時考フレハ安應七カ泣キタルナルコトヲ
推測セリ
問 安應七ナル名ハ何時ヨリ知セルヤ

313

答 金成玉カ露西亜官憲ヨリ引致セラル、ヤ
自分ハ心配ナル故従ヒ来レルカ途中玉ヨ
リ安應七ノ事件ノ為メニ引致セラル、
ナラント云ヘリ
問 浦汐ヨリ来客アリシ時客人ハ金成玉ニ紹
介状ヲ示サヾリシヤ
答 知ラス
右録取シ通譯ヲ経テ読聞セタルニ相違ナキ
旨ニテ共ニ左ニ署名捺印ス
明治四十二年十一月廿五日
在哈爾賓日本帝國總領事館ニ於テ
参考人 金永煥

314

検事事務取扱
外務省警部 國島初巳
通譯 渡邊百馬

315

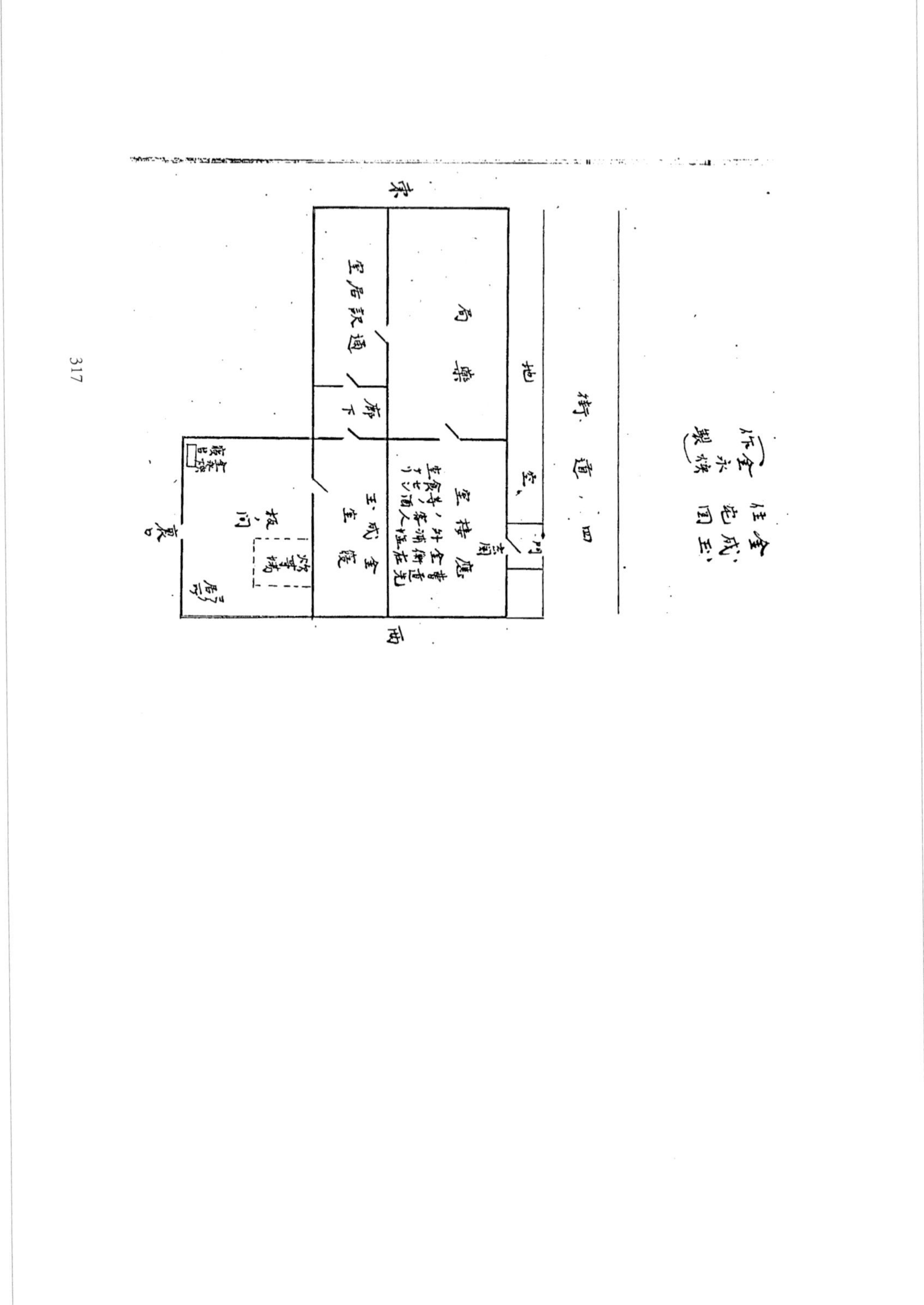

訊問調書(写)

伊藤公遭難事件ニ関シ参考人トシテ通訳渡辺
百馬ヲ介シ訊問スルコト左ノ如シ

問　氏名ハ
答　朴文順
問　年齢ハ
答　三十六才
問　出生地ハ
答　咸鏡北道明川郡阿澗漁佃
問　職業ハ
答　烟草捲キナリ
問　何時哈市ニ来リシヤ
答　四年前ニ来レリ

319

問 何処ヨリ来リシヤ
答 韓國ヨリ直チニ来レリ
問 露國帰化シ居ラサルヤ
答 否
問 金成伯トハ知己ナリヤ
答 知リ居ルモ熟懇ニハアラス
問 金成玉トハ如何
答 余リ心安カラス
問 曹道先ナルモノヲ知レリヤ
答 知ラス、名ハ聞ケリ
問 曹道先ハ何ヲナシ居リシヤ
答 職業ニ急ニシテ知ラス曹道先ノ名ハ彼カ旅順ニ送ラレシコトヲ聞ケルナリ

320

答 知ラス其名ハ旅順ニ送ラレシ後ニ聞ケリ
問 安應七ヲ知レリヤ
答 知ラス彼カ永ク当地ニ滞在セシナラハ面會ノ機會アリシナランモ遂ニ面會セス
問 柳江露ナルモノヲ知レリヤ
答 名ヲ聞ケルモ知ラス父ハ「ポグラニーチナヤ」ニ在リト聞ケリ、傳聞セリ
問 柳ノ父ノ事ヲ聞ケルハ事件後ナリヤ、前ナリヤ
答 事件前ナリ
問 如何ナル訳ニテ聞ケルヤ
答 柳ノ父ハポ市ニテ薬屋ヲナセル故薬ヲ求メ来レルモノヽ咄シニテ聞ケリ

321

問 其氏名ハ

答 柳初試ト称ス本名ハ知ラス初試トハ昔ノ官名ナリ

問 柳江露カ哈市ニ来リシコトハ承知セリヤ

答 聞カサリキ

問 其方ハ慥カニ柳江露ヲ承知セル筈ナリ

答 存セス

問 柳江露ト共ニ長春ニ赴キシコトアラン

答 自分ハ妻子ヲ養フヘキ必要アリテ斯ル余暇ナシ

問 其方ハ烟草捲キヲ業トナスナラハ其他ニ職業ナキヤ

答 他ニ業ナシ

問 何ト云フ露国人ヨリ烟草ノ材料ヲ受ケツヽアルヤ

答 プリスタン十二道街「ロバアトコフ」ナリ

問 右露人方ヘ毎日通ヘルヤ

322

答 通勤セリ

問 商店ノ名称ハ

答 「コバロフ」ナリ

問 其方ハ近頃病氣シタルコトナキヤ

答 ナシ

問 病気以外ノ事故ニテ通勤ヲ休ミシコトナキヤ

答 祭日ノ外ハ休ミタルコトナシ

問 其方ト日本婦人同居セリト聞ケルカ何者ナルヤ

答 日本婦人二人アリ一人ハ金麗水ト同棲スルモノ一人ハ金守京ノナリ

問 金守京トハ何人ナルヤ

答 金ハ日露戦争ノ時露国ノ仕事ヲ請負ヒ石材等ヲ運ヘリ右日本婦人ハ其以前ヨリ同居セリ

323

問 大東共報ナルモノヲ知レリヤ

答 知レリ新聞紙上ニテ李剛ナル人アルヲ知リ居レリ

問 李剛ハ大東共報ノ何ヲナシツヽアルヤ

答 判然知ラズ

問 俞真律ヲ知レリヤ

答 新聞ニテ名ヲ知レルモ一面識モナシ大東共報ノ編緝人ヵ發行人ナリ

問 大東共報ノ發行人ハユガイナルニアラズヤ

答 「ユガイ」ト俞真律トハ同一人ナリ

問 如何ニシテ之ヲ知レリヤ

答 日本年一月頃改名ノ廣告アリタルニヨリ承知ス

問 (安應七ノ寫真ヲ示シ断指ノ点ヲ指示シ)何人ナルヤ知レルヤ

324

問 其方ハ新聞ヲ讀ミ居ル事故此寫真ノ指ヲ断テル人ノ誰ナルヤハ想像シ得ヘキ筈ナリ

答 知ラス

問 一般ニ判明セル事實ハ隱蔽セサル方其方ノ有利ナルヘシ

答 夫デモ知ラス

問 其方ハ安應七カ伊藤公ヲ狙撃セシ事実ヲ知リ居ルヤ

答 新聞ニテ承知セリ

問 然ラハ安應七ノ履歴ヲ知レルナラン

答 其新聞ハ見タルコトナシ伊藤公ノ履歴ハ見タルコトアリ

325

問 其方ハ当地共立會ヲ知レリヤ

答 共立會ノアルコトハ知レルモ関係シタルコトナシ

問 其方ノ関係ノ有無ヲ問フニアラス共立會ノ[illegible]ナリ

答 関係者ノ氏名ハ新聞ニ出テ居レリ自分ハ関係セシコトナシ

問 何新聞ナリヤ

答 新韓民報ナリ

問 何時頃ノカ

答 本年旧十月頃ノ新聞ナリ

問 其方ハ新韓民報ヲ購讀シ居ルヤ

答 否他人ノヲ借讀スルコトアリ

問 其方ノ申セルハ米国ニアル共立會ノコトナルヘシ

答 共立會ハ哈市ニ唯一ツアルノミナリ

326

問 然ラハ如何ニシテ哈市ノ共立會ノ役貟ノコトヲ米国ニアル新韓民報ニ記載セシヤ

答 存セサルモ多分會長ナドカ通信セシナルヘシ

問 會長ハ何人ナルヤ

答 姜鳳周ナリ

問 今日ニテモ會長ナリヤ

答 會長ナリ

問 副會長ハ何人ナリヤ

答 判明セス

問 尹根成ニハアラサルカ

答 會ニハ関係アルモ副會長ナルヤ否ヤヲ知ラス

問 會ニハ同人ハ如何ナル関係アリヤ

答 右尹ハ自分等ト一緒ニ烟草捲キヲ業トシ如

327

何ナル関係アルヤ知ラス

問 金衛在ヲ知レルヤ

答 知レリ

問 金ハ如何ニシ居ルヤ

答 旅順ヨリノ帰途長春ニテ別レ如何セシヤ知ラス之ハ金成玉ヨリ聞ケリ

問 金衛在ト共立會トノ関係如何

答 金ハ共立會ト関係ナシ

問 共立會ハ金衛在ノ設立ニ係ルニアラスヤ事實ヲ隠蔽スルハ其方ノ不利益ナルヲ知ラスヤ

答 当初ヨリ今日迄何等ノ関係ナシ事実ナレ

問 共方ハ共立會ト関係ナキニ如何ニシテ之ヲ知レルヤ

答 当地ニ共立会ハ永クアルコト故ヨク承知セリ

328

問 然ラハ尹根成ト共立会トノ関係モ知レルナラン

答 知ラス只尹ハ毎月一回共立会ニユク故関係アルヲ知レリ

問 共立会ハ何処ニアルヤ

答 新市街新市場姜鳳周ノ家ニ在リ

問 共立会ハ何ヲナシツヽアルヤ

答 毎月一回集会ヲ開ケルモ何ヲナスヤヲ知ラス

問 共立会ノ目的ハ何ナルヤ

答 自分ハ関係セサル故知ラスシカシ聞ク所ニヨレバ阿片吸入ヲ禁スルコト、勤勉ヲ勧ムルコト、飲酒ヲ禁スルコト等ナ目的トスル由ナリ

問 金成伯ト共立會トノ関係如何

答 金成伯ハ共立会トハ関係ナシ

329

問 柝長春ナルモノヲ知レリヤ

答 知レリ、之ハ露西亜ノ通訳ナリ三道街ニ住セリ
一定ノ職業ハ今ハナシ

問 柝ハ露西亜ニ帰化シ居ラスヤ

答 存セス

問 柝ハ共立会ニ加入シ居ルヤ

答 関係セリ名アリタリ

問 何ニ名カアリタルヤ

答 新韓民報ニアリタリ

問 当地共立会ハ何時成立セシヤ

答 本年旧二月ナリ（明治四十二年）

問 如何ニシテ成立セシヤ

答 自分ハ関係セサル故知ラス

問 其方ニ加入ヲ勧メシモノナカリシヤ

答 アリタリ、シカシ之ヲ断リタリ

問 誰カ其方ニ勧メシヤ記憶セルナラン

答 會長ノ姜鳳周等ナリ、シカシ是非加入セヨト勧メシニ非ズ

問 何故ニ加入セサリシヤ

答 集リテ酒ナド飲ミテ人ニ迷惑ヲカケテワナラヌト思ヒテナリ

問 同義会ナルモノアリヤ

答 知ラス、蔵烟会ナルモノハ哈尓賓ニ在リ

問 蔵烟会トハ何ナルヤ

答 烟草捲キノ職工等ノ会ニシテ互ニ競争シテ賃金ヲ安クスルコトヲ妨クタメナリ

331 330

問 信義会ヲ知レリヤ
答 知ラス
問 李範允ヲ知レリヤ
答 名ハ知レリ往時本国ノ官吏ニシテ今何処ニ居ルヤヲ知ラス
問 現時哈市韓人間ニ安應七弁護ノタメ金ヲ集メ居ラサルヤ
答 之レナシ、唯シモ聞カス口ハ、先日金聖源水、金成玉等ヨリ金ヲ送レト申シ来リシ故妾ヨリ送金セシメシカシ醵金ニテ送レルニハアラス
問 其方ハ安應七ヲ偉シト思フヤ
答 自分ニハ判ラス
問 其方ハ何ノ為メニ新聞ヲ読ミ居ルヤ

332

答 自分ニハ善悪ノ判断ツカス
問 其方ハ浦潮ノ青年会ヲ知レリヤ
答 其青年会アルコトハ聞ケルモヨク知ラス
問 青年会ノ目的ハ何ナルヤ
答 存セス
問 獨立会ヲ知レリヤ
答 知ラス浦潮ニアル国民会ノ名ヲ聞ケリ
問 鄭在寛ナルモノヲ知レルナラン
答 新韓民報ノ発行人ナリシテ止メテ其跡ハ崔鎮益ナルモノ其任ニ当リ居レリ
問 二十日程前ニ浦潮ヨリ当地ニ来リシモノアラン
答 金振声来レリ露国官憲ヨリ押送サレテ来リシ由ナリ

333

問 其他ニアルヘシ

答 知ラス

右録取シ通譯ヲ介シ讀聞セタルニ相違ナキ旨申立テタルニ付左ニ共ニ署名捺印ス

明治四十三年一月三日

在哈爾賓日本帝国総領事館ニ於テ

参考人 朴 文順

検事事務取扱
外務省警部 岡島 初巳

通訳 渡辺 百馬

334

第二回訊問調書(写)

伊藤公遭難事件ニ関シ参考人トシテ通訳渡辺
百馬ヲ介シ訊問スルコト左ノ如シ

問 其方ガ韓國ヨリ来ル時浦塩ニテハ何人ノ許ニ一泊セルヤ

答 開拓里徐俊明方ニ一泊セリ仝人ハ宿屋ナリ

問 徐トハ以前ヨリ知己ナリシヤ

答 知ラサリキ

問 徐ハ現今如何ニナシ居ルヤ

答 知ラス仝人方ニ一泊セルノミナリ

問 其方ハ韓國ヲ出立スルトキ哈市ニ来ル意思ナリシヤ

答 以前當地ニ在リ日露戰争ノ時帰國シ更ニ四年前ニ来レリ

問 然ラハ其往復ニ際シ右徐方ニ宿セシナラン

337

答　最初来レル時ハ牛ヲ賣ル積リニテ浦潮近来リシモ牛死セシ故他業ヲ見出スタメ哈市ニ来レリ

問　其時ハ浦潮ニテ何人方ニ宿セシヤ

答　十年前ナル故記憶セサルモ張某ナリシト覚ユ

問　其後哈市ヨリ帰国セル時ハ何人方ニ宿セシヤ

答　申述ヘタル徐俊明方ナリツアリ二度仝人方ニ宿セリ

問　近頃仝人方ニ赴キシコトアルヘシ

答　否、若キ妻アル故他地方ヘ往復スルヲ得ス

問　大東共報ハ一ケ月代金幾許ナリヤ

答　一ケ月六十銭一ケ年四円五十銭ナリ

問　其方ハ之ヲ購讀シ居ルヤ

答　然リ

問　右代金ヲ支拂ヒ居ルヤ

338

答　然リ当地ニテ金成伯韓鳳周等ニ托シテ送レリ別ニ集メル人ナキモ各自金ノ出来タル時之ヲ右両人方ニ届ケ居レリ

問　韓鳳周ハ新聞代ノ世話ハナシ居ラス筈ナリ

答　左レトモ自分ハ之ヲ仝人ニ支拂ヒタリ

問　金成伯韓等ハ右新聞代ヲ如何ニシテ浦潮ニ送リ居ルヤ

答　多分露西亜ノ郵便為替ヲ托送セルナラン

問　其方自身ニテ浦潮新聞社ヘ届ケルナラン

答　自分ハ行キタルコトナシ只ハ一回六十銭ヲ払ヘルノミナリ

問　金衛在（金鳳羅）カ新聞代ノ世話ヲナシ居リシニ非ラスヤ

339

答 多分然ラサルヘシ新聞来レハ金成伯又ハ姜鳳周ノ両人ノ方ヘ来レハ配付ヲ受ケタリ新韓民報ハ姜方ヘ来レル様ナリ

問 其方ハ両人ノ内何レカラ配布ヲ受ケルヤ

答 金成伯ナリ

問 安恣七高逆後ノ両人ハ新聞代ヲ集メニ浦港ヨリ来レリト云ヘリ若シ金姜両人ニテ代金ヲ集メ居ルナラハ安高両人カ当地ニテ斯ルコトヲ為スモ一般鮮人ハ信用セサル理ナリ如何

答 自分ハ知ラス

問 姜鳳周出頭

問 (姜鳳周ニ)其方ハ新聞代ノ世話ヲナシ居ルヤ

答 昨年春頃ヨリ三十枚位新聞カ浦港ヨリ来リ

340

シ故之ヲ捨ツルニ忍ヒス六十枚宛ノ代金ヲ取リテ之ヲ配布セリ夫レ一度限リナリ新聞社ヨリ維持困難ナルニ付購読者ヲ求メ呉レリ同情ヲ表シテ世話シ遣リタリ各人ヨリ六十枚宛ヲ集メテ送金シ其後ハ一枚モ来ラス自分民会長ナリシ時ナリ

問 (姜鳳周ニ)其後何人カ新聞ノ世話ヲナシ居リシヤ

答 本年春、会長ヲヤメタルニ付其後ノ事ハ一向知ラス尤モ米国ヨリノ新聞カ二度来レルコトアリ之ハ浦港ヨリ何人カカ持チ来リシナリ

問 (姜ニ)何人カ持チ来リシヤ

答 ハバロフスクノ奥ニ「ピヤンコ」金鉱アリ同地ニテ

341

多数ノ韓人労働セリ露国官憲ハ之ヲ放逐セリ其訳ヲ浦港ニテ聞カントテ安、某、李某ノ両人浦港ニユケリ、両人ハ浦港ヨリ当地ニ来リ其際米国ノ新聞ナリトテ持来レリ

問 (姜三)金成伯ハ現今当地ニテ新聞ノ世話ヲナシ居ラサルヤ

答 判リマセン永ク当地ニ一緒ニ居ルモ熟懇ニアラス

問 (姜二)其方ハ現今浦港ノ新聞ヲ取リ居ルヤ

答 購讀シ居ラス当地韓人ハ一般ニ貧乏ナル故新聞購読ノ余カナシ

問 (朴文順二)其方ハ新聞ヲ購読シ居ルナルヤ

答 然リ

342

問 (姜三)其方ハ朴文順ト懇意ナリヤ

答 永ク一緒ニ当地ニ在ル故知レリ

問 (姜三)朴ハ浦港ニ数々行ケルコトナキヤ

答 知ラス聞キタルコトナシ

問 (姜三)朴ハ近頃長春ニ行キタルコトアルヘシ

答 存セス

問 (姜三)其方ハ共立會ノ会長ナルヤ

答 否

問 (朴三)姜ハ共立会ノ会長ナリヤ

答 然リ

問 (姜三)朴ノ答ヲキケルヤ

答 前ニ申述ヘタル通リ卓公圭来リテ共立会設立ノ咄シアリシカシ会ナルモノハ如何ナルモノカ当地

343

ニテハ一向判ラサリシ、シカシ多数ノ韓人此地ニ
在リテ死スルモノアルモ埋葬等ノ世話ヲスルモノ
ナキニツキ一ノ会ヲ設クル方宜シカルヘシトテ之ヲ
設立スルニ決シ毎月十五日ニ貳拾銭ヲ徴集ス
ルコトトシ会員五十名位アリシモ会費ヲ出スモノ
ナク会ハ消滅セリ当時自分ハ会長ナリキ会ノ
目的ハ死体ヲ埋葬スルコト病者ニ医者等ヲ
供フルコト、無職ノ者ニ職ヲ供フルコト、本国ニ
帰ヘル者ニ旅費ノ補助ヲナスコト等凡ソ四ツ
ナリキ

問 答 (姜ニ) 其方ハ毎月韓人等集ル由ナルカ
自分カ会長ナリシ件毎月凡ソ二回集会セシカ
会長ヲヤメテヨリ近頃ハ一切ソンナ事ハナシ

344

問 (朴ニ) 姜ノ答弁ヲ何ト聞ケルヤ其方ノ前回ノ陳
述ト異レルニ非スヤ

答 否毎月一回韓人姜方ニ集マレリ自分ハユキタル
コトナキモ会員ノ行ケルヲ見タリ凡ソ二ケ月前
迄ハ集マレリ其後新聞ニモ姜カ会長ナルコトヲ記シ
アリタリ其後会長ヲ止メタル咄ヲ聞カサリキ

問 (姜ニ) 其方会設立ノ咄シアリシハ何月ニシテ会長
ヲ止メタルハ何月ナリヤ

答 新暦ニテイヘハ去年ノ旧正月ナリ(明治四十二年)其ハ
立会ヲ設立シ自分カ會長ヲ止メタルハ全年十二
月ナリ一般ニ会長ト称セラレ来リタルモ真ノ
会長ニハアラス既ニヤメタルナリ

問 (姜ニ) 然ラハ会員ノ其方方ニ集マリシハ一回位ニ止ル

345

答 ヘシ
二回位ナリ其他ハ金ヲ集メルタメ「プリスタン」ニ集マ
レルコトアルノミ
問 (朴ニ)其方ノ言ニ依レハ二ケ月前迄ハ姜方ニ毎月
会員集マレリトイヘルカ然ルヤ上述姜ノ言ト異ナ
レルニ非スヤ
答 自分ハユキタルコトナキモ人ヨリ聞ケリ姜ハ四ケ
月前ヨリ病気シ居リシコトハ聞ケルモ僅カニ自分
ノ友人カ姜方ニ会ヒユキシヲ知レリ
問 (姜ニ)如何ニ答弁スルヤ
答 金春卓(金鳳雛)金成伯、朴文順、金成玉
趙興明等ハ一派ヲナシ居リテ常ニ自分等ニ反
抗シ居リ無実ノコトヲ申スナリ、又朴ハ嘗テノ

346

泥酔シテ自分方ニ来リシコトアル故之ヲ逐ヒ出シ
タルコトアルニツキ自分ヲ面白ク思ハサルナラン、故ニ
領事館ト自分トノ仲ヲ裂カント思ヒルナリ
問 (姜ニ)右一派ト安應七禹連俊トノ間ニ何カ怪シ
ト思フコトナキヤ
答 別ニナキモ柳江露ト金成伯トハ姻戚ニシテ柳
カ安ト共ニ来リシ時伯方ニ宿セシ故金成伯ハ
情ヲ知レルモノト信ス
問 (姜ニ)朴文順ハ近頃浦潮ニユキシコトナキヤ
答 本年夏皇帝ノ壇ヲ学校ニ近フル為メ浦潮
ニユカントセシカ金ナキタメユクヲ得サリシ
右録取シ通訳ヲ介シ読ミ聞カセタルニ相違ナキ旨
申立テタルニ付左ニ共ニ署名捺印ス

347

明治四十三年一月四日

參考人 姜鳳周

參考人 朴文順

在哈尓賓日本帝國總領事館ニ於テ

檢事事務取扱ヒ

外務省警部 岡島初巳

通訳 渡辺百馬

348

右訳人ヲ[illegible]調書

[illegible]

[illegible]ニ対スル殺人[illegible]

事件ニ付明治四十二年十一月二十六日[illegible]

[illegible]帝国[illegible]領事館ニ於テ

検察官溝淵孝雄ハ書記岸田愛文

列席ノ上通訳嘱託園木末喜通訳

ヲ以テ前記ノ[illegible]ニ対シ[illegible]

如シ

[illegible]

[illegible]

右[illegible]（[illegible]）

351

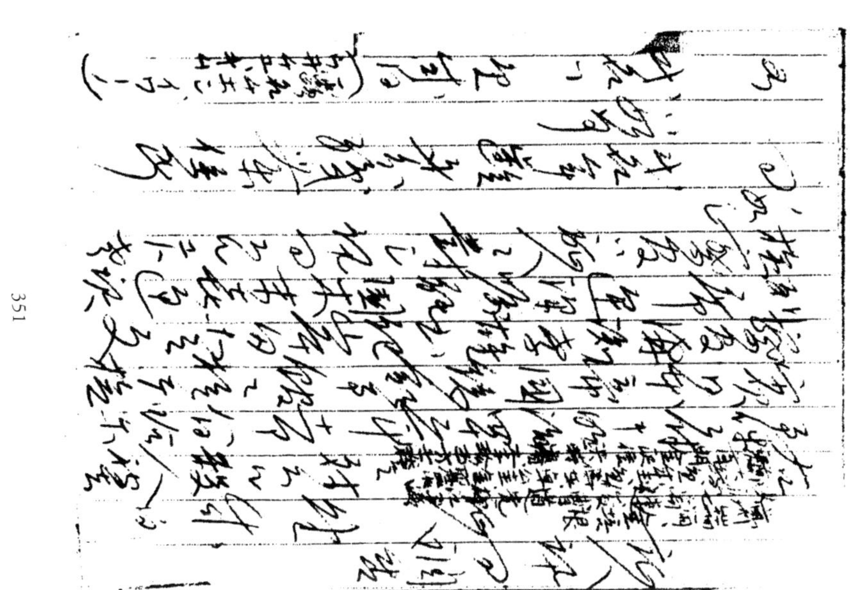

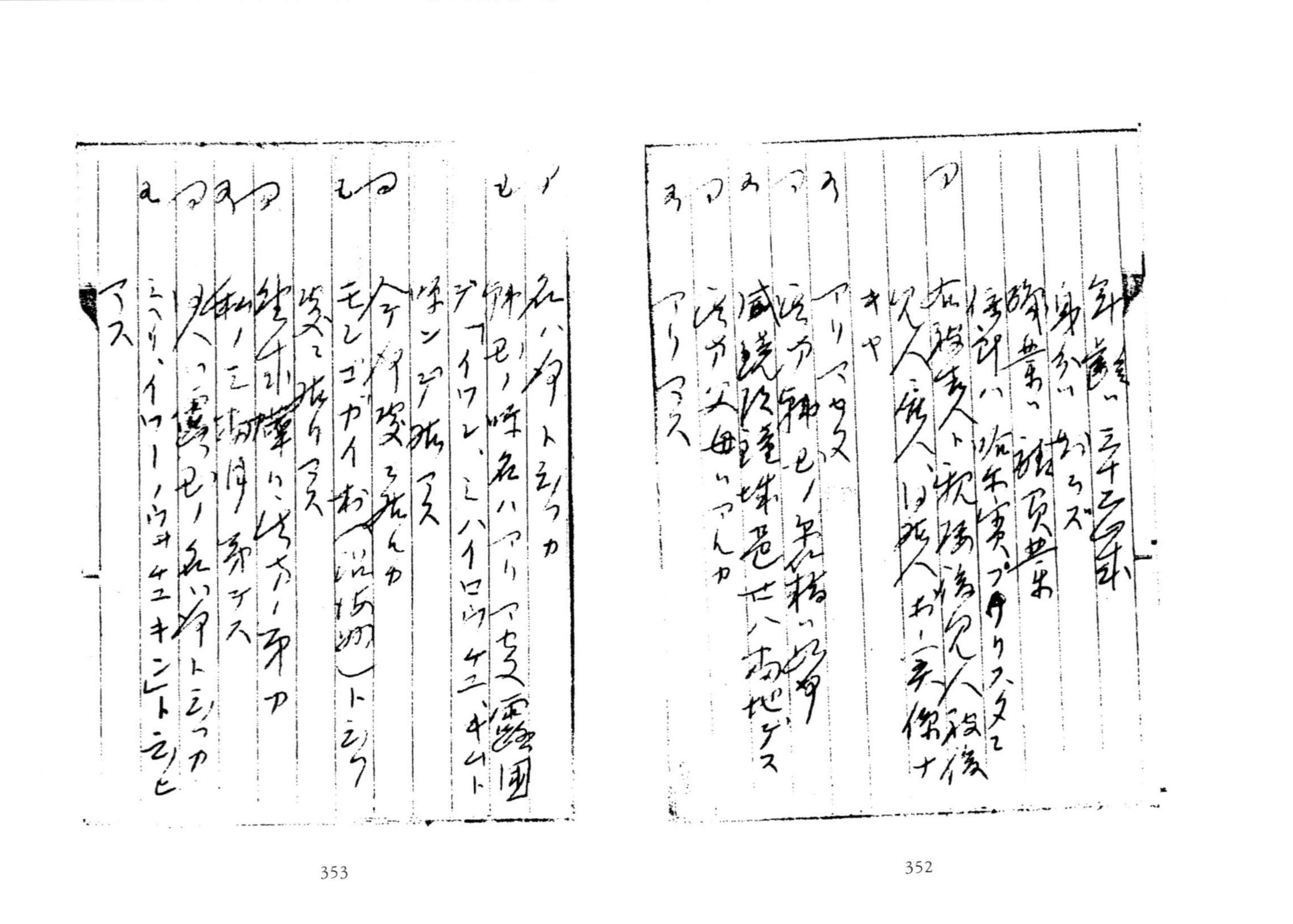

353

352

問 汝ノ兄ノ弟ノ名ハ如何

答 アレクサンドル、イワーノウヰチ
キレト申シマス

問 汝ノ二女ハ幾歳カ

答 露国ノ国籍デス

問 汝ノ兄ノ国籍ハ何国カ

答 露国人デス

問 何日カラ露国人ニ為リテ居ル
カ

答 廿九年前カラ父様露国ニ
帰化シテ居マス

問 汝ハ何年ノ幾歳デ洗礼ヲ

354

受ケタカ

答 露国ノアモレゴーガイト云フ処デ
十二三歳ノ時デス

問 汝ノ妻ハ何レノ国ノ者カ

答 韓国人デス

問 姓ハ何ト云フカ

答 金姓デアリマス

問 汝ハ韓国民籍ノ者カ

答 左様デアリマス

問 露国ノ国籍デアッテ韓国ノ民
在ルト為ッテ居ル理由ハ如何

答 韓国人ガ露国地ノ為ニ出来ヌ

355

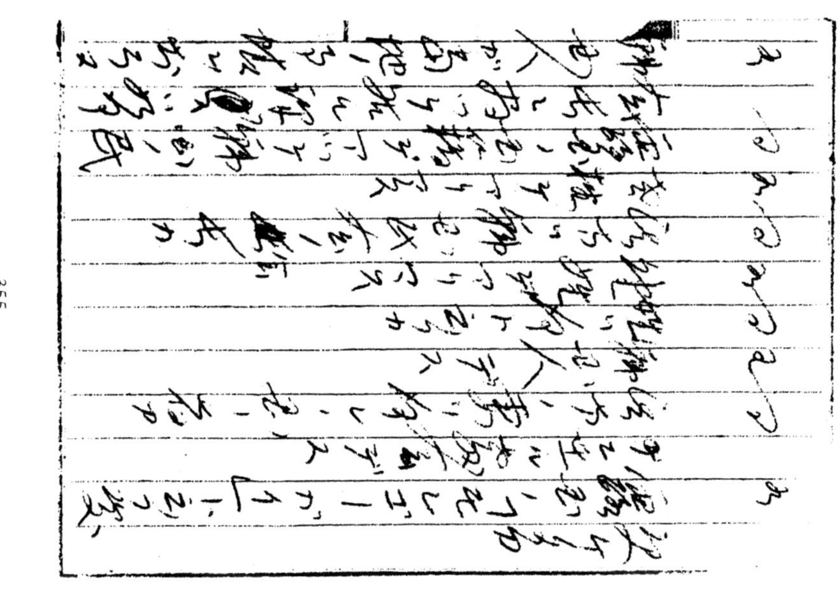

357

356

答　十一代ニ渡ッテ居リマスシ又大ガ荒
レマスカラデス
問　墓地改葬ノ議ノ起ツタノハ
何年頃カ
答　昨年春頃デアリマス私ガ首
謀者デアリマス
問　右者ノ中ニ反対者、親族ハナ
イカ
答　財務者一同ノ賛成ヲ得マス
答　其ニ親族ノ者ハアリマセヌ又
問　反対者ハ右者ヨリ判明シテ居ルカ
答　鄭大鎬、鄭瑞國ノ賛成ヲ得マス

358

答　鄭大鎬ノ賛成ヲ得テ指示ニテ
弐人ハ丁ポプラ二本ナヤシ殺
実ニ雅ナ人デス
又今ノ一人ノ弟ハ賛成又人デスガ
鄭大鎬ト私ノ娘ハ一所ニ来タ
人デス
鄭大鎬ハ廿七日根ト人ノ婦
問　又ハ母、妻子ヲ連レテ旅方要
ヘ封タカ
答　植デアリマス
問　鄭大鎬ハポプラニ本ナヤカラ
売ヲ生産シテ陥ン財産方面ヘ

359

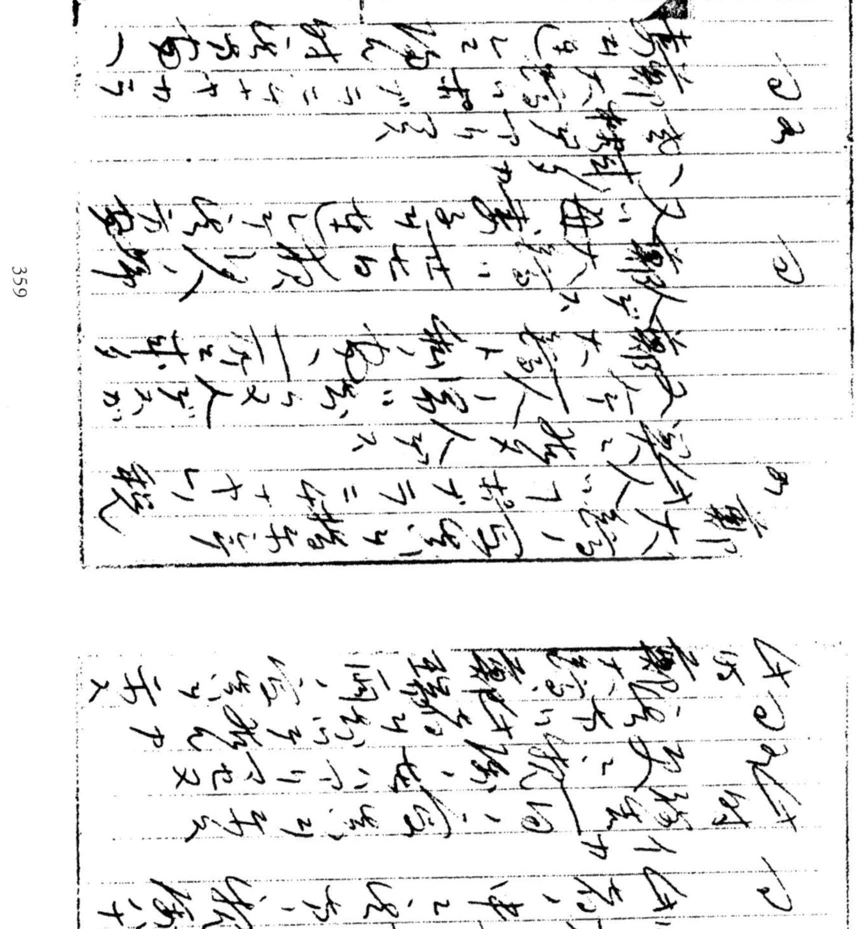

問 云ッタカ

答 此銃ハ私ノ買ッタ二挺ノ銃デアリマス

此弾薬ハ右ノ銃ト同様ニ同時

問 ニ求メタ物モ同様ニ居住ニ於テ求メ

ルト申シテ居タカ

答 左様申シテ居リマシタ 然様

ソレカラ申シテ私ノ買ッタ銃ハ求メテ居

其ノ居住ハ何所ニ於テ求メタルモ

[illegible]

マシタ

問 居住ハ何所ニ居ルカ

答 鉄道附属地柳樹河子ノ[illegible]

360

答 ポグラニチナヤカラ来テ買ッタ

為メ私ノ見ヘ来テ居リマシタ

ガ弾薬ハ買ヒニ行ク途中デ捕ヘ

ラレマシタ

問 同人ハ何ト云ッタカ

答 [illegible]私ハ

ハポグラニチナヤニ居ル同人

方デ居住ニ於テ又私ノ三番目ノ

弟ガ右同人方デ病気療養ノ為

メ居住ニ居リマス同人ノ妹

ハ別ト云ヒマス名ハ知リマセ

又

361

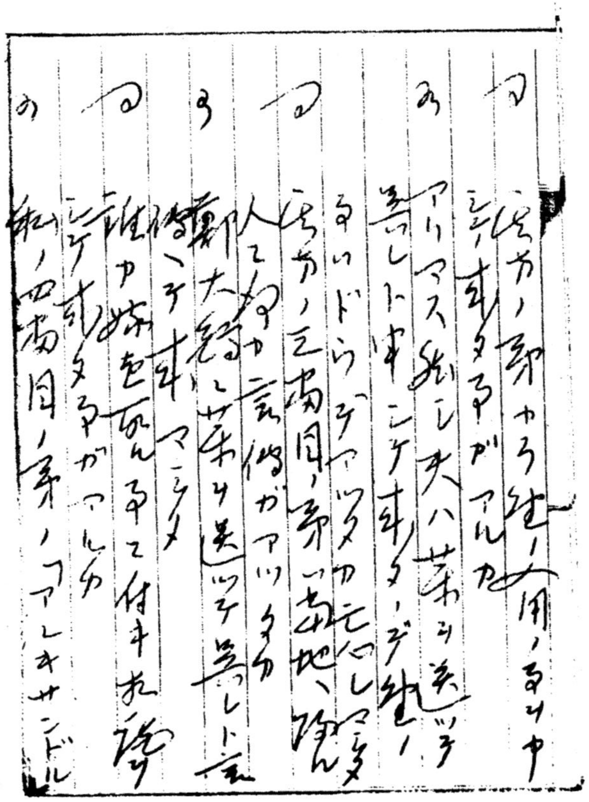

363

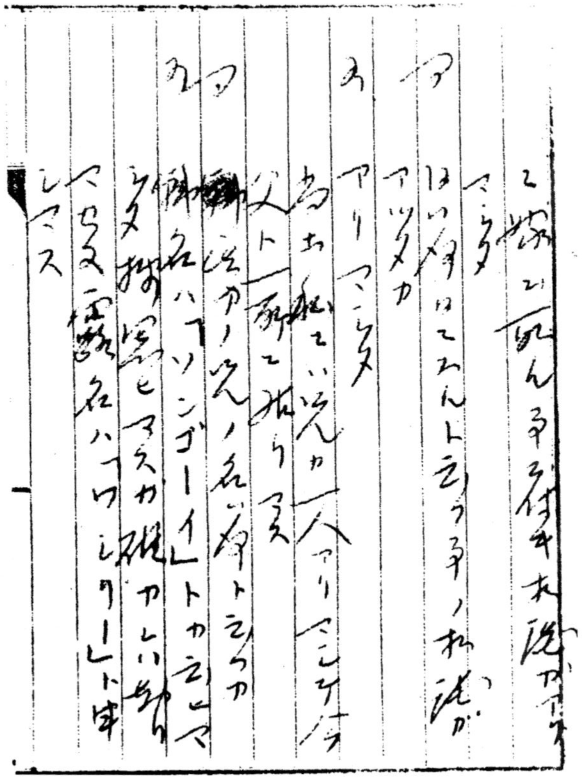

362

問 「ユヒタイホ」又ハ「[illegible]タヒホ」ト云フ者ガ[illegible]ヲ狙ツテ居タ事ガアルカ

答 アリマセヌ

問 [illegible]「ユーノタヒホ」[illegible]テ廿五日[illegible]ガ[illegible]

答 [illegible]知リマセヌ

問 [illegible]ハ不在ニテ[illegible]ノ妻ガ[illegible]殺サレ[illegible]ノ妻ハ[illegible]ノ事ヲ知ラヌカ

364

答 [illegible]知リマセヌ

問 露国ノ役所ノ取調ヘニ依ラハ[illegible]ノ[illegible]ノ妻ガ[illegible]殺シ又[illegible]ノ妻ニ[illegible]ノ妻モ殺シタト云フ事ナルガ如何

答 私ハ殺シテ居リマセヌ

問 ユーノタヒホト云フ人ハ[illegible]ノ心安キ者ノ[illegible]デハナイカ

答 私ノ見テハ[illegible]人ガ出マスカラ能ク知リマセヌ

問 [illegible]大[illegible]ニ[illegible]ガアルノヲ知ツテ

365

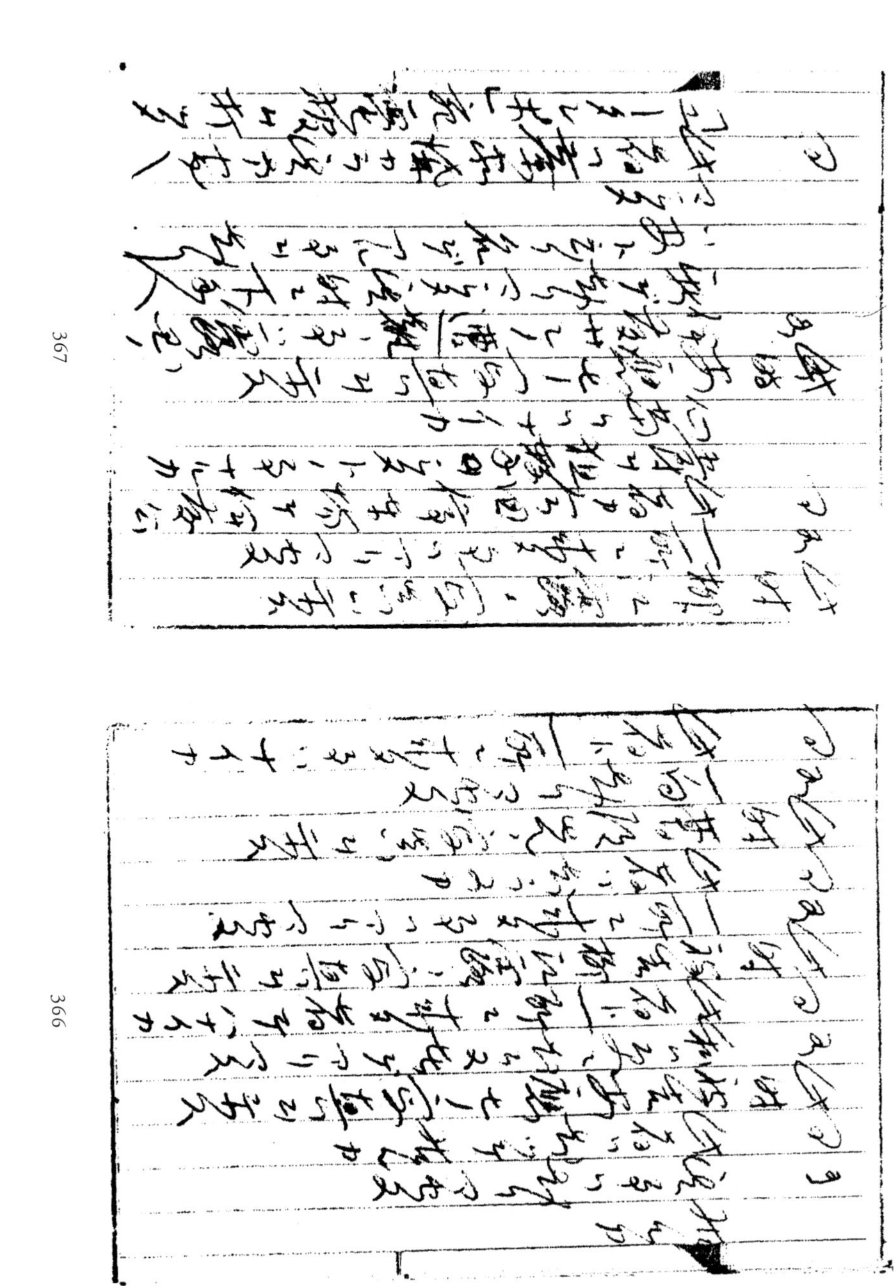

右ハ何ト書イテアルカ
答 [illegible]書ハ[illegible]先[illegible]後ノ[illegible]真ニ示ス
大ニ[illegible]マ[illegible]又人ヲ[illegible]
[illegible]
問 [illegible]モ[illegible]名[illegible]ヲ[illegible]
[illegible]ナイカ
答 [illegible]テ[illegible]
名デ下リマス
問 [illegible]ガ[illegible]紙ニ依ラバ
[illegible]セリ[illegible]十ルガ[illegible]
答 [illegible]
[illegible]ニ一切[illegible]

368

問 伊藤公ガ狙撃セラル、事ハ[illegible]
[illegible]人[illegible]
テ語ッタ人ガアルカ
答 左様ナル事ハ[illegible]
[illegible]人ハ哈爾賓ニ来[illegible]
[illegible]デナルギー、ココンスタン
[illegible]ボボーフノ[illegible]
テ[illegible]
[illegible]ナキコト[illegible]
[illegible]
[illegible]

369

但此張之中ニ係ル二ヶ所訂正ス
印ヲ用フル能ハス
關東都督府地方法院
書記 岸田愛文
檢察官 溝淵孝雄
通譯囑託 園木末喜

370

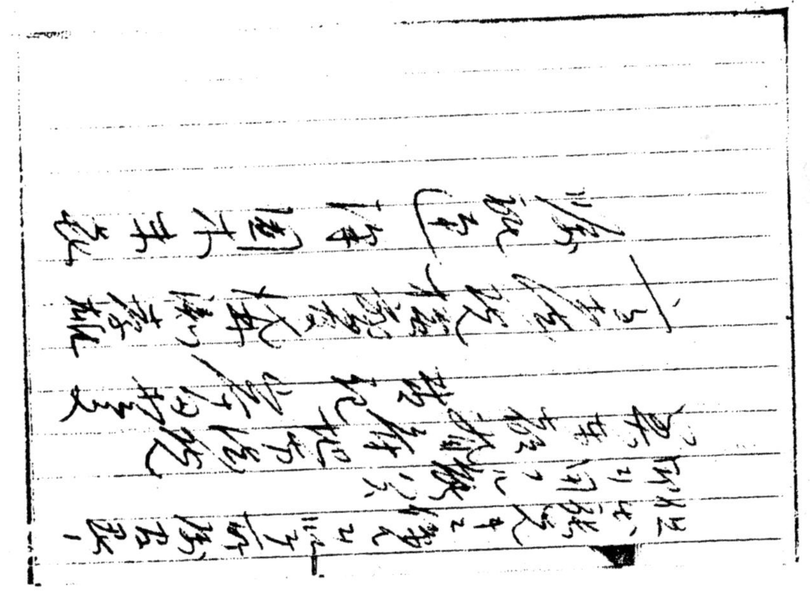